ЛАУРЕАТЫ ЛИТЕРАТУРНЫХ ПРЕМИЙ

Маргарита МЕКЛИНА

ВМЕСТЕ СО ВСЕМИ

ЭКСМО

МОСКВА

2014

Издательство выражает благодарность
Ирине Горюновой
за помощь в приобретении прав

Художественное оформление серии
Ф. Барбышева, А. Саукова

Фото на переплете из архива автора

Меклина М. М.

М 46   Вместе со всеми / Маргарита Меклина. — М. :
Эксмо, 2014. — 480 с. — (Лауреаты литературных
премий).

ISBN 978-5-699-70016-5

За житейскими трагикомическими историями этой
книги стоят глобальные философские проблемы: любви,
одиночества, выбора собственной судьбы и, конечно же,
проблема самоидентификации. Герои Меклиной все немного чудаки: безработные филологи становятся ясновиди-
дящими, гастарбайтеры изучают методики трансерфин-
га реальности, чтобы эту реальность немного улучшить.
А кто-то просто пытается превратить свою жизнь в произведение искусства, но при этом превращает ее в комедию положений. Но комедия эта перерастает саму себя,
становясь вселенской оперой и захватывая без остатка!

УДК 82-3
ББК 84(2Рос-Рус)6-4

ISBN 978-5-699-70016-5

CERVIX

1

Тото глянул на женщину у себя на плече.

Волосы у нее были распущены, нижняя часть тела расплывчата.

Обвел шероховатым пальцем контур лица: выражение оставалось таким же.

Верхний край проймы его сетчатой бледно-голубой безрукавки доходил ей до макушки.

В предутренних сумерках, сам себе кажущийся несуществующим, смешанным с серо-формалиновым воздухом, вытянул из кома одежды в шкафу бязевую бесцветную мастерку с капюшоном, натянул ее поверх полиэстровой майки.

Синяя женщина скрылась.

Буквы на шее прикрыл старым шарфом.

Нащупал в неприятно-шершавых катышко-вых карманах полуспущенных шаровар бумаж-ку с косо написанным адресом, заучил наизусть, порвал на куски.

Во рту был вкус сырых шампиньонов; и без того неопределенная, склизкая жизнь ускользала, и каждая попытка схватить что-то увесистое и материальное была желанием ее задержать.

Крепкий, не очень спортивный, но без излишков жира Тото напоминал кэмпбельские консервы в красных передниках: пройдешь в супермаркете мимо этой солидной суповой яркости, мимо лоснящегося оскала наклеек — и, не нуждаясь в них, не заметишь, только в отличие от консервов Тото всегда извинялся, когда ему в бок упиралась чужая тележка с продуктами или чей-то барабанный многодетный живот с осыпа́вшимися с него, как пигментные пятна, смуглыми малышами в суконных темных одеждах.

Намеченный розовый особняк пустовал.

Своей архитектурной ажурностью он напоминал домик принцессы из марципанового диснеевского мультика.

Тото проезжал мимо него несколько раз; кружил, как паук, выпуская из себя связующие вязкие слюни, опутывая нитями будущих действий; на воображаемой гигантской веревке тащил, как игрушку, дом за собой.

В газетах — как он потом заявлял, и зачем-то колупал подбородок, проводя пальцем по кровоточащей точке, и божился двухлетними дочерьми, а потом, будто что-то припомнив, еще одной, семимесячной Тицианой, — было написано, что он не видел сообщений о смерти.

Он просто готовился к проникновению, забросив метамфетамин и шприцы.

Чувствуя себя слившимся, как асфальт или дерн, с этим районом, заглядывал за занавески. Как комар, запутывался взглядом в тюлевых складках, бился бессильно, опасаясь заметить в глубине комнаты шевеления; надеясь успеть, пока обитатели прохлаждались на лежаках.

Пока на подносы в курортной столовой набирали сочные, но побитые фрукты.

Пока надували матрасы, зарывались в песок, покачивались на морях — на волнах.

Пока расхаживали по пляжам в белых портках!

Почти безвоздушные капсулы ноздреватой сырости, серости (квартира Тото) и образцовый изразцовый принцессин дворец (дом, принадлежавший отдыхающим на Югах) как бы висели в пространстве параллельно друг другу.

Скоро Тото в грубых ботинках на рифленой подошве гулко взойдет на порог, по которому не так давно в воздушно-вельветовых рубчатых тапочках нежно ступали они, но ни одна молекула этого тривиального, нетревожного существования не перенесется из их мира в его.

Они никогда не узнают, что мать после разговора с учителем всегда выдавала ему чупа-чупс, когда понимала — с ватной головой после вахты на мебельном складе, — что опять не сможет помочь с собиранием катапульты, катодом-анодом и «гитлеркапутом», а потом шла в близлежащий «Фудмакс» и брала под процент деньги в аванс.

Помимо матери, у него было все: белые носки из «Уолмарта»; зеленая, мелкая, со сгибающимися конечностями, уступчивая ему, но воинствующая в устраиваемых им сражениях солдатня; кроссовки с бегающими по подошвам яркими огоньками; махровая подушечка с вышитым на ней символом любимой бейсбольной команды; деньги на сверкающий лотерейный билет, с которого ногтем нужно было соскребать серебристую краску; пластмассовый черно-белый автомобиль со словом «Шериф» и полицейской сиреной (настоящие сирены часто ревели в районе), а также размалеванный суперменскими подвигами металлический чемоданчик, куда мать клала ему резиновую пластину сыра, мытое, с обязательной вмятиной, яблоко и пропитанный вечной сыростью на их кухне, похожий на ткань пористый бутерброд.

Если верить тому, что говорил Тото в зале суда, пока жена с размытым расстояньем лицом пыталась поймать его взгляд, а голова судьи, уставшего от монотонности, склонялась все ниже, он понятия не имел, что в газетах уже появились их лица.

И понятия не имел, что местные жители кликают — расцвечивая обыденность рабочих будней цветными портретами навсегда переставших работать людей — на лбы и носы, чтобы их увеличить и с удовольствием убедиться, что люди на портретах уже находятся «Там», в то время как они сами — с пожелтевшими глазными белками, раковинами, унитазами и зубами, — запивая пивом жаркое или чмокая жирным обжигающим чили, вглядываются в скрытое до поры до времени разложение и тени судьбы.

Тото клялся, что про «Там» он не в курсе, как будто надеялся, что из-за незнания ему навесят наказанье поменьше, а ему все подсовывали портреты мужчины с белой остроугольной бородкой и женщины с открытым честным лицом.

В жизнь Тото назойливо лезла чужая. Эти распечатки с Инета, чьи-то переставшие существовать мольбы с молекулами не имели к нему отношения, он так и говорил:

— Газеты мне не нужны, Сетью не пользуюсь, для погоды слушаю радио...

Он отталкивался от этих людей.

Чем дотошнее ему расписывали их достижения, тем яснее он понимал, что его непроникновенное проникновение в принцессин дворец никак не приближало его к их ежедневной рутине: отчитыванию подчиненных, подсчитыванию дневной выручки, игре на рояле, на бирже, гитаре, собиранью картин.

В квартире Тото висела всего одна репродукция: консервные банки в красных передниках, и, глядя на них, Тото вспоминал, что так и не сходил в магазин.

Сам он в детстве так хорошо рисовал человечков, что мать отдала его в изощренную изостудию, но там он оказался единственным с распространенной в их районе фамилией Гутиэррес, и учительница не одобрила его усатых героев в сомбреро и с подсмотренными на улицах пистолетами, вместо них предложив рисовать панамы, парусник и залив.

Ах да, панамы, парусник и залив — уже тогда его пытались втолкнуть в их надутый блескучий мир, с сытым довольством покачивающийся на волнах... Пытались столкнуть их лбами — а у Тото в двадцать семь лет он весь изрезан морщинами...

Судья прервал ход его мыслей:

— Вас даже не остановил факт, что этих людей уже нет в живых...

— Ну зачем бы я стал обирать мертвых? — повторил Тото и указал рукой в сторону, где с малышками рассироплявалась, расплывалась жена. — Разве я не понимаю про смерть? Вон у меня свои дети.

У судьи была черная мантия, покрывавшая полностью все его тело, и по контрасту с мантией — казавшаяся еще более открытой, незащищенной и обнаженной лысая голова.

Тото взял видеотехнику, растянутый свитер — он вовсе не взял чью-то смерть.

— Видеокамера и лэптоп — при чем тут мертвецы?

Адвокат начал описывать, как мать растила Тото одна, без отца, как вынуждена была работать в две смены, ночами, чтоб заплатить за квартиру, за мелкую солдатню из «Уолмарта», за чипсы и чикенов от «Полковника Сандерса», белые носки и бегающие огоньки, за детсад.

Тото возвел глаза к небу. У него тоже, как у судьи, была голая голова.

Детский сад в голове у Тото совмещался со смертью.

Тото не слушал адвоката — мужчину с мучнистым женским лицом, кудрями и рюшечками на голубой блузе, высовывающейся из-под асфальтового пиджака; он видел неподвижного человека, плащ, кепку, скамейку.

Это было в детском саду.

Он только закончил работу с лопаткой. Оставил в покое куда-то ползущую гусеницу и распрямился.

Он был в красных любимых шортах с белой отделкой, с так и не снятым после дневного сна стыдным памперсом; ему было пять лет.

Поднял голову и увидел, что за забором собрались люди.

Они смотрели на застывшего человека в кепке, сидящего на скамейке в небольшом скверике, смежном со сквериком, где стоял Тото.

Тото поглядел на него из-за куста. Переступил с ноги на ногу, но ближе подойти не решился.

На человеке был длинный, бежевый, до бедных стертых оттенков, до коричневатых дождливых разводов застиранный плащ; брюки не доставали до остроносых ботинок и виднелись дешевого материала носки; глаза закрывала тень козырька.

Люди боялись войти в окружающий человека невидимый круг.

Тото не мог оторваться от этой удивительной неподвижности. Он ожидал окончания, но оно не наступало. Человек не шевелил ни рукой, ни ногой, и ничто не указывало на то, что он жив.

Тото ждал, что хотя бы один из собравшихся что-то скажет и подойдет к сидящему на скамейке мужчине.

Что мужчина проснется.

Что опять завертится ежедневная чехарда, полная мелких дерганых действий.

Что взрослые наконец объяснят детям, что на самом деле случилось.

Он стоял и ждал со своей лопаткой в руке. Стало быстро темнеть. В скверике медленно осыпались желтые листья с деревьев. Ничто не шевелилось вокруг человека, сидящего на скамейке, кроме деревьев; люди стояли, смотрели; Тото тоже стоял.

Он так стоял до сих пор.

Он до сих пор стоял и смотрел на человека, который, по всей вероятности, был давно мертв, но ни у кого не хватало смелости это проверить.

Воспитательница его увела (он пытался ей объяснить насчет гусеницы, чтоб задержаться, но на самом деле хотел посмотреть, что же будет происходить с человеком в плаще, упирался, оставлял на песке дорожки от волочащихся сандалей, коленей), и он так ничего и не узнал.

Вот это и была для него смерть.

Портреты, которые для него увеличивали, его не касались.

У него в голове были собственные большие снимки — слепки с событий.

Они никак не собирались смешиваться с чужой разрозненной, раздражающей ерундой. Его снимки и слепки были бедны и просты, не желая слепляться ни с остроугольной бородкой, ни с чисто промытыми женскими волосами, ни с бесполезно-честными лицами.

«Теперь уж совсем бесполезными», — подумал Тото.

Судья повторил, что женщина с портрета была маркетологом, но ставила слово «мать» на первое место; мужчина, только-только закончив писать сборник рассказов, доступный подросткам из всех социальных слоев, возвратился в свой банк.

Но Тото понятия не имел, почему ему предлагают заглянуть в эти глаза!

Почему спрашивают, не склонен ли он к сетевому бездумному кликанью!

Почему развешивают перед ним эти разноцветные прямоугольники бытового былого счастья?!

Похоже, его главное преступление заключалось не в воровстве, а в том, что он обеднил, обобрал этих богатых мертвых людей.

Как будто «Там» им действительно нужна видеокамера!

Как будто и умерев, они не желают иметь ничего общего с людьми в покрытых катышками рубашках; как будто и на том свете предаются коллекционированию картин с изображенными на них консервными банками или разноцветными точками, ничем не отличающимися от оберток конфет!

— Я взял то, что плохо лежало, но какое отношение имеет смерть к видеокамере? Ну как я мог определить, просто по взгляду на аппаратуру, что ее владельцев уже нет?

Ему казалось, что его, обыкновенного парня, пытаются затащить в какую-то сложную, свежую яму, суют под нос кладбищенский холм.

Просроченное водительское удостоверение лежало у него в портмоне.

В поясной черной сумочке — отмычки и потертые на сгибах квитанции с газостоянок, которые он, заметив там свое имя и номер кредитки, выбросил в мусор.

Это было полгода назад.

Он выехал на фривей, чуть не задев чей-то дребезжащий, потерханный грузовик с торчавшими из кузова швабрами.

Эти швабры сразу же напомнили Тото, как они переезжали с матерью с места на место, один раз из-за неуплаты помесячной ренты, а все остальные — в поисках лучшей квартиры и вместе с ней — нового, чистого счастья (например, мать считала огромной удачей, что однажды им досталась стиралка в подвале, так что ей с сыновьями не надо было тащиться в коммунальную прачечную с зажатыми в кулаке потными квотерами, с грязным бельем на горбах).

Ее кузен владел бизнесом по уборке домов и одалживал им грузовик.

Тото запомнилось, как при очередном переезде он сидел в кабине, плотно зажатый между матерью и ее двоюродным братом, чьи тела заменяли ему отсутствующий ремень безопасности. Когда машина бойко спешила под гору, позабыв про натужно воющий, не справляющийся со скоростью старый мотор, он опасался, что они сорвутся с тормозов и помчатся без удержу со всеми своими моющими, ноющими и скрипящими веществами, швабрами и облупленной фанерной мебелью вниз!

Соседи косились.

У Тото на кухне тек кран, вытершиеся ковры были в разводах и в дырках, прожженных предыдущими обитателями, но они не вызывали в нем никаких чувств. Этот же грузовик напомнил детство и как-то умалил и унизил: он увидел себя таким же беспомощным и беззащитным, как и тогда.

Только реальные увесистые вещи в крепких шершавых руках помогали очнуться.

Тото сжал руль, перевел взгляд на игрушечный игральный кубик из плюша и висевший рядом с ним на зеркале позолоченный крест, пришел в себя.

Приехав и повозившись с замком, вступил в полупустую прохладу.

Перевернул постель в поисках денег, залез в морозильник, нашел под пачкой журналов (нечитаны, отложены на потом) несколько бумажных купюр. В комнате, где жили подростки — на стене кричащий плакат с волосатиками в неприличных лосинах, — обнаружил гитару, свитер, нетбук и только в гараже, под дерюгой, увидел дорогостоящую видеоаппаратуру.

Жизнь принялась качать в него свои соки!

Он стал деятельным, повеселел, начал грузить.

Закончив, в последний раз зашел в ажурный дом, заметил, что наследил, стер себя с их порога, смел с половиц отвалившиеся от рифленых подошв плоские остроугольные кусочки земли.

Сел в свой пикап.

Выехал на фривей, и вдруг сзади замелькали огни.

Красные и синий сверкали, механический голос что-то вещал. Тото включил поворотник, перестроился, не торопясь, в крайний ряд. Освободил дорогу полицейскому прилипале. Но навязчивые, как шмель, зудящие огоньки перестроились вслед за ним. Рупор опять что-то сказал. В зеркало заднего обзора Тото увидел полицейскую форму, белые квадратные подбородки, черные солнцеочки.

Так никуда и не приехав, остановился.

2

Кто-то в это время просовывал палец...

Кто-то в это время подкладывал подушечку под мягкие части...

Кто-то в это время поднимался с кровати, бросался к комоду, выхватывал оттуда четвертушку бумаги и, шевеля губами, читал, сразу же по прочтении забывая слова...

Кто-то в это время, прочитав слова по белой бумажке, кидался обратно в кровать и опять просовывал палец, блуждая в бугристых потемках...

Кто-то в это время то никак не решался просунуть в увлекающую глубину одновременно указательный и безымянный, то вдруг старался просунуть в растягивающиеся потемки всю руку...

Кто-то в это время проверял потемки на осадки и влажность...

Кто-то в это время, отчаявшись и не в состоянии засунуть всю руку, чтобы во всем убедиться на ощупь, думал о леденящей, абстрактной помощи зеркала, но потом забывал...

Кто-то в это время просовывал один палец и удивлялся, что тот почти исчезает в неизведанном лабиринте и продолжает продвигаться куда-то одновременно и вверх, и назад...

Кто-то в это время опять находил в комфортной постели острый, режущий угол бумажки, судорожно разворачивал и читал строчки одну за другой, поднимая к небу глаза...

Кто-то в это время, следуя распечатанной инструкции с Интернета, трогал округлое затвердение с небольшим зевом, «на ощупь напоминающее кончик носа», и убеждался, что сегодня зев полураскрыт...

Кто-то в это время продолжал исследовать со всех сторон твердоватое закругление, не понимая, то это или не то... (перед глазами, будто сойдя с диаграммы из медицинской статьи, стоял загадочный круг розоватого цвета с узким черным глазком)...

Кто-то нащупывал это непроницаемое молчаливо-медицинское солнце и пугался находящегося в нем узкого непонятного глаза...

Кто-то оглаживал со всех сторон это мерцающее шароподобие, обмакивал палец в слюдянистую беловатую жидкость и нес ее к розоватому солнцу... Обмазывал жидкостью черный глазок, а другой рукой держал перед носом бумажку, шепча лихорадочно «Господи, помоги...»

Кто-то, страшась этой самодостаточной плотной округлости, тем не менее пытался до нее «достучаться» и вел палец вверх, а потом выводил его из неосвещенного лабиринта и оказывался на другой, давно изведанной тропке, которую принимался топтать и топтать, пока тело не содрогалось и не становилось сухо во рту...

Отдохнув, доставал с прикроватного столика стеклянную баночку, засовывал туда палец, вытаскивал его обмазанным в тянущейся слюдянистой прозрачности и проталкивал палец в глубины, опять удивляясь, насколько далеко тот проходит и сколько в этом подземном лабиринте гротов, закоулков, пещер...

Кто-то проталкивал палец, находил мистическое розовое солнце с черным глазком и ему поклонялся, окутывая глазок слюдянистостью, принося дары влажной субстанцией, лаской, словами, повторяя про себя «Господи, благослови».

3

Солнце светило так ярко!

Когда Эстер увидела ослика и женщину с кнутом в пестрых одеждах, которая отвезет их в ущелье, она испугалась. Но женщина, оглядев всю галдящую кучку, попросила их подождать и, оставив ослика отдыхать, привела лошадей.

Девочки забрались на переднее сиденье разухабистой брички. Рыжеватая Эстер, сидя с мужем на заднем, оглядывала свои бриджи с разрезами, обнажающими тугие спелые икры, и думала, что не все еще потеряно в 41 (она была такая же высокая и костистая, как эти две цифры).

Сердце екало, когда бричка, запряженная лошадьми, рывками, уступами тряслась вниз по горкам и пыльным острым камням; ветка с опутанными паутиной красными ягодами, хлестнув по лицу, чуть не выколола ей правый глаз; «Разобьемся!» — дрожало в груди. Муж, в надетой задом наперед выцветшей бейсбольной кепке, с выскальзывающими из петелек пуговицами на высоком холме живота, в стоптанных теннисках на босу ногу с чешуйчатыми толстыми пятками, щурился и улыбался. Бричка то бежала, то застывала; возница, миниатюрная женщина с иссиня-черными волосами, состоящая из термоса с терпко пахнущим кофе, трико, густого, почти театрального, макияжа и таких же театральных громких покрикиваний и почему-то находящегося в бричке весла, рассказывала, что живет в ущелье, без Интернета и газа, в самом низу.

Эстер забыла о ловких разрезах и впилась взглядом в тонкие дочкины спины: десять, двенадцать, какие умные, стройные выросли дети, как же ей повезло. За несколько дней до поездки она копалась в Сети, искала на туристских сайтах отзывы о сходе в ущелье, чтобы увериться в безопасности и педагогичной полезности подобного спорта.

Ее жизнь давно превратилась в собранье структур, прочных основ без нежного наполненья; днем они помогали делать без думанья, спешить из одного прямоугольного зданья в другое, переливать жидкость из пластмассового сосуда в фаянсовый, разогревать обед в керамическом белом гробу; и только ночью ее раскрытые глаза и губы не находили ответа, ресницы дрожали, она, желая сама не зная чего, представляла себя сидящей у камина не с мужем, а с кем-то другим.

То, что было внизу, с некоторой долей приятности и с определенными промежутками наполнялось, хотя отверстие было закрыто от слюдянистой неопределенности резиновым колпачком, надетым ее гинекологом, внешне чуть более симпатичным, чем муж, но чего-то воздушного, когда подгибаются ноги и структуры, как оттаивающий ледяной дом, расплываются и текут, недоставало. Тем не менее, представляя окружающим только самую показательную, отполированную сторону семейного «счастья» и гладкие ноги вместо распечатки анализов с тревожащей трансаминазой, она решила все оставить как есть.

Поездка не обошлась без проблем: домохозяйка, бывшая медсестра, живущая на Гавайях больше двадцати лет, чем-то их отравила. Только утром Эстер восхищалась бьющим в окна насыщенным солнцем и прозрачными шторами, а вечером уже настоятельно обнимала прохладный горшок. Мужу тоже стало плохо после этих яиц. Дочки не обращали на их страданья внимания и чирикали между собой, таская из холодильника чужую крем-соду и сыр.

— Пора нам прощаться с Гавайями, — сказала она мужу сразу после того, как тошнота отпустила.

— Да и я перезагорал и перекупался, — отвечал он. — Надо действительно уже возвращаться, волнуюсь за маму, все-таки живет одна в семьдесят девять лет.

Вечером, в одинаковых спортивках из флиса, они отправились смотреть на вулкан. Она сидела рядом с ним, таким привычным и мягкотелым, старалась ловить носом ветер и свежесть, а не отдушку его пропахнувшей в чулане одежды, глядела на красные языки в кратерах и не выпускала из виду Пайпер и Грэйс.

Она знала, что должна всегда быть рядом с ними, охранять, предвосхищать, предупредить о беде. У нее был тик все закрывать: водопроводные краны, двери, картонные папки, баночки с кремом, как будто что-то легкое, неощутимое могло выскочить из коробки, из крана, из папки и в одну секунду все изменить. Много лет назад она отправилась с подругой на отдых в Боливию, и там, посреди лиан и мартышек, а также заливаемой мартини и лимонадом жары, сын подруги был сбит дребезжащим таксомотором, выскочив из их вставшей на обочине легковушки за выметнувшимся из приоткрытой двери щенком.

Собака — как обычно бывает — осталась в живых, а дошколенок расплавился на горячем асфальте. Превратился в кровоточащий снимок, каждый день проявляющийся в ее голове. Может быть, Бог прятался в этой душной смеси? Таился в крике подруги? В золотом перстне и грязновато-белом костюме водителя, который выскочил из такси и кинулся на асфальт?

Она не спускала глаз с дочерей. Не веря в существование невидимых, благоволящих к человеку существ, предполагала, что сама станет защитной стеной. Да, конечно, жизнь была наполнением полой бетонной структуры вещами и вехами (последнее кормление грудью и одновременно первая седина на висках, первая менструация Грэйс, второй разряд по гимнастике Пайпер), но если бы она встретила того, от кого бы задрожали ресницы и смогла позабыть единственное определяющее ее слово «мать» (и стала любовницей, творцом или тигрицей), фундамент бы размягчился...

Общество вознаграждало структуры и прочный, понятный бетон. Думая о жесткой решетке каждодневных решений, видела себя уже не матерью — бабушкой с черными точками на бульбообразном носу, все последнее десятилетие ожидающей отправки под плиту с гравировкой «помним, скорбим». Совсем как бабка Пайпер и Грэйс, из-за которой они сейчас на два дня раньше возвращались с Гавайев. Эти буквы, выведенные не знающим сомнений резцом, можно было потрогать или украсить принесенным на кладбище выразительным, неярким букетом — однако никаких следов, никакой легитимности не было у дрожащих ресниц.

Когда-то давно, когда она еще раскрывала крышку рояля и наигрывала либо себе, либо беременному барабанному животу, она прочла про соответствие четырех музыкальных октав невидимым сферам. Существовала якобы и еще одна, пятая, которая появится после прихода Мессии. Там же писалось, что созданный по подобию Божьему человек после смерти оставляет после себя пустое место, в которое слетаются демоны. Что это значило? Живой человек был доступен и виден, мертвый исчезал под землей, и его место заполняла нечистая сила, но как это затрагивало лично ее? Встречавшиеся в магазине мамаши с колясками разговаривали лишь о кормлениях по особому графику, «органике» или «химии», ускоренном усыплении своих драчливых, дерганых малышей.

Эстер пыталась заполнить любое пространство любовью, которую чувствовала, думая про детей, но в их присутствии теплота превращалась в физический гнев.

Ей было стыдно. Как себя оправдать? Утром она раскричалась на Грейс, когда та заплыла за буек, потащила ее буквально за шкирку на сушу и, когда Грэйс получила возможность твердо стоять на ногах, ударила по лицу.

— А если бы ты утонула!

— А если бы наглоталась воды и превратилась в бессмысленный овощ!

— А если бы Пайпер кинулась за тобой и, не умея плавать, пошла к дну!

Эстер знала, что, как только они доберутся до своего марципанного домика в обжитой, обжаренной на солнечном масле, никогда не подводившей их Калифорнии, опасность уйдет.

Улетим!

Выплывем!

Выберемся из кратера, из ущелья!

Преодолеем тысячи километров, положившись на железные крылья!

Проделаем остальной путь на резиновых шинах, благополучно минуя безличные города!

Взойдем на родимый порог и успокоительно щелкнем стальным английским замком!

«Сорок один, мне уже сорок один, — размышляла она, разглаживая мягкими пальцами «птичьи лапки» у глаз, — как будто по шоссе мчится машина, а я гляжу назад и вижу всю свою жизнь».

В соответствии со статистикой выходило, что, продолжая проживать в спокойном спальном районе и не испытывая потрясений от смены мужа, пола, работы, она сможет легко дотянуть до восьмидесяти четырех лет.

Однако цифры эти давались для общестатистической особи, а не для конкретной веснушчатой Э. с десятым, а после обеда двенадцатым размером одежды. Не для этой вот Эстер, у которой более упругая и округлая правая грудь. Не для Эстер, у которой такой твердый характер и такая размягченная кремами кожа. Не для этой Эстер с широко расставленными голубыми глазами и правильно очерченным подбородком, который совсем не портит маленький, как канцелярская скрепка, пятимиллиметровый шрам. Не для Эстер, которая в отсутствие невысокого мужа носит высокие, хотя и такие устойчивые, такие все-таки старомодные квадратные каблуки. Не для Эстер, которая, суматошному сексу предпочитая размеренный спортивный шаг и здоровье, приобретает простое белье из хлопка вместо слюноотделительных «сеточек» или жарких жгутиков и жутких полосочек, не прикрывающих, а обнажающих плоть. Не для этой Э. с неизменной стрижкой каре, из-за нечастых визитов в парикмахерскую превращающейся в «нечто неопределенное с длинными, секущимися, опускающимися почти до плеч волосами», которая, в очередной раз соблазненная крупными заголовками, читает как Библию дурацкий совет:

«СКОЛЬКО ДНЕЙ МОЖНО НОСИТЬ ФУТБОЛКУ БЕЗ СТИРКИ? А БРЮКИ? А СВИТЕР?»

Увы, для дышащей, пористой асимметрии с быстро сгорающей кожей и библейским именем Эстер рекомендаций в Интернете не находилось. Где же ей прочитать про себя? Что придумать, чтобы влечение к мужу после сотого застегивания выскальзывающей из петельки пуговицы на его обвислом, запущенном животе никуда не ушло? Как реагировать, когда Пайпер слезно настаивает на слипоуверсе[1] с бесцеремонной безотцовщиной С.? Что делать, когда на родительском собрании ей выносят вердикт, что она, со своими длинными ногами-руками, должна удерживать валкие, сварганенные любителями-малевателями театральные декорации, пока все остальные мамаши делают вид, что примеряют на юных актеров птичьи перья и принцессины шлейфы, а на самом деле злословят про чужих мужей и детей? Что делать, когда Грэйс ей грубит?

---

[1] С л и п о у в е р с (*англ.* sleepovers) — широко распространенная практика в США, когда дети школьного возраста отправляются с ночевкой в гости к друзьям (*здесь и далее прим. автора*).

Порой ей хотелось побыть на природе. Заменить отсвечивающую, ледяную поверхность экрана спортивным катком, оптико-волоконное окно в мир ужасов со всех сторон света — прохладным лесом, просветом между деревьев, в которые можно увидеть удаляющиеся ветвистые рога лося. Но только она собиралась вывезти семью на пикник, как на ум приходила туристская экипировка, которую обязательно надо купить, чтобы капли дождя не тревожили кожу, чтобы соседи и дети глядели на нее с одобрением, чтобы понравиться не только обитателям леса, но и себе.

Понятие «природа», «сезон», «дождь или ветер» подменялось «одеждой по сезону», «ветровкой из вчерашнего реалити-шоу» (в каком магазине найти?).

Любовь к солнечным светлым лучам становилась «легкой невесомой футболкой из органического бамбука и льна», к осени — «кашемировым кардиганом с сексуальным начесом», к лесу — пятнистым маскхалатом для мужа-охотника и бежевыми, не пропускающими влагу куртками для Пайпер и Грэйс. К зиме — теплыми одеялами и ватным клоуном на шпагате, которого она ставила перед дверьми, чтобы не дуло; к лету — купальником, скрывающим полученный еще в детстве (стругала палку перочинным ножом) небольшой шрам (уже второй по счету на теле).

Ложась спать, за несколько часов до отлета, она потянулась к мужниной лысеющей голове с двумя толстыми складками сзади, дунула в разлетающиеся во все стороны тонкие волосы, обнажив розоватую кожу, приняла снотворное и как по небесной команде заснула.

Завтра утром надо будет засунуть жизнь в чемоданы и перетянуть радужными цветными ремнями, чтобы отличить от других, а потом, вернувшись домой и продолжая курсировать между офисом, овощной лавкой и школой, осуществлять нескончаемые, но такие надежные ежедневные переходы из одного бетонного склепа в другой.

Утром они проснулись, выпили разбавленный молоком чай, поданный расхлябанной в походке, но деловитой в собираниях на стол медсестрой («к сожалению, сообщал Интернет, это понижает противораковые свойства напитка»), вежливо отказались от дежурной глазуньи, но съели бородавчатый, усеянный изюминками морковный кекс и заплатили строго по счету, решив не добавлять ничего сверху из-за преждевременного отправления. «И отравления». — Мужу было неловко, что они оказались такими скупыми, и он пытался сам себя оправдать.

Благодушно и благодарно обняли хозяйку и обещали приехать опять (твердо зная, что никогда сюда не вернутся).

В полете девочки поссорились из-за электронной планшетки, но сразу же помирились; затем, не попав ни в одну турбулентную зону, не задев ни одной птицы, не нагрубив, как в прошлый раз, ни пограничнику, светящему фонариком прямо в глаза удостоверению личности, ни стюардессе, не желавшей бесплатно давать эмэнд-эмки с орешками, легко коснулись колесами не видной в окошко земли.

Нашли на парковке оставленную в одиночестве на две недели машину, без споров и криков усадили на задние сиденья уставших, притихших девиц (Пайпер успела немного со старшей сестрой потолкаться, высказывая претензии по поводу ее полноты), бесшумно тронулись с места, предвкушая марципановую домашнюю теплоту и надежную уютность постелей...

— Девочки, ну сколько можно уже!

— Мама, можно я раньше всех в ванную?

— А что же мы с папой?

— В школу уже завтра надо идти?

— Ну-ка хватит пихаться, поимей совесть!

— Нет, завтра не надо, мы же раньше вернулись!

— Да она первая начала!

Когда они были всего за два квартала от дома, в плотно запаянную капсулу их салона, в притихшую тесноту и темноту, в их ласковые, ленивые пререкания по поводу школы и ванной вмешалось то, что умом не объять.

Машина сплющилась и превратилась в груду из металла и пластика.

Радиоантенна погнулась.

Темно-зеленая краска превратилась в черную грязь.

Все это случилось так быстро, что Эстер даже не успела подумать, что это конец. Не поняла, что больше не будет дуть в розовые волосы мужа, мечтая о чьих-то сторонних жестких ресницах. Что больше нет Пайпер и Грэйс. Что никогда не будет раскладывать отчеты и графики на рабочем столе. Что больше не будет гордиться тем, что совмещает должности матери и маркетолога, что пытается стать для дочек защитной стеной. Что лица больше не будут касаться ладони мягкого солнца.

Умерла, так и не узнав, чего же в конечном счете достигла.

А ведь когда-то думала: живу, чтобы посмеяться, живу, чтобы, дойдя до последней черты, оглянуться назад и увидеть всю свою жизнь...

Но сейчас, поздней ночью, на сухой и чистой дороге, а затем на комкастой, бурой обочине она не заметила, что жизнь прекратилась.

А ведь так можно было бы повеселиться в конце, сравнив предсказание школьной подруги с тем, что на самом деле случилось.

Но ведь не узнала и не сравнила!

Ведь так и не дошла до момента, когда органы отмирают почти безболезненно и организм перестает сопротивляется, зная, что давно пора уходить. Когда любой сон, любое забвение воспринимается как отдохновение.

Но ведь не дошла ни до ручки, ни точки!

Всегда полагала, что жизнь — это линия, простирающаяся от А до Я.

Хотела с вершины прожитых лет оглядеть достижения, оценить прошедшие годы.

Без наличия конечной точки, любой момент мог стать главным, событие — всеобъемлющим.

Главный смысл лопался и зарождался ежесекундно.

Не слева направо, а постоянно разноречивыми силами раздирался каждый случай, каждый момент.

Эстер не предвидела такого конца.

Эстер не знала, когда умерла.

Эстер думала, что до сих пор дышала, жила.

4

Кто-то тем временем поглаживал неготовое, вялое...

Кто-то тем временем отстранялся и рассматривал издали лежащее на боку, красноватое...

Кто-то приближался к лежащему то быстро, то медленно, меняя регистры...

Кто-то продолжал теребить небольшое овальное, красное, оттягивая назад складки и прикладывая теплые губы к обнажившемуся розоватому, тоже теплому, но незатвердевшему...

Кто-то прекращал двигаться, извинялся за перерыв и раскрывал достанную из комода четвертушку бумаги, держа перед глазами и мысленно читая слова...

Кто-то возвращался к неготовому, вялому, надеясь, что за это время его состояние изменилось... Кто-то заряжал энергией это бездвижно лежащее, так что в конце концов оно поднималось и в таком положении оставалось, и тогда кто-то принимался истово двигаться, все ускоряя и ускоряя движения, и вместе с животными чувствами где-то внутри произносил «Господи, помоги»...

Кто-то тер это красное между ладонями, и тело входило в необъяснимый физический раж, когда и продолжать не было сил, но и остановиться не получалось, и сами по себе на ум приходили слова «Господи, помоги»...

Кто-то нежно и осторожно садился на красное и представлял, как где-то в потемках, внутри, это овальное красное соприкасается с молчаливым округлым солнцем с черным глазком... Кто-то истово повторял «Господи, помоги», а перед глазами видел небольшое, уже размягченное, красноватое солнце... Оно было бессловесное и недоступное, и, наверно, глупо надеяться, что это телесное и далекое разбудят слова...

«Господи, помоги», — с нежностью и осторожностью садясь на снова опавшее, полутвердое красное, говорил кто-то и уже понимал, что сегодня опять все насмарку...

С каждым размягчением овального красного кто-то терял и нежность, и остатки надежды, и чем меньше оставалось надежды, чем больше хотелось произносить «Господи, помоги». И после этих безуспешных усилий кто-то тянулся к нераспечатанной коробочке с надписью, лежащей на ломберном столике, отколупывал ногтем картонку и кивал обладателю полутвердого, красного, полувялого, и тогда обладатель обхватывал ствол руками и с дикой силой принимался трясти...

Кто-то забирал из рук обладателя красного прозрачный сачок с густым наполнителем, пропихивал его в ночной, неизведанный лабиринт, убеждался, что сачок сразу же сам находил свое место, и тогда опять доставал из-под подушки бумажку и, обращаясь то ли к розовому солнцу с черным глазком, то ли к Всевышнему, то ли к тому и другому, читал:

«Господи, помоги, помоги, помоги».

Перед глазами стояло бесстрастное влажное солнце с раскрытым на несколько миллиметров, таинственным темным глазком.

5

Тото смотрел, как волосы неопрятными, неравными завитушками падали на пол. Голова стала холодной, и на ней проявились бугорки и порезы: он это и без зеркала знал. Знал, что стал страницами, лежащими на столе перед судьей; неспортивным белым телом в обложке оранжевых неуклюжих одежд. Без привычных спадающих шаровар, без ковра в коричневатых разводах и старого кресла (садясь в него, он оказывался почти на полу, но именно так было удобней смотреть телевизор, составленный на пол со столика с подломившейся ножкой) он чувствовал себя неуместно.

Без присутствия знакомых предметов он находился в чужой пустоте.

Когда ему брили затылок, взгляд его уперся в железную пряжку (полицейский стоял напротив, расставив ноги и положив руку на кобуру), а когда подправляли висок — в мягкую, переливавшуюся через край грудь перезрелой парикмахерши в фиолетовом платье (резиночки и оборочки не могли сдержать обильную плоть).

Видя твердую пряжку, ему хотелось вскочить и выбить головой дверь или окно. Когда переводил взгляд на трикотажную грудь, глаза щипало. После стрижки с кормежкой на него надели пуленепробиваемый тяжелый жилет и привезли в зал суда.

Он чувствовал себя как в супермаркете — и там и здесь вокруг него было много людей, и все они как-то косвенно к нему относились и толкали тележками, но никто не соприкасался вплотную, потому что перекидывание словами или скрещение взглядов означало потенциальный конфликт. Несмотря на то что все эти мужчины и женщины пришли в зал посмотреть именно на него, его окружала толпа в меру равнодушных, в меру разумных и разодетых, полностью отстраненных людей.

Вдалеке он увидел жену с выставленной в проход широкой коляской. Семимесячная Тициана спала под колючим радужным одеялом, привезенным из Тихуаны. Старшие спокойно сидели у матери на коленях в одинаковых велюровых розово-серых кофточках, расшитых сердечками. А ведь когда Тото был с ними, они скакали и крутились как белки, падая, вставая и снова сбивая друг друга, игнорируя его жалобы на мигрень.

Он понял, что теперь оказался по ту сторону собственной жизни и ему показывают один за другим людей и предметы, которые якобы к нему относились. Как будто это он умер, а не те, на непредставляемой далекой дороге из-за безмозглого палача-лихача!

Вот его неприметная неулыбающаяся жена с собранными в пучок волосами, а вот двойняшки с их зачарованностью лупоглазым Диего и дебиловатой Дорой из мультиков, от которых они не отлипали, даже когда голос родителей срывался на крик. Но теперь в камере его окружит пустота!

А ведь когда-то он полагал, что все изменилось: это было, когда родилась Тициана, и он заявился в госпиталь прямо из бара, пряча недопитую бутылку в пакете, покачнулся, завалился на медсестру и на радостях ее ущипнул.

Жена с неизменным узелком на голове сидела в узкой высокой кровати, а прямо на груди ее,
с лысой головой и непрояснившимися мутными
глазками, лежала малышка.

Может быть, он сейчас тоже превратился в
младенца, подумал Тото, ведь у него сейчас абсолютно лысая голова... Младенец в темной, стес-
няющей его матке-клетке... Младенец, которому
нужно вырваться на божий свет и всему учиться
сначала.

Жена, увидев его, приподнялась, но с кровати встать не смогла. Попросила себя поддержать,
чтобы пойти справить нужду. Он заметил, что ее
руки были пронзены иглами и покрыты темными
пятнами.

«Шит, — выругался Тото про себя, — ну я и
попал», а потом увидел полный крови горшок,
и ему стало страшно.

Весь последующий месяц он ухаживал и за
преждевременно родившейся Тицианой, и за
ослабевшей женой, сидел с малышками, ходил
за лекарствами и, усмехаясь, сообщал приятелю
по телефону: «Мать даже с дядьями из Мексики
вставляла «велл» и «ок», а я у фармацевтов на-
бираюсь латыни...»

Но его стихия вряд ли была стерильностью,
милосердием, прозрачными склянками. Без пе-
пельницы, окруженной тарелками с осколками
говяжьих объеденных обеденных ребрышек, без
пагоды грязной посуды, без поздних запоев и
утренней тошноты он перестал быть самим собой.

Собственная неожиданная доброта действительно его изменила, но эта доброта никуда его
не вела.

Белые носки из «Уолмарта» сменились непромокаемыми трусами для дочек, мелкая солдатня с миниатюрными, но детальными ремнями и ружьями — мелкими голышами с большими глазами, а комната была заставлена «пеленальниками» и «джамперуу», на которые ночью он натыкался и падал, заодно увлекая с собой пылесос и приводя в действие противный, как у павлина, голос электронной игрушки. Этот попугайской расцветки «павлин» с рядом выпуклых клавиш якобы должен был развлекать малышей, пока родители занимались делами, а на самом деле включался в самый неподходящий момент, например, когда Тото ложился в постель...

А ведь обычно предметы помогали ему найти свое место.

Когда-то он просто не мог выйти на улицу без ярко-красной футболки, черных, разлапистых по медвежьи кроссовок и выглядывающих из-под спадающих джинсов красных трусов. Когда-то уверенность придавала распахнутая дверца машины, бицепсы, выгодно оттененные майкой, и мощный динамик. Или можно было, выпросив у матери денег, загрузиться в магазине бутылью с бутановым газом и ящиком пива; теперь же сигареты и громкие звуки были заменены на простынки и ходунки.

Эти ходунки помогали малышке ходить, но отнимали у Тото свободу!

То, что составляло сущность Тото, сложно было определить — но этой сущностью не были «суси-пуси», доставучее домоседство и наседочность неприметной жены.

Один только раз, когда он пошел с ней к врачу и увидел на сроке в одиннадцать недель своих двух малышек — микроскопические, кружащиеся на экране и сталкивающиеся головами, тельца, — он почувствовал странную теплоту. Доктор показывала рукой на экран, на какие-то маленькие пульсирующие жгутики и белые дрожащие пятнышки, и объясняла, что через жгутики человечки получают питание, а пятнышки — это сердечки.

Тото прилип взглядом к овалам с прикрепленными к ним хлипкими палочками.

Сначала овалы лежали спокойно, и Тото забеспокоился, все ли в порядке, но вдруг один дернулся и исчез куда-то вбок, а второй повернулся. Доктор сказала, что это девочки движутся. «Точно девочки?» — разочарованно спросила жена. «Мне что девочки, что мальчики, один хрен», — заметил Тото и, увидев интеллигентный взгляд миловидной врачихи, поправился: — «Парни будут бутузить, я девчонок люблю!» «А может и мальчики, сейчас сложно сказать», — докторша ему улыбнулась и подбодрила: «Молодец папаша, что пришел на осмотр!» Он кивал головой в ответ на объяснения про пятнышки, точечки, палочки, а сам не мог оторвать глаз от этих маленьких, ныряющих, движущихся, живых существ.

Что-то его заполняло, но что? Человечки были чем-то знакомы. Неожиданно на экране он увидел себя. Это был он, крохотный Тото, внутри своей растерянной, расстроенной матери, оставленной хахалем, и никто не стоял рядом с экраном, чтобы посмотреть, как кружится и вертится, как дергает за спасательную нить, соединявшую его с матерью, маленький человек. Никому не было дела до сокрытого ото всех тельца; ни у кого не возникало желанья проверить, дрожат ли белые пятнышки, пульсирует ли тоненький жгутик; никого не интересовал его пол.

Все это так отличалось от его привычного мира!

Изображения нежных овальцев не попадались ему ни в книгах, ни в магазинах; ни один из друзей, с которыми он в подворотнях или, оперевшись на тщательно вымытый бок лаковой лиловой машины с хромированными ободами, курил, не рассказывал об этих черно-белых экранах, и Тото потерялся. Какая-то незнакомая область, куда ему удалось заглянуть!

Но после того, как жена родила орущих двойняшек, он быстро все это забыл.

Однажды, когда он пошел в магазин, чтобы купить жене прокладок, а всем трем дочерям дайперсы и молочную смесь (грудью жена не кормила, говорила, что округлость и форму бережет для него, он же не выносил ее волос в кучку и неожиданно постаревшего тела, а также такой рассудительной, такой расчетливой в магазине и в церкви скучной души), его остановила блондинка в длинном, потерявшем форму коричневом свитере.

Из-под свитера виднелось что-то нежное, нижнее... Его взгляд задержался на этих белеющих кружевах, а потом пошел вниз, к крепким щиколоткам и резиновым шлепкам. Затем их глаза встретились. У него они были темные, тускло сверкающие из-под насупленных густых бровей («Ты такой нахмуренный и родился», —

смеялась мать в те времена, когда у нее еще был повод смеяться), а у нее — зеленые и неспешные, которые, видимо, из-за царапины над верхней губой тоже казались расцарапанными и больными, как будто она несколько дней не спала или долго смотрела на дымливый огонь.

Косой ворот свитера дополнял чуть косивший взгляд, почему-то делавший ее невероятно доступной, как будто это несовершенство предназначалось ему одному.

Тото, одновременно одичавший и одомашненный после «подай-поднеси-покачай-поменяй», понял, что домой уже не пойдет. Не зря его предплечья и шея были испещрены синими символами. Не зря в нем бродило бунтарское недовольство.

«Молодой человек, не одолжите мне десяточку, а?»

Это неуверенное высокое «а?» сразу же выказало неопределенность; таким голосом она, наверное, уже выпрашивала деньги у нескольких человек.

«Вы дайте мне телефон, я потом с вами свяжусь», — на всякий случай сказала она.

В руке она держала рецепт.

Он посмотрел на ее зеленые, с золотыми лучами глаза и снежно-белые волосы и как в забытье вынул из кармана полуспущенных шаровар бумажник с нашлепнутым на ним кожаным «Харли».

Она протянула доллары, добавив своих, азиату-аптекарю с прилизанными волосами и раздраженными гнойничками и бритвой юными скулами. Тот сунул ей бумажный пакет.

«Спасибо», — сказала она то ли Тото, то ли в сторону азиата, а потом уже точно азиату-аптекарю: «Да я знаю, как принимать. Что, в первый раз, что ли? Не помнишь, ты мне на прошлой неделе уже объяснял?»

«А телефон?» — спросил Тото.

Она сказала: «Ну поедем со мной, я просто деньги забыла, а дома есть».

Эта простота соответствовала его представленью о жизни.

Он понял, что уже все решено. Незаметно опустил полиэтиленовый пакет с прокладками в серую урну. Сел в ее помятый с двух углов грузовик, на котором буквы «О», «Т» и «А» были старательно стерты и поэтому от «Тойоты» осталось только одно слово, игрушка, и поехал вдаль от прошлого, вдаль от дочерей, дайперсов, зайчиков, мячиков, падающего пылесоса, «павлина», пресной жены, прыгающего «джамперуу».

Дотронулся пальцем до висящего на стекле незнакомки мохнатого кубика:

— У меня тоже такой.

— А мне в Лас-Вегасе дали, — сказала она. — Уж очень люблю в Лас-Вегас мотаться. Засяду перед автоматом с сигаретой и пивом — и все.

— А ты была там в «Стейкхаузе»? — Тото оживился. — Лучше их мяса не ел! Может быть, купим гамбургеров на дорогу?

— Держи! — Она протянула ему недокончанный, с выступившими на нем жирными пятнами пакетик с соломкой картошки. На самом дне обитали поломанные полумокрые палочки.

— Да нет там уже ничего!

Он положил руку на спинку сиденья — как будто чтоб опереться, а не чтобы обнять.

Она, неумело вывернув руль, выезжая с парковки, даже не постаралась заметить его ухищрений. Резиновый шлепок спадал и, нащупывая его где-то между тормозом и педалью, она чуть не наехала на какую-то женщину, ставившую на тележку автокресло с лысым младенцем. «Холлимолли!» — Тото перехватил руль; она, отведя его руку, невозмутимо поехала дальше, продолжая ерзать резиновым шлепком и поглядывать вниз.

Дома сковырнула скрепку с пакета, достала бутылочку, высыпала на ладонь пригоршню таблеток и сколько-то проглотила, затем протянула оставшиеся таблетки ему. Он даже не успел ей сказать, что ее продавленный протертый диван в точности похож на его, тот, который они с матерью притащили из дешевой «Сальвешки»[1].

Находясь в полной власти у жизни, которая привела его в чужой дом, он взял таблетки из ее рук. Неужели она предлагает подобное угощенье каждому пришедшему гостю?

«И как часто ты принимаешь гостей?» — хотел спросить он, но подумал: — «Потом, сейчас не время, потом разберемся».

— А теперь я обычно смотрю «Симпсонов», — сказала она, указала ему на место рядом с собой на раздерганной старой кушетке, и голова у него закружилась, новая жизнь накинулась на него со всей своей алчной энергией, и он впал в забытье.

Сейчас, с большим животом, она тоже присутствовала в зале суда.

---

[1] «С а л ь в е ш к а» (от *англ.* Salvation Army) — магазины Армии спасения, где продается подержанная одежда и мебель.

6

Кто-то тем временем пролистывал китайские гороскопы...

Кто-то тем временем читал Кьеркегора...

Кто-то тем временем смотрел на гадалкину сухую, шевелящуюся, как клешня, руку и спрашивал, что же на самом деле случится и как в одном случае посодействовать, а в другом — предотвратить...

Кто-то тем временем отказывался в церкви поставить свечу и вместо этого безбожно бродил в Интернете, выбирая посты из безбумажной неоформленной бездны и решаясь действовать в соответствии с каждым вторым, отметая все, что было сказано в третьем...

Кто-то дезинфицировал пальцы и пропихивал их под затемненные своды, нащупывая непременно круглое, твердое, и тогда гадалки со свечками уходили в небытие, так как под этими сводами скрывался истинный храм...

Кто-то обмакивал палец в жидкое, слюдянистое и бережно обводил по контуру своды, а потом рассматривал то, что осталось, на пальце, и видел в негустой пустоте чью-то жизнь...

Кто-то спешил в магазин, находил нужный ряд и нужную полку, и нахождение этой полки и было будущим возникновением жизни... затем доставал из кармана четырнадцать долларов, расплачивался на кассе с пасмурно-смуглым индийцем и шел, помахивая мешочком из полиэтилена, а потом, прийдя домой, расправлял на колене инструкцию и заучивал ее — как молитву, как «Господи, помоги» — наизусть...

Кто-то разглядывал сиреневые пакетики из белой коробочки, вскрывал их нетерпеливо и оказывался с эластичной, легкой силиконовой Граалевой чашей в руке... кто-то разглядывал эту прозрачную чашу и видел там мириады несостоявшихся и мириады проклевывающихся будущих жизней... кто-то подносил близко к глазам эту чашу, чувствуя себя слугой круглого, твердого красного солнца... кто-то договаривался с разочаровавшимся уставшим мужчиной, чтобы тот, опять не справившись с полутвердым, вялым и красным, наполнял до самых краев Граалеву чашу, потому что, в отличие от него, верил и знал, что сегодня опять состоится подношение молчаливому солнцу...

Кто-то дезинфицировал руки, доставал этими руками из картонной коробки пакетик, протягивал лежащему рядом разочарованному раздетому человеку, который производил несколько резких действий-движений, стряхивал что-то в прозрачную чашу и передавал ее обратно в ждущие руки... кто-то смотрел на стоящий рядом будильник и отсчитывал ровно десять минут, а после этого сжимал розовый резиновый ободок, нагибался чуть ниже и продвигал чашу поближе к могущественному розоватому солнцу, давая солнцу напиться...

Розовый ободок плотно обволакивал красное солнце, и тогда руки выходили из-под темного свода, тело расслабленно раскидывалось на постели, а губы шептали «Господи, помоги». При этом глаза видели не золоченые купола и священные храмы, а ждущее, красное, твердое солнце с распахнутым черным глазком.

7

В тот день красное солнце отказалось ее защитить.

В самолете, возвращаясь с Гавайев, она зацепила краем глаза какое-то зловещее посверкивание в облаках, и сразу же раздались крики. Самолет шел на посадку. У сидевшей через проход соседки слева, в свитере с вырезом и в беспяточных сабо, нос был по-прежнему уткнут в малиновый ноутбук. Кричали только соседи, сидевшие справа. Левые озирались. Сидевшие справа держались за сердце и интересовались, как же такое могло произойти. Выяснилось, что другой самолет приземлялся рядом с их самолетом, причем невзначай оказался так близко (пассажиры смогли разглядеть все эмблемы и покрывавший стальной корпус коричневатый налет), что они почти соприкоснулись крылами, бортами, людскими жизнями, руками, ногами...

Еще в школе Эстер дружила с девочкой, которая хвасталась, что могла определять судьбу по лицу. Та девочка поставила Эстер спиной к изрисованной граффити школьной стене, долго вглядывалась в ее честные голубые глаза и наконец, поправив съехавшую набок колготу, сказала: «Самолеты тебе не опасны, можешь сколько хочешь летать, но у тебя, когда вырастешь, что-то заберут силой...»

Эстер рассмеялась: «Что заберут? Мой папа богатый, купит еще» — и предсказанье забыла. Но, когда выросла, вспомнила, и каждый полет становился теперь поединком.

Когда он долетал, это значило, что предсказавшая ее судьбу одноклассница была права.

Если самолет приземлялся безо всяких проблем, значит, самолеты действительно были ей не опасны, и можно было пренебрежительно смотреть на незнакомого ей джентльмена, соседа по ряду, который крепко схватил ее за руку, когда они попали в воздушную яму, и долго не отпускал. Сначала она перепугалась, решив, что это маньяк, но потом разглядела обручальное кольцо на руке, его патрицианский, представительный, породистый вид и крупные капли испарины на скульптурном, ухоженном, унавоженном кремами лбу.

«Извините, — смущенно отвалившись от нее, когда самолет выровнялся и можно было снова просить бортпроводниц о напитках, не опасаясь пролить, объяснил он. — Не переношу таких встрясок...»

Эстер сразу же заказала: «Один кофе, один чай и еще яблочный сок» и смерила взглядом вытаращившего на нее глаза проводника-толстозадика и — толстогубика, всю дорогу читавшего в самом конце салона журналы и не реагировавшего ни на пассажиров, ни на чуть не задевший их самолет.

Но если бы что-то случилось в полете, это значило бы, что одноклассница ошиблась не только насчет самолетов, но и насчет «заберут силой». И поэтому Эстер даже мечтала, что самолет когда-нибудь свалится — и тогда не нужно будет ожидать «грабежа»!

Машинально потрогала под сиденьем жилет: если самолет сядет на воду, она успеет его быстро надуть, натянуть. Отметила близлежащий запасной выход. В очередной раз отдернула локоть от соседской породистой патрицианской руки на подручнике кресла и открыла лэптоп, выданный компанией «Гугл» всем пассажирам этого рейса.

Углубилась в советы: «Как не выделяться в толпе», «По какой стороне улицы лучше идти ночью», «Где прятать бижутерию во время заграничного отпуска», а потом, забыв об изначальных запросах, принялась интересоваться, спрашивая замирающими пальцами, пульсом у Бога, кибордом и клавишей *Enter* — у «Гугла»:

«Полезны ли нектарины?»

«Какие нужные нутриенты есть в популярной приправе «тахини»?»

«Помогает ли гранатовый сок омоложению всего организма?»

«Правда ли, что от попадания в душе сильной струи на корни волос они разрушаются и выпадают?»

«Как поступать, если, с одной стороны, красное вино понижает холестерин, а с другой — может служить причиной рака груди?»

Затем, порываясь снова вызвать из прошлого одноклассницу в бежевых, сбивающихся на сторону дешевых колготках, путаясь в буквах, продолжала искать в Сети ответ на один и тот же вопрос:

«ЧТО ЖЕ ПРОИЗОЙДЕТ?»

Судя по страничке на «Одноклассниках», загадочная гадалка стала обыкновенным главбухом.

Эстер вглядывалась в этот завив, в этот зачес, в эти выкаченные, выпуклые бараньи глаза, уткнувшиеся в доступные всему сетевому сообществу затрапезные закуси (очередной «альбом», расписывающий празднование Рождества), и не верила, что такой баран-счетовод мог что-то знать.

Продолжала впяряться в многозначительные заголовки:

«Какие преимущества есть у органического трикотажа?»

«Полезны ли супы из банок или в них все-таки слишком много бисфенола, фталатов, нитратов?»

«СТОИТ ЛИ МЫТЬ КУРИЦУ ПЕРЕД ТЕМ, КАК ВАРИТЬ?»

Вопрос «Полезен ли сок, сделанный из концентрата?» неизбежно приводил ее к другому вопросу: «Может быть, лучше пить натуральный?», а этот другой вопрос вел к очередному вопросу: «Что если сама в поте лица сажаешь фрукты и овощи и ешь их без соли и какой-либо дополнительной обработки, означает ли это, что никогда не умрешь??»

«Сколько часов нужно спать?»

«Какую еду выгоднее всего покупать в супермаркетах?»

«Что сделать, чтобы свекровь относилась к тебе с уважением?»

«Где хранить деньги, девичью честь, детские молочные зубы, молотый кофе, мыть ли бананы, как одеваться как дива, как Леди Гага, как Эми Уайнхаус, как не стать жертвой несчастного случая, как разбогатеть в один день».

Она больше не носила драгоценностей: ни в ушах, ни на пальцах.

Муж, не замечая, продолжал дарить ей — на День матери, на День Валентина — цепочки и брошки, но она относила все в банковский сейф, с испугом ожидая вопроса: «А где мой недавний подарок тебе?» Но муж почему-то не спрашивал — да и комплиментов по поводу ее удачно подобранной блузки или туфель не делал, только, оглядывая ее «кожу да кости», просил не худеть.

Домой приходил поздно, объясняя, что на работе вечером опять пришло вдохновение и он смог добавить к книжке «для подростков из всех расовых и социальных слоев» очередную главу.

С самой свадьбы они жили только в самых безопасных районах, и Эстер даже ушла с предпоследней работы, потому что идти к машине приходилось через плохо освещенный автомобильный плацдарм, где не было ни души, а всегда озабоченный золотозубый охранник плохо говорил по-английски и был так нелюдим и неулыбчив в своей плотно насаженной на низкий лоб кепке, что у нее мурашки шли по спине.

Однажды, правда, он сообщил ей, что одессит, но она, не поняв, переспросила несколько раз: «Дис ит? Вот из дис ит?», — и он, наверно, решив, что они совершенно из разных миров, опять насупленно, с нахмуренным лбом, замолчал и только поднял повыше воротник черной форменной куртки.

Она носила с собой бумажку в сто долларов, чтобы сразу же отдать любому грабителю.

В другом кармане у нее был баллончик с газом со снятым предохранителем — чтобы, если что, сразу нажать.

В самолете, на обратном пути из Гавайев, она опять зашла на страницу на «Одноклассниках», чтобы увидеть баранью, предсказывающую с бухты-барахты бухгалтершу, и с удивлением увидела, что страница закрыта. На ней была надпись: «Попытка взлома. Зайдите в следующий раз».

Что это значит? Почему слово «взлом» постоянно попадается ей на глаза?

И, с поднятыми бровями, она опять начала спрашивать угодливый «Гугл»:

«Какая может быть польза от брокколи?»

«Что лучше: зеленый виноград или красный»?

«Что делать, если, с одной стороны, вино способствует работе сердца и пищеварительных органов, а с другой — повышает риск развития рака груди?»

«Ах да, — подумала Эстер, — про это я уже когда-то читала».

Затем продолжала исследование:

«Есть ли связь между наличием большого количества рыбы в диете и количеством прожитых лет?»

«Как узнать, если правительство забыло возвратить вам налоги?»

«Полезны ли семечки?»

Устав, она нажала кнопку на ручке сиденья и откинулась в кресле. Давно спал ее скульптурный сосед. Она подумала о своей чистой постели, о марципановом домике, об ожидающем ее в ванной геле для душа, сулящем сенсорное счастье:

«Умойтесь утром заморскими кофейными зернами, привезенными из далеких загадочных стран!»

Слова на бежево-белом флаконе с нарисованными на нем темными зернами, которые она запомнила почти наизусть, вносили международный размах и размеренность в ее жизнь:

«Добро пожаловать в тропические сады сказочной страны под названием Африка, где тропинки покрыты ожерельями из зерен какао. Неожиданные, нежные запахи пронизывают трепещущий воздух. Отдайся великолепию этого поэтического питательного крема для душа с его обильной обольстительной пеной. Каждое утро заново открывай для себя эту экзотичную, соблазнительную смесь сладости с горечью...».

Но ей не удалось заново отдаться экстазу зерен какао, а грабеж действительно состоялся, но только через день после того, как легко внушаемая, благонамеренная, такая американская Эстер погибла в сплющенной, стукнутой, горящей машине вместе с мужем и дочерьми.

8

Кто-то в это время, уверовав в прозрачную чашу, выжидал, сидя с нею в руке...

Кто-то вглядывался в полиэтиленовое окошечко будущего и пытался различить там людей, плечистых сынов и дочерей...

Кто-то взглядывал на часы, убеждался, что прошло десять минут, для того чтобы густое, мокрое, белое разжижело и превратилось в проворное и прозрачное, а затем выуживал из комода бумажки, на одной из которых было написано

«Господи, благослови и помоги», а на другой напечатана сухая «Инструкция по введению цервикального колпачка»...

Кто-то брал двумя пальцами резиновый ободок и вводил прозрачную святую чашу под темные высокие своды...

Кто-то укладывался на кровать, подсовывал под мягкие части подушку и принимался дотрагиваться чисто вымытым пальцем до твердого наружнего бугорка...

Тело неожиданнно содрогалось, и с каждым остро-радостным спазмом божественная прозрачная чаша все плотней прилегала к красному твердому солнцу, а в темную скважину устремлялись микроскопические, невидимые человечки и продолжали по узким дорожкам свой сложный путь...

Тело опять и опять содрогалось, сердце принималось биться сильней, и с каждым спазмом прозрачная чаша все плотней обнимала и налегала на твердое красное солнце, прося его принять прозрачный прорастающий дар... Каждый спазм придавал сил человечкам, и они лезли один за другим в темный лаз, под высокие своды, устремлялись вверх по узким дорожкам и без устали продолжали свой путь.

Через несколько лет они уже будут топать кривыми ножками по настоящим дорожкам!

Но только в том случае, если истощающие терпенье инструкции хорошо выполняются, и только в том случае, если того хочет красное твердое солнце с темным глазком.

9

На стоянке их ждал микроавтобус. За две недели отпуска он покрылся зернистым налетом аэропортовской пыли, и к правому переднему колесу прикрепилась бумажка. Другая такая же бумажка, закрученная жгутиком мягко-марлевая туалетная лента, была загнана ветром в угол и приклеилась к днищу. Эстер, в удобных спортивных зеленых штанах, целенаправленно сберегаемых для путешествий, присела на корточки и оглядела колеса. Подкрутила колпачок ниппеля, замерила давление в шинах. Сняла изнутри закрывающий лобовое стекло блестящий щиток. С ним руль и салон не так нагревались от солнца.

Подергала крышку багажника: да, все закрыто. Оглядела асфальт рядом с машиной: нет ли осколков стекла и гвоздей. Проверила в очередной раз, хорошо ли пристегнуты дочки на заднем сиденье. Они, зная о ее «тщетной тщательности», не сопротивлялись, только возводили уже подкрашенные глаза к потолку. В «бардачке» лежал резец на случай аварии, если необходимо быстро выскочить из машины, а замки ремня безопасности вдруг заклинят. Сама села впереди, рядом с мужем, чмокнула его в щеку, соответствуя образу примерной жены и давно уже не противясь тому, что своим поведением напоминает сотни других.

Когда машина только тронулась с места, Пайпер, младшая, вскрикнула, и у Эстер сжалось в груди. Она сразу же обернулась и увидела, что девочки уже вцепились в волосья друг другу. Некоторое время, очевидно, они таскали друг друга за волосы, но без единого звука, чтоб не рассердить мать.

«Что, что случилось?» — неудобно повернувшись к ним всем телом, спросила она. Принялась растирать шею, показывая дочерям, как ей все сложно дается.

«Она измяла мне платье!» — вскричала Пайпер.

Грейс промолчала.

«Пожалуйста, перестаньте», — веско, вежливо сказала Эстер, сдерживаясь, чтобы самой не начать дергать обеих за волосы. А так бы хотелось! Да и мужу бы с удовольствием поддала — почему дочки дерутся, а он все время молчит? Ей было не по себе. Она опасалась: а вдруг они приедут домой, а грабеж будет в самом разгаре? Сможет ли чурающийся любых конфликтов супруг в сандалетах противостоять хулиганам с кастетами? Сейчас была суббота, десять вечера, самое время для предпочитающих темень воров.

Она поглядела на Тома: тот вел машину, не обращая вниманья на крики.

За спиной Эстер опять раздались вопли. Эстер снова стало не по себе, как будто эти неожиданные воззвания о помощи были предвестником катастрофы. «Может быть, мы приедем домой, и там будет грабитель, который нас сразу застрелит, если мы все так начнем кричать!» — пронеслось у нее в голове, но она постаралась взять себя в руки.

«Я пересяду», — сказала она.

«Хорошо», — ответила до той поры молчавшая степенная старшая дочь, предпочитавшая давать бессловесные увесистые тычки младшей.

«Том, останови», — попросила Эстер.

Том, даже не спрашивая в чем дело, остановился. Он знал, что легче сделать все так, как нужно жене, чем начать — в десять вечера, на пустынном шоссе, когда так хочется поскорей приехать домой и заснуть, — пререкаться.

Эстер вылезла из машины и пересела на заднее сиденье, оказавшись рядом со старшей; младшая Пайпер села с отцом и сразу же — переключив радиостанцию — прибавила звук. Теперь вместо классической музыки в салоне раздирал уши дебильно-децибельный «металл». Том хотел воспротивиться, но отвлекся ловлей «зеленой волны».

Часто подобные остановки и пересадки спасают жизнь одному из пассажиров.

Но в данном случае перестановки не имели значения: погибли все.

10

Кто-то в это время выискивал новые методы в Интернете...

Кто-то изучал чью-то статистику и примерял к собственным нуждам...

Кто-то высматривал в спутанных, сбивчивых сообщениях, которые обычно начинались словами «ой, девочки», толковую толику правды...

Кто-то разглядывал непрерывно растущий куст комментариев по поводу доноров IM747 и FF1733 и подсчитывал, сколько вышеупомянутых «девочек» от него понесло...

Кто-то вглядывался в цифровые снимки про-столицых мамаш, царственно рассевшихся с «целыми выводками», и пытался понять, почему к ним благоволило красное солнце...

Кто-то продолжал выполнять утробные упражнения, сжимая между пальцами резино-вый розовый ободок и вводя под священные своды прозрачную чашу...

Кто-то, устав от щемящего сердце щебетания «девочек», периодически принимался просма-тривать в Сети местные новости и вдруг остано-вился на репортаже из зала суда...

Бросились в глаза: бугристая голова, сошед-шиеся на переносице мохнатыми, черными гу-сеницами широкие брови и такая же широкая грудная клетка в защитном жилете, буравчатый взгляд, изборожденный морщинами лоб и, опять же, — бугристая голова.

Взглянула на фото, возвела правую бровь и пошла на кухню снимать пену с японской «ад-зуки»; прищурилась, видя в кипящей воде за-щитного цвета и материала жилет и мучительные морщины на лбу. Чуть не упала, подскользнув-шись на мокром пятне на полу от переполняю-щей кастрюлю коричневой жижицы. Вытерла руки, затем лужу возле конфорки, затем, нагнув-шись, пятно на линолеуме — везде отражались напряженные, непростые черты. Она уже где-то видела это лицо!

Держась за перила, спустилась по внутренней лестнице и, распахнув входную дверь, оглядело крыльцо. С коврика на нее глянули исподлобья глаза. Жилистые руки в железе. Грудь, распираю-щая стальной обруч-жилет. Боксерские бицепсы под бесформенной униформой. Рядом — кокарды фотогеничных, стриженых стражей порядка. Газета мокла на улице со вчерашнего дня.

Грабеж, еще грабеж, мелкое воровство.

Двадцать лет, первый привод, двадцать два года — отсидка. Срок чуть скостили, так как выдал подельников — посулили возможность покупать из тюремного автомата «Сникерсы» с «Твиксами». «Я люблю Милки Уэй». «Ничего, и Млечный Путь тебе тоже дадим». Следователи ухмылялись, глядя на дурака.

Только вышел, как опять сразу же загремел. В короткий промежуток между нахождением в камере обрюхатил жену. Сидя в тюрьме, добивался развода. Выйдя после отсидки и не зная, куда пойти жить, вернулся к супруге. Опять обрюхатил. Родилась еще девочка. Снова сел в тюрьму за воровство, потом вышел и в перерывах между отсидками походя обрюхатил подругу, с которой познакомился в хостеле для слезших с иглы. Падок на передок и чужое добро.

Вот они, его отпрыски, на фотографиях в местной газете: двухместная коляска в проходе и в ней, прикрытая какой-то дешевой дерюгой, прехорошенькая мелкая девочка с миниатюрным и круглым, как фаянсовая тарелочка, бледным лицом.

На другой — двойняшки в велюровых спортивных костюмах, еще неиспорченные копии измочаленной матери. А где еще один, от подруги? Да тоже здесь, — вон в зале сидит девка с большим животом...

Кто-то на время забыл о прозрачной чаше и священных слизистых сводах...

Кто-то перестал оглаживать розовый ободок и читать по бумажке...

Кто-то перестал окучивать все растущий куст комментариев в Интернете и вместо этого впился глазами в эти кустистые брови и бугристую голову; кто-то ясно увидел две линии в жизни данного человека: воспроизводство ему удавалось отлично, он умел и вводить, и попадать в красное солнце, не теряя ни капли, но неудачи подстерегали во всех других областях.

Судья спрашивал:

— Знали ли Вы, что владельцы этого дома погибли в страшной аварии, также унесшей жизнь налетевшего на них лихача?

— Я понятия не имел. — Подсудимый придерживался коротких, четких ответов.

— Знали ли Вы, что вместе с возвращающимися с курорта Эстер и Томом Девери погибли их дети?

— Нет, конечно, не знал, — он отвечал односложно — так ему подсказал адвокат в рюшечках и кудрях, предоставленный государством.

Судья настаивал:

— А как же газеты, радио, Интернет?

— А я не смотрю.

Судья не понял:

— Что Вы сказали?

Он поправился и повторил:

— Не смотрю, не слушаю, не интересуюсь... в тот день мне как раз исполнилось двадцать семь, и я хотел как-то отметить, но денег не было даже на бутылку вина...

— Знали ли Вы, что их дочерей настигла моментальная смерть на пустынном ночном перекрестке? Девочки-школьницы... — Судья нервно сглотнул и не мог продолжать.

В зале раздались ахи и охи, две женщины, одна черная, другая белая, достали из сумочек носовые платки.

— Да разве я изверг какой? — божился молодой человек и кривил лицо. — Да у меня же есть свои дети... да я все понимаю... клянусь именем собственных дочерей...

— Почему же Вы выбрали именно их пустующий дом?

— Адрес этого дома мне дали знакомые... но о смертях в автомобильной аварии я понятия не имел. Я же не монстр! Разве полез бы я в дом только что погибших людей?

Кто-то внимательно прочитал в оставляющей черную пыльцу на пальцах газете статью про ограбление дома погибших, а потом посмотрел сюжет в новостях. Спрятал сиреневый пакетик подальше. Оставил в покое розовый ободок и священные своды. Забросил в платяной шкаф бумажку с заветными закорючками.

Конкретного плана не было, но решение уже вызревало, будто фолликул.

11

Отец, увидев сына, идущего к нему по летнему полю, оторвался от дел, отложил в сторону тряпку, которой оттирал грязь с самолета.

У сына были узкие бедра, по-голливудски обтянутые белесыми брюками клеш из джинсы, а его светлые, доходившие до плеч волосы и нарочито небрежная манера ходить и одеваться напоминали отцу самого себя в двадцать лет.

Вот он шел, розовый пухлощекий младенец и одновременно выросший, порывистый юноша, который для своего отца был и тем и другим. Ведь Эрл за клетчатой рубашкой с модными кнопками и красным язычком фирмы видел пеленки и бульбочку, очищающую от приставучей простуды маленький нос, за гламурной улыбкой — беззубость, за успехами за школьной партой — дни, когда Джаред только научился сидеть, а потом и вставать на ноги в своем детском манеже.

Только круглый манеж сменился теперь на «кольцо».

— Ну что, готов? — даже не поздоровавшись, спросил он сына, зная, что не родительских рассусоливаний он ожидает, а действий.

Когда-то, в самом начале спортивной карьеры, Эрл был боксером.

Боксер противостоял другому боксеру, чьи умения и недостатки — просматривая пленки с давешними состязаниями — можно было заранее изучить. Но слишком легко сражаться с тем, что у всех на виду. За спиной явного всегда должно прятаться тайное. Гонки дали Эрлу возможность состязаться с невидимкой — с Другим.

Чем дальше уходил он вперед, тем незначительнее были оставшиеся позади. Другой в гонках — в отличие от боксерского матча — причинял боль только косвенно, то обманывая и отставая, то вдруг объегоривая и обгоняя, и винить за эту причиненную Другим боль можно было только себя.

На всех фотах в «Фейсбуке» голубоглазый Джаред в зеленой, облегающей рубашке от Ecko красовался на фоне машины. Девушкам там места не было — только приборным щиткам и рулю. И даже отец в его сетевой повседневности почти не появлялся — только когда что-то успешно чинил и машина начинала гонять еще лучше, и тогда появлялся ликующий пост в социальных сетях. Эрл и Джаред следили за этой блестящей, урчащей грудой металла, резвой резины и смазки как за ребенком. Это был их общий проект. Отец знал, что несмотря на то что ни он, ни жена, оставившая автоспорт «из-за грудничка», как она сама говорила, в гонках ничего не добились, Джаред установит хотя бы один рекорд трассы.

Когда-то давно сын хотел быть как отец, теперь отец хотел быть как сын, но тут машина выигрывала: это не отец и сын, а машина и Джаред были одно.

Отец волновался, когда сын пропадал то на стадионе, то просто гоняя по пустынным поселковым дорогам, но был уверен: если на состязаниях сможет стоять вплотную к трассе и своим присутствием ему помогать, все будет тип-топ.

— Нет, папа, вплотную к трассе стоять не надо. — Сын, уловив внутренний ход мыслей отца, усмехнулся. — Это опасное место, там может сбить.

Порой тревожило это слияние сына с машиной (даже обедая, сын клал связку ключей на стол рядом с собой) и отца с сыном, которое сразу же распадалось на части, когда Джаред покидал летное поле (отец держал бизнес по починке самолетных моторов). Насколько важно в жизни понятие скорости? Пригодится ли ему умение побеждать, когда, сидя в офисе, будет гонять по столу туда-сюда канцелярскую скрепку? Предохранит ли занятие спортом от неверных решений? Может быть, наряду с гоночными умениями отец должен учить его чему-то еще?

Эрл не знал. Он просто ожидал сына, разогревал для него мотор, как женщина разогрела бы суп, и садился с ним рядом.

Плечом к плечу на сиденье.

В час ночи ему позвонили. Он лежал обнаженным в постели. Такова была его манера спать уже двадцать лет. Рядом с кроватью лежала газета, изогнувшаяся в своем сползании с пододеяльника, когда его сморил сон, и похожая теперь на большое крыло. Жена улетела в Ирландию, где у нее были подруги, где до сих пор жили мать и отец. Эта обнаженность и отсутствие рядом сына делали его беззащитным. Вдали от летного поля он не знал, за что в первую очередь приниматься и что говорить. Вдали от сильных моторов ослабевал.

Ему позвонили, и он сразу надел защитную оболочку, помчался сквозь все светофоры. На желтый, на красный. Только пять минут назад он был обнажен, а теперь его защищала броня.

Эта броня из блестящего железа и скрипучей новенькой кожи сразу же спáла, когда он увидел сына, прикрепленного к бессмысленным проводкам, превратившегося из связки молодых мышц с неизменной связкой ключей в пучок постоянно меняющихся показателей.

Гонки — это противостояние смерти.

Так его учил тренер в спортивной школе: в отличие от бокса, ты выигрываешь не потому, что сразил своего окровавленного, с опухшим носом противника, а потому, что смог вырваться за пределы себя, обуздать собственный дух. Эрл услышал глухой голос тренера, потерявшего способнейшего ученика на обыкновенной дороге (гнал по ночной улице и не заметил запаркованный около стройки каток), и вспомнил себя в двадцать лет. И сыну сейчас тоже двадцать. И потом ему исполнится двадцать пять, тридцать пять... Неужели ему хотят сказать, что этого не случится? После бешеной езды по фривею, когда он пытался поспеть, чтобы сказать сыну хотя бы полслова, он был уверен, что вот сейчас и состоялась настоящая гонка, вот сейчас он и противостоит смерти, и, как на состязаниях, делает это совершенно один.

Жена, даже находясь рядом, всегда была где-то там, в далекой Ирландии...

Провода должны были быть под капотом машины, а теперь его сын превратился в поддерживаемый при помощи аппаратов гоночный автомобиль. Отец знал в машине каждый проводок, чувствовал пальцами, но тут, в госпитале, они были абсолютно другие, и он был бессилен. Даже с проводками, машина была живой. Сын, с израненным лбом и руками, дышал с хриплым свистом.

Но ведь он тоже был жив!

Машина и человек, бинты и болты. Что за катавасия с ним приключилась! Он дернулся к телефону, чтобы, как духа, моментально из Ирландии сюда вызвать жену.

Единственный сын.

К отцу подошел доктор в белом халате.

— Простите...

Отец смотрел на него в ожидании продолжения фразы.

— Мы можем поддерживать в нем жизнь бесконечно. Все зависит от вас.

— В каком смысле? — спросил отец.

— Мозговая активность прекращена, — ответил доктор. — Что вы собираетесь делать?

Не торопитесь с решением. Вот, действительно, можете родственникам позвонить...

Эрл знал, что и совершенную развалюху с «усталым металлом» можно превратить в неплохо ездящий драндулет. Но конечно, уже не для гонок, для гонок кузов должен быть идеален, но хотя бы для развозки пиццы или пьяных туристов.

Необходимо только терпение.

В данном случае терпение необходимо было, чтобы не разломать вот этот стул. Или вот этот столик с каким-то металлическим тазиком. Или чтобы не отшвырнуть в сторону хлюпика в белом халате. Когда Эрл все еще пытался стать профессиональным спортсменом, тренер ему говорил: чем меньше боишься, тем быстрее ты движешься. Он больше ничего не боялся; его сына не существовало в природе; сейчас он двигался очень быстро, быстрее, чем его собственное тело и мысли; он теперь находился совсем в другом измерении: в том, в котором у него не было больше ни семьи, ни родных, в холодном застывшем агрегатном пространстве, в разреженном воздухе, где неоткуда было ждать спускавшейся откуда-то на ниточке маски со спасительным кислородом; он победил Другого, он вышел теперь на состязание с Богом, он до него дотянулся, заглянул в его плоскую белую бесстрастность и понял все. Страх был только, когда был жив сын. Теперь страха не было, и без страха он перестал быть человеком; он стал равным огромному холодному льду.

Такой большой сильный мужчина с жесткими, коротко остриженными волосами и мягким сердцем, в черных башмаках с заклепками, с решительными чертами лица и руками в машинном масле, магнитом притягивающий всех женщин за стойками бара. В его мужественной экипировке не было места возвышенной сентиментальности. Там были крошки табака в правом кармане, швейцарский нож с крестиком на малиновой рукоятке и на шее подаренная женой на День отца серебряная цепь с ирландским трилистником, которую он носил только из-за нее, не желая превращаться в новогоднюю елку.

Не оставляла места тонким переживаниям грубая ткань.

Эрл очнулся, посмотрел стальными глазами на доктора.

В данном случае даже подсоединение проводков не значило «жизнь». И отсоединение проводков тоже не значило «смерть». Тут не имело значения, что они с сыном умели чувствовать трассу — сейчас его сын был подвешен на ниточке меж двумя безднами, завися от «проводка».

— Вы знаете, что произошло? — спросил доктор.

— Знаю, — с вызовом в голосе ответил Эрл. — Мне сказали, что Джаред проехал на красный и врезался в микроавтобус с какой-то семьей. Там все четверо насмерть.

— Да. — Доктор готово кивнул. — Вместе с вашим сыном сюда привезли еще мужчину и женщину. Может, они?

— Все это не имеет ко мне отношения, — отчеканил отец. — Мало ли на свете семей.

— Тогда подпишите бумаги, — приказал ему доктор, и Эрл увидел много-много маленьких букв. Сменить клапаны, прочистить впуск, заменить свечи. Он тоже просил расписаться клиентов перед началом выполнения заказа.

Вот такой ему выпал сегодня заказ.

Он хотел скорей расписаться, закончить с этим томительным делом, чтобы кинуться к сыну. Во время разговора он поглядывал на проводки, на бинты. Сын дышал! Сказать ему, что скоро прилетит мать? А вдруг он ответит? И как продолжать разговор? У них с матерью всегда были секреты; она просто не вынесет этого, когда узнает, когда прилетит.

Эрл аккуратно расписался в трех «накладных». В одном месте подпись вышла нечеткой. Он обвел ее, изо всех сил нажимая и делая дырку. Ему было известно, что жизнь Джареда закончилась не сегодня. Не сегодня, когда с разрешения отца отсоединят проводки. Не с того момента, когда в трех местах появился вот этот вот росчерк пера. И даже не тогда, когда купленный отцом сыну поджарый, стремительный «Мини Купер» красного цвета врезался на перекрестке в овальную тушку микроавтобуса с откормленными обитателями.

Жизнь Джареда закончилась, когда отец, в чьих генах была заложена любовь к скорости, встретился с матерью, моющей машины на автостоянке и все свободное время проводящей на трассах. Жизнь Джареда закончилась до того, как они решили не делать аборт, когда она забеременела совершенно случайно и когда эта случайность превратилась в осознанный выбор.

Жизнь Джареда закончилась, когда встретились отец и мать.

После этой смерти, состоявшейся в момент их встречи, когда ее глаза распахнулись при виде его мощной шеи, как лепестки девственно-белых цветов, которые он ей в тот же день подарил, все остальное было лишь скучным проживанием того, что случится. Джаред был мертв и когда отец в шесть лет купил ему модель болида, и когда в семь стал брать его в авторемонтные мастерские, и когда Джаред сам выехал в первый раз на «кольцо».

Отец просто был так озабочен другими делами, что вовремя не прочел этого на красивом сыновнем лице.

Но сейчас, вглядываясь в фото смеющегося голубоглазого Джареда в ярко-красной машине, на которой он ночью разбился, он ясно видел на лице сына смерть. Эта смерть была написана и на сморщенном личике, которым он любовался в роддоме: сейчас, раскладывая перед собой фотографии, отец ее наконец разглядел. Просто раньше он был слишком занят своими моторами, чтобы заметить. А сейчас, когда у него неожиданно появилось столько свободного времени, он стал натыкаться на нее на каждом углу.

12

Кто-то оставил в покое красное солнце...

Кто-то забыл о любых проявлениях страсти...

Кто-то придирчиво сравнивал параметры G502 и DK-101, понимая, что не может позволить себе пятисот долларов в месяц на прозрачную жидкость...

Кто-то продолжал разглядывать фотографию Энтони Гутиэрреса, или «Тото», в газете (тот стоял перед фотокамерой немного набычившись, с набрякшими веками, в мешковатых штанах, с бугорками на голове, но если снять с него этот оранжевый балахон и отрастить волосы, то его будет не отличить от сотен замотанных, законопослушных, усталых прохожих...).

Кто-то уже решил для себя, что нужно представиться девушкой Тото...

Кто-то пытался выяснить, как навестить человека в тюрьме...

Кто-то успел позвонить в Управление по тюремным делам и, упомянув полное имя и день рождения арестанта Энтони Гутиэрреса, узнать адрес тюрьмы, в которой он находился...

Кто-то заплатил определенное количество долларов и отправил Тото электронное сообщение: «Мне нужно с Вами перекинуться парой слов, позвоните сюда...»

Кто-то узнал, что запрещается появляться в блузах с глубоким вырезом и коротеньких юбках, чтобы избежать возбуждения особо чувствительных к женскому телу мужчин...

Кто-то проведал, что нельзя надевать джинсы и светло-голубые рубашки, чтобы не быть спутанной с заключенными...

Кто-то, чтобы не быть внешне похожим на надзирателя, исключил из гардероба поливиниловую куртку со светящимся оранжевым треугольником на рукаве...

Кто-то был вынужден отбросить вариант с фривольной кофтой, сквозь которую виднелся соблазнительный снежно-кружавчатый лифчик...

Кто-то взглянул на другой, простой, «рабочий» лифчик «на ребрышках» и решительно вытащил из него подозрительные металлоискателю полудуги...

Кто-то отыскал в шкафу невыразительную, с провисшими петлями и зацепками кофту и катышковую, какашечного оттенка, простоватую юбку, полностью покрывающую раковины круглых колен...

Кто-то с предчувствием исполненья мечты прочитал на сайте Департамента исправлений, что можно взять с собой бутылочку для детских смесей и обыкновенную соску...

Кто-то с энтузиазмом открыл для себя, что преступивший закон может держать в своей руке ладонь визитера и даже обнимать своих любимых детей (это впоследствии поможет ему быстрее и радостнее коротать время в тюрьме)...

Кто-то рассчитал, что как раз через месяц нужно будет сидеть дома с годовалым племянником, пока его родители увлеченно смотрят в Лас-Вегасе водное шоу, и принялся с замиранием в сердце ожидать ответа от Энтони Г... Пока же, ожидая звонка, набрал найденный на сайте Департамента исправлений казенный номер и договорился, что такой-то мобильник сможет принимать бесплатные звонки из тюрьмы, а также послал заключенному Г. несколько посылок из специального, находящегося под надзором Госдепартамента магазина, включив туда необработанный и потому более питательный рис, фортифицированные фолатами макароны, конфеты-сосалки и даже двойные брусочки сладкого-преслаткого «Твикса»...

Наконец, когда кто-то в очередной раз разглядывал на грязноватой газетной бумаге жесткие брови и набрякшие веки, раздался звонок. Металлический мессенджер сообщил: «С вами хочет поговорить исправительное заведение Сан-Маринского графства... Вы принимаете вызов? Нажмите на единицу».

В волнении, с трудом попадая пальцем на кнопку, кто-то услышал хриплый и требовательный голос Тото:

— С кем я говорю?

— Я увидела Ваше фото в газете...

— Что это значит?

— Я собираюсь Вас навестить...

— А что вообще нужно?

— Хотите, я пошлю Вам посылку?

— Ну еще ботинки пошли, у меня десятый размер...

— Меня зовут так-то, адрес такой-то. Можно, я запрошу с Вами свидание?

— Это меня не касается, — отрывисто сказал голос. — Но еды больше не посылай, тут кормят супер.

— До встречи, — сказала она и с бьющимся сердцем повесила трубку.

13

Мать прибирала комнату сына.

Она хотела все оставить без изменений — как и поступает в таких ситуациях большинство матерей.

Слепок с прошедших дней, склеп памяти — вот во что превращалась теперь его комната, склад ему теперь не нужных вещей, но еще и сущностей, никому не заметных, повисших в пространстве, ожидавших ее прихода и при ней оживавших, когда тени прошлого цеплялись за ноги и обнимали, как когда-то делал, доверчиво глядя снизу вверх на такую большую мать, ее маленький сын.

На двери висели «Правила для входящих».

На стенах — портреты музыкантов с золотыми цепями, в наколках, в лосинах, с толстыми ляжками и одутловатыми свирепыми лицами.

Эти портреты так не вязались с кукольным лицом по-юношески тонкого в талии Джареда с голубыми глазами и длинными локонами, которые он после выпускного вечера перестал стричь.

На книжной полке почти не было книг: только технические руководства по починке и эксплуатации автомобилей и еще покетбук «Какого цвета Ваш парашют?». Сын частенько заглядывал в него, когда пытался найти работу после окончания школы.

Мать, в неизменных ковбойских узорчатых сапогах и кожаной жилетке с вышитым на спине клювастым орлом, небольшого росточка, но такая сильная и мускулистая, что, казалось, может поднять на вытянутых руках, как трофей или балерину, горделивую груду металла, сама совсем недавно, после аварии, продала на запчасти свой мотоцикл. Не забывая о собственном влечении к скорости, автомобильный спорт не поощряла, но и не запрещала: сын мог заниматься всем, чем угодно, главное, чтобы рассказывал ей обо всех новостях и вовремя приходил на обед.

Мать взяла в руки фотографию, где он, только извлеченный на свет, лежал в люльке во фланелевой, выданной госпиталем шапочке, с браслетиком с датой рождения на руке.

— Вот и сейчас так лежит.

Голова Джареда в аварии была изувечена, и для похорон на сына надели лыжную шапочку.

Она не выдержала этой мысли и, закрывшись руками, села на его узкий топчан. Зажигалка в кармане тугих джинсов больно колола бедро, но в его комнате она не решалась курить. Пусть все тут останется, как и прежде. Даже пыль, даже тот скомканный квиточек в ведре... Вдруг ее осенила какая-то мысль, и она принялась рыться в редких бумажках, расправлять их на колене, как будто при помощи выкинутых счетов из банка и каких-то заметок и циферок сын из могилы сможет с ней говорить.

Она даже перестала выкидывать чеки из магазинов, датированные месяцами, когда сын был еще жив. Как раз в жилетке оказался счет на тридцать пять долларов тридцать два цента из «Трэйдера Джо»: тогда она приобрела «ракушки» — коробку с макаронами с сыром, которые он так любил, какую-то тайскую или китайскую ерунду вроде перченой лапши, которую Джаред брал с собой в термосе в библиотеку, где готовился к так и не сданному экзамену в колледж, а также шесть банок австралийского пива, которые тогда вместо Джареда выпил отец. Они даже не понимали, как были счастливы, когда с ними был сын!

Был! Был! Теперь уже ничего нет...

Она вдруг ощутила его присутствие в комнате.

Когда он был жив, это присутствие было порой надоедливо и раздражающе, но все чаще приятно и радостно; теперь, когда умер, — невыносимо.

Она подняла голову, не зная, куда идти и что делать. Положила разглаженное на колене извещение о минусе на банковском счету Джареда обратно в ведро. Взгляд опять упал на книжную полку. Там красовалась модель болида с наклейкой LOLA B99/00, которую Эрл подарил сыну на его десятилетие, в 1999 году. Тогда же они собирались на гоночные состязания, проходившие в Калифорнии, где должна была участвовать эта машина.

Она помнит, как собирала отца с сыном в поездку, купила им новые трусы и носки, которые на них буквально горели, и набила рюкзак пачками галет и коробочками с орешками и сухофруктами, чтобы в дороге поесть. Сын, довольный, что в первый раз отправится с отцом в путешествие, уже восседал на переднем сиденье, но неожиданно новый мощный мотор, собранный Эрлом, чтоб пофорсить перед друзьями, фыркнул и не завелся, и, хотя сын рыдал, предлагая поехать хотя бы на мамином мотоцикле, отец был так раздосадован, что сделал с мотором что-то не так, что весь день рождения сына провел в гараже.

Ей пришлось утешать Джареда, отвезти его на картинг и там, за отсутствием торта, воткнуть десять свечей в разогретую пиццу, а потом вытирать с его лица кетчуп и слезы. Обещать на следующий год другую поездку — всем вместе, дружной семьей. Она знала, как это Джареду важно: он даже держал их фотографию с надписью «Папа, Мама и Я» у себя под кроватью, там, где у него было свое детское царство, своя пещера, куда он тоже потом, как на дверь в своей комнате, повесил табличку «Без приглашения не входить». Как будто они были маленькими человечками и собирались подползти под свисавшую простынь. Сейчас она бы и туда подползла, навеки вошла в его мир.

Эрлу, кроме автомобилей и самолетов, больше ничего не было нужно, так что он в комнату сына вообще почти никогда не входил. Да и сейчас заглянув в комнату, жестко спросил: «Опять тут сидишь?» и сразу же вышел — наверняка теперь отправится к летному полю, к ангару, где после смерти сына каждый день появлялась не новая женщина, а бутыль. Он говорил, что врач прописал ему пить вино для снижения холестерина, но не холестерин был его главной проблемой, как и ее, а вызверин. Выть хотелось, как зверю — и на могиле, и здесь.

Она понятия не имела, кто же выиграл состязания в тысяча девятьсот девяносто девятом году.

Мать подошла к компьютеру сына. Заставкой была его фотография: он в зеленой рубашке на кнопках, с ярлычком модной фирмы и рядом — «Мини Купер» ярко-красного цвета, которого теперь тоже нет, который с места аварии почти сразу увезли на автомобильную свалку. Иногда так хотелось его разыскать: а вдруг там на сиденье остались наушники или музыкальные диски? Или что-то еще?..

Она оселась. Чтобы хоть как-то продолжать с ним общаться, стала искать информацию про те состязания. На «Ютьюбе» обнаружила ролик, относящийся к «Лоле». С замиранием сердца нажала на «пуск» и затем напряженно смотрела, как ярко-голубая машина резво двинулась с места и с силой врезалась в каменное ограждение трассы, перевернувшись несколько раз и разлетясь прямо в воздухе на мелкие части. Последние кадры: остатки «Лолы» падают вниз и приземляются на жалких останках, что остались от брюха.

В прямоугольник поисковика мать вбила имя пилота: конечно, погиб.

То, что ей сказали про Джареда, повторяло гоночные состязания с участием «Лолы» почти один к одному.

Он мчался со скоростью примерно в девяносто пять миль. Не рассчитав и не успев затормозить на красный свет, видимо, решил на полном ходу промчаться через перекресток, понадеявшись на авось и пустынную ночь. А в это время на зеленый откуда-то справа не спеша ехал микроавтобус с дружной семьей.

Буквально за секунду от этого микроавтобуса ничего не осталось. Джаред жил до утра, но утром его отсоединили от живительных проводков.

Мать прочитала про водителя «Лолы». Он был всего на пять лет старше Джареда, и у него были такие же, как у Джареда, светлые волосы, строгий отец, по совместительству являвшийся тренером, и открытое, с голубыми глазами лицо.

Накануне соревнований гонщик повредил руку, упав с мотоцикла. Доктор наложил гипс. Возник вопрос, не снять ли его с состязаний. Пришлось проконсультироваться у врачей спортивной команды. Руководство уже начало предпринимать меры, чтобы нанять другого пилота, но врачи неожиданно разрешили ему участвовать в гонках.

Не справившись с управлением, он на запредельной скорости врезался в ограждение.

Теперь мать поняла, почему Эрл вдруг на целый месяц запретил Джареду смотреть телевизионные передачи. Объяснял кратко: «Надо делать домашку». Джаред плакал, противился, говорил, что все равно уйдет в автоспорт, и правописание с математикой ему не нужны. Скорее всего, Эрл узнал, что пилот «Лолы» разбился, и не хотел, чтобы Джаред увидел сообщение в новостях.

А она дорвалась до телевизора и разглядела смерть сына через мерцающее голубое окно.

14

Кто-то в мелочах продумал весь план.

Кто-то в уме уже видел, как надевает коричневую катышковую юбку и стоптанные старые кеды; как доводит до горла заедающую щербатую молнию; как скрывает все выпуклости и приятности от отвыкших от тела женщины глаз...

Как, подъехав к тюрьме, предусмотрительно достает из карманов всю мелочь и ссыпает ее в полиэтиленовый прозрачный пакет...

Как, заполнив специальную форму и уплатив заранее известную мзду, проходит с квитанцией в комнату, предназначенную для семейных визитов... как крепко прижимает к себе одетого в желто-черный полосатый комбинезончик племянника, у которого на шее висит на шнурке самая обыкновенная соска...

Как, глядя в окошко, просит свидания с номером SID-128475IS, садится чинно, держа полосатого, полусонного племянника на коленях, ожидая выхода этого самого номера и поправляя на груди малыша сбившуюся дешевую соску, подвешенную туда с особым значением, как будто знак отличия или медаль... (Тут важно, чтобы номер SID-128475IS, увидев ребенка, не испугался, предположив, что к нему пришла очередная мамаша, с которой он провел уже давно позабытую ночь, и поэтому, только он появится в комнате для визитеров, где может находиться до пяти таких же семейных или дружеских пар, его нужно вежливо поприветствовать и подчеркнуть, как приятно это знакомство и *первая* встреча, а все остальное уже зависит от него самого... Например, поверит ли он, что неожиданно вызвал расположение задорной дамы в задрипанной юбке? Стоит ли вообще ему говорить, что та поражена его удивительным плодородием и хочет им поживиться? Подобные заявления могут ей повредить.)

Кто-то предполагал, что заключенный SID-128475IS не будет противиться плану, и, когда ребенка протянут ему, он хотя бы обнимет его как своего, и в этот момент нужно будет забрать у малыша соску и пихнуть ее номеру SID-128475IS, надеясь, что хватательные и сообразительные рефлексы сразу проснутся и заключенный возьмет и спрячет соску в одежде, решив, что там записка или наркотический порошок...

Как только пустышка скроется в складках его тюремных штанов, ребенка можно будет забрать, и тогда он продолжит спокойно досыпать у нее на коленях, а заключенному нужно будет каким-то способом объяснить, ЧЕМ необходимо наполнить эту продолговатую штуку, чтобы тайно пронести ее сюда в следующий раз...

Кто-то знал, что если заключенный передаст во время свидания наполненную мутноватой жидкостью соску, то ее можно будет легко спрятать в кармашке ребенка и сразу же после визита, в одиночной туалетной кабинке или, на крайний случай, на парковке в машине, принести подношение красному солнцу с темным полураскрытым глазком.

15

Тото начала нравиться его жизнь.

После окончания школы он хотел пойти в армию, настолько не хватало ему дисциплины и строгого распорядка, но, когда на собеседовании ему посоветовали сбросить лишний вес, он к армии охладел.

Здесь, в тюрьме, он даже постройнел от здоровой еды, которой ему недоставало на воле.

Тут не было ни девчонок, ни психотропных таблеток и пока не нужно было заботиться о завтрашнем дне.

К сожалению, только пока.

Тото записал всех своих знакомых девиц на лист посетителей, но почему-то никто из них не торопился его навещать. Мать его выслали в Мексику из-за каких-то иммиграционных проблем вместе с двумя его младшими братьями, и у Тото совершенно не было желания сейчас с ней общаться.

Он потянулся на узкой кровати, кинул взгляд на ботинки: надо же, что происходит: девки, которых он водил в бары и катал на своей с приподнятыми колесами и хромированными ободами машине, и в ус не дуют, чтобы его навестить, зато непонятные незнакомки вовсю шлют дары. Столько странного и непонятного произошло с ним в последние месяцы: сначала черт его дернул познакомиться с наркоманкой и истеричкой в аптеке, а затем по наводке товарища пойти грабануть дом мертвецов. Вот что значит оказаться в неурочный час в неправильном месте. И это значит «судьба»?

Но нет, судьбе до таких мелких людишек, как он, наверняка нет никакого дела, и все, что случалось, на самом деле было совершенно случайно, как и подозрительный интерес со стороны назойливой незнакомки.

— Послушай, а тебе бабы с бухты-барахты писали? — спросил он на прогулке приятеля, почти уже отсидевшего срок. Статья у того была абсолютно такая же: грабеж и воровство. Винсент был некрасив и приземист, с искривленным носом и бородавкой на веке правого глаза, и эта нарочитая несимметричность, наличие татуировок на теле, походка вразвалку и волосатые руки и грудь придавали ему свирепый, самоуверенный вид.

Это Винсент, родившийся в техасском Эль-Пасо от белой матери, подававшей картошку-фри и пиво в придорожном кафе, и заезжего мексиканского поставщика *джалапеньи, кьезо фреско* и кактусов, научил Тото ходить с прямой спиной и смотреть прямо перед собой, а с чужими взглядами не сцепляться, чтобы не вызвать конфликт. «Под ноги тоже не тырься, как будто что-то там потерял, — Винсент наставлял, — а то подумают, что ты размазня».

Сейчас он спросил:

— С чего это они мне будут писать? Я знаю, парни клеят девчонок по объявлениям, которые тут можно поместить в Интернет через специальную службу, но для этого деньги нужны. А кто мне их принесет? Никто ко мне на свиданки не ходит... А вообще, дело приятное, но надо писать, сочинять... по мне так — слишком много возни...

— А я тут получил от одной... Я ей позвонил, а она сказала, что скоро приедет...

— Я на волю выхожу через три недели, ты знаешь? Тут уже без переписки, сразу в постель, — Винсент закрыл ухмылку ладонью, пряча одновременно и бородавку, и гниловатые зубы. — Правда, как меня посадили, они все разбежались, заразы...

Тото погрустнел:

— И с кем же я буду теперь?

— Ну я уж не знаю, — развел руками Винсент. — Вот прилип, будто девка! Привыкнешь еще, парней тут полно, а особенно нашенской масти. Этого добра тут навалом, куда ни плюнь — везде мекс. А откуда едет красотка твоя?

Винсент цедил слова с растяжкой, лениво, но спрашивая про незнакомку, весь подобрался. Ведь через три недели она будет ближе к нему, а не к Тото.

Тото ответил:

— У нее легкий адрес, 500 Серкл-стрит в городе Беркли, только не знаю, какой с него толк, если мне еще сидеть несколько лет...

— Ну, прокололась, — опять ухмыльнулся Винсент, поднеся руку к лицу. — Кто же разбазаривает свои адреса? А она симпотная? Я полных люблю.

— А я почем знаю? — ответил Тото. — Я еще со своими девками не разобрался, и жена что-то не торопится приходить, а эта уже мне послала посылку с едой и ботинки...

— Эти вот? Похоже, что дорогие... У нее что, денег полно? Или просто делать ей нечего? — спросил Винсент.

— Точно, и полная, и денег полно, — сострил Тото. — Но скорей всего, чеканутая. Мало, что ли, ненормальных на свете...

— Не совсем нормальная, как и все мы, — подытожил Винсент, и в его обычно спокойных и равнодушных разного размера глазах мелькнула какая-то затаенная мысль.

16

Старая одежда была неприятна. Вытянутые локти на свитере, в буквальном смысле потерявшем человеческий облик, вкупе с лоснящимися швами на полотняной коричневой юбке напоминали о бедности. Когда она не подводила брови химическим карандашом и не наносила тушь на ресницы, на первый план выступали морщины. Вместо ямочек на щеках там теперь были две вертикальные черточки высотой в шесть миллиметров. Шея нуждалась в массаже, передние зубы — в дантисте, лицо — в огуречной маске и смоченном горячей водой полотенце.

Не помешали бы и пакетики с чаем на веках, чтобы снять резь.

Ей было уже тридцать семь лет.

Старение можно было замаскировать, надев на концерт фиолетово-огненно-черную, как полотна абстракционистов, блузу из блестящего, выглядевшего безупречно новым сатина. Восхищаясь балетом, можно было принимать изящные позы на бархатном кресле, поглаживая мягкой музыкальной рукой итальянскую сумку из раскрашенной в цвета Баухауса кожи змеи.

Собираясь в тюрьму, необходимо избежать прихорашивания и предстать перед своим недавним знакомым такою как есть.

В коляске посапывал спящий младенец.

Она попыталась представить, как подъезжает к неэстетичному серому зданию; как ее бежевая машина органично вписывается в целую орду таких же немолодых, будто обмолоченных, с вмятинами и неровностями автомобилей; как вытаскивает прогулочную колясочку с Темой и застегивает на нем ремешки, следя, чтобы пустышка на веревочке в них не застряла, а потом направляется к главному входу, готовясь ощутить на своих плечах, талии, бедрах женские руки (это если им придет в голову ее тщательно осмотреть).

Она видела себя садящейся в машину и едущей куда-то с ребенком, но никак не могла представить себя со стороны в этой вот бросовой, почти бесцветной, чуть ли не рвотной «тюремной» одежде, передающей пухлого смешного племянника замкнутому заключенному, осужденному за грабеж. Она изо всех сил пыталась вообразить их разговор.

— Здравствуйте, я увидела Ваше фото в газете.

Он наверняка подумает про себя: «К чему она гнет?» Возможно, что ухмыльнется и сразу собьет ее с толку или будет глядеть в упор, без улыбки: и тут, в данной ситуации, ей будет тяжело говорить.

— Вы знаете, мне кажется, у нас с Вами может быть много общего...

Эта фраза — и она знала это — звучала фальшиво. Ничего общего быть не могло. Как ни пыталась мысленно очутиться в том грязном здании напротив глубоких морщин человека «с самого дна», она просто не могла представить свой шероховатый акцент в стенах американской тюрьмы. Русский акцент, рикошетом отдающийся в ушах родившегося в Америке мексиканца. Не видела своих высоких скул и чуть вздернутого, типичного русского носа «картошкой», своих мягких круглых кудрей рядом с его смуглой кожей и любовью к бобам. Впрочем, бобы тут ни при чем, она тоже их ест. В двух словах: она не могла представить перекрещивание его судьбы со своей.

Как она пытается ему объяснить, ЧЕМ же нужно наполнить эту контрабандную соску, а потом пускается в объяснения, как ее лучше потом с медицинской точки зрения хранить и передать.

Она не могла представить себя произносящей все эти слова.

Словосочетание «сперма и соска», *spert and pacifier, esperta y chupete* звучало странно на всех знакомых ей языках. В то время как Тото в ее глазах сочетался и с грабежом, и со своей накачанной наркотиками блондинистой герлфренд, невозможно было найти ни одной ниточки, которая бы неразрывно связала бугристого бурглара[1] и вполне еще изящную, хотя и помятую, вялую, тридцатисемилетнюю женщину из интеллигентной семьи.

— Пожалуйста, сделайте это так и вот так, а потом сюда слейте.

— Ну сначала нужно руками, а потом вот это вот поднесите сюда.

— А если получаться не будет, представьте себе что-нибудь такое этакое... ну, части тела... да нет, не меня... хотя, конечно, почему не меня...

— Зажмите отверстие пустышки сверху, чтобы не вытекло, положите в карман, а если карманов не позволяется, то просто в трусы. Ах да, трусы у Вас есть?

---

[1] Б у р г л а р (от *англ.* burglar) — вор-взломщик.

— Собирать надо все и осторожно. Самое главное — пожалуйста, не забудьте, что нужна только свежая, буквально за несколько минут до свидания. Да, вот прямо до нашей встречи и подумайте про меня...

Подобные слова не могли соединить ее с заключенным.

И к гадалке ходить было не нужно. Она знала, что то, что невозможно представить, не состоится, и сегодняшнюю встречу с Тото представить себе не смогла.

Но опять не поверила интуиции, пристегнула ребенка с навешенным на него тонким зеленым шнурком, села за руль и выехала на шоссе.

Дорога вся была в ямах. Она объехала одну воронку, вторую. Неожиданно в зеркале заднего вида замигали огни. К ней на хвост сел полицейский, не переставая мигать. Она подумала, что он мчится на вызов, и перешла на правую полосу, чтоб его пропустить. Полицейский тоже сразу же перестроился и продолжал ехать за ней. Наверное, встреча с Тото все-таки состоится, и эта встреча с человеком в форме, с законом как бы напоминает, как он сам ехал после кражи в машине и его остановил мент.

Съехала на обочину.

— Вы знаете, почему я вас тормознул? — спросил высокий, молодой, но уже начавший полнеть парень, сгибаясь вдвое и видя в салоне машины ребенка. На руке у него посверкивал черный, непомерно большой циферблат. Кобура и дубинка на поясе тоже были все черные, зато волосы светлые. Про таких в Америке говорят — «клубничный блондин». Если бы он только знал, о какой «клубничке» тут идет речь!

Заглянув в салон, он некоторое время рассматривал спящего полосатого Тему (головка съехала на живот, пустышка вмялась в пухлую щеку), затем улыбнулся.

Чувствуя, что пронесло, извинилась:

— Простите, я сделала что-то не то?

— Откуда и куда едете? — спросил он, нацеливаясь карандашом на казенную пачку спрессованных бланков.

— В другой город, к сестре. — Она не хотела выдавать цели своего путешествия.

— Вы ехали сразу по двум полосам и вихляли. В какой конкретно город вы направляетесь? Вы пили спиртные напитки? — продолжал допрашивать он.

Она не в состоянии была вымолвить, что едет в тюрьму. Эти слова, как неприятная на вид и на ощупь одежда для встреч с заключенным, как сперма и соска, с ней не вязались.

«Я еду в тюрьму; я еду к тому, кого туда отправили ваши коллеги», — произнесла она про себя, а вслух сказала:

— Вы не скажете, как развернуться? Я запуталась и целый час моталась тут по фривеям. У меня просто болит голова.

А сама подумала: ну ничего, заеду домой, действительно выпью немного для храбрости и снова к Тото. Он же там ждет. Полицейский, выписав вместо штрафа «дружеское предупреждение», объяснил, где находится въезд на нужный фривей. Машинально она продолжала следовать его указаниям, съехав с шоссе и заехав на него снова, но уже продвигаясь в обратную сторону. Из-за этих необязательных, непредусмотренных действий у нее сбился настрой. Фантастическим казался собственный план. Но ведь недавно она прочитала, как один мафиозо из итальянцев, приговоренный к высшему наказанию, таким образом оплодотворил находящуюся на воле жену!

Уже подъезжая к дому, увидела, что на пороге топчется незнакомец.

Точно не муж!

Кто-то приземистей и шире в плечах, одетый в бесформенную ватную куртку. Он стоял лицом к самой двери и еще не видел подъезжавшей к дому хозяйки. Неужели она стала Эстер из новостей и продолжает жить за нее?

Вот так бы та стояла на месте, объятая паникой, подобно тому, как стояли на месте подростки, объятые ужасом, когда в них целился на живописном норвежском острове человек. Террорист потом сам удивлялся в зале суда: «Они даже дали мне перезарядить карабин. Стояли и ждали, пока я не выстрелю. Почему-то подобного поведения я не видел в кино. Почему от нас так долго скрывали эту особенность психики человека? Паника их обезножила, а я наконец справился с карабином и всех расстрелял».

Она вдруг стала Эстер, вернувшейся из отпуска на Гавайях домой и заставшей свое жилище выпотрошенным чужим человеком. Или он только собирается взломать ее дверь?

Наверное, желая соединить несоединимое и пересечь полосу социальных слоев, желая встретить сидящего в тюрьме арестанта, она каким-то образом соприкоснулась и с его ничего не подозревающей жертвой. Жертвой, которой уже не существовало на свете. Жертвой, которая, возможно, наткнулась бы на домушника, если бы «Мини Купер» не протаранил ее неспешно едущий автомобиль. Или Тото действительно сначала узнал об аварии и потом уже отправился к дому погибших, чтобы в их отсутствие (а их отсутствие теперь будет измеряться веками) взломать дверь и взять ставшие бесполезными им, но до сих пор необходимые ему вещи?

Она решила развернуться прямо напротив порога. Стоящая на крыльце Ватная Куртка услышала шум, оглянулась и уставилась на нее.

Ее машина стояла перед домом как вкопанная, и у нее не хватало решимости нажать на педаль.

Человек с несимметричным, некрасивым лицом вдруг быстро спустился вниз по ступенькам крыльца и поспешил прочь.

17

У нее в кармане завибрировал телефон. Звонила сестра:

— Слушай, наш рейс отменили и сказали три часа ожидать следующего, но нам это как-то не показалось, так что я буквально в двух шагах от твоего дома, чтобы забрать малыша... Как Темочка, спит?

Она ответила:

— Жду, приезжай, а то я уже как-то вся выдохлась и засыпаю...

Она осторожно зашла на порог, подергала дверь. Незнакомец, видимо, ничего еще не успел сделать, и нужно срочно сказать мужу поставить третий замок...

Сразу же, как в кино, появилась сестра, которая так соскучилась по малышу, что уже радовалась тому, что не попала в жаркий, жадный до денег Лас-Вегас. Когда сестра забрала Тему, так и не заметив непонятного происхождения пустышки на зеленом шнурке (он питался всегда исключительно грудным молоком, и соску ему не давали, чтобы все время требовал грудь), она прошла в спальню.

Сняла цветистое, в орнаментальных, восточного толка узорах покрывало с кровати...

Отогнула угол стеганого, теплого одеяла, забралась в это уютное логово и некоторое время согревала простынную прохладу собственным телом...

Потом, будто что-то вспомнив, на секундочку привскочила с кровати и вытащила из комода четвертушку бумаги, развернула ее и, шевеля губами, пыталась запомнить слова... Затем некоторое время блуждала в потемках...

Пыталась просунуть в неизведанные, страшащие пещеры всю руку.

Не могла решиться на то, чтобы просунуть в неизведанные глубины три пальца, и пока ограничилась только двумя...

Проверяла потемки на влажность...

Затем методично просовывала указательный палец и удивлялась, что тот почти исчезает в невидимом лабиринте и продолжает продвигаться куда-то одновременно вверх и назад...

Потом находила в постели бумажку, судорожно ее разворачивала и читала строчки одну за другой...

Следуя выученным наизусть суховатым инструкциям, нащупывала круглое затвердение с небольшим зевом и понимала, что сегодня зев этот чуть приоткрыт...

Трогала твердоватое закругление, уже зная его как свои пальцы... Перед глазами стоял загадочный, как солнце, круг розоватого цвета с узким черным глазком... Нащупывала это непроницаемое молчаливое солнце и, несмотря на каждодневное узнавание, неизменно пугалась находящегося в нем узкого непонятного глаза...

Страшилась этой недосягаемой плотной округлости и бережно поглаживала ее пальцем, боясь повредить...

Вела палец вверх, выводила его из неосвещенного лабиринта и оказывалась на другой, давно изведанной тропке, которую принималась топтать и топтать, пока все тело не содрогалось и не становилось сухо во рту...

Проталкивала палец в глубины, опять удивляясь, насколько далеко тот проходит и сколько в этом подземном лабиринте небольших гротов, закоулков, пещер...

Укрытая одеялом, находила мистическое розовое солнце с глазком и ему поклонялась, боготворя, ощущая, как глазок окутывается влажностью и слюдянистостью, принося дары влажной субстанцией, повторяя про себя слова «Господи, благослови».

ВМЕСТЕ СО ВСЕМИ

1

Пишет Наиля: «Сегодня перечитала вот это» — и прикрепляет к электронному сообщению, подтверждающему, что придет на празднование дня рождения, наспех составленный документ. Это «краткое жизнеописание» они сочинили все вместе три года назад по просьбе муллы, который использовал его в своем выступлении после молитвы. Молодится Наиля, носит растянутые светшотки с психоделическими загогулинами, вечером ходит на тренажеры, утром спозаранку встает, общаясь по работе с сотрудниками из Южной Кореи, которые, по ее словам, «ни хрена не знают и безответственны, всему надо учить». Когда голоного-вертлявая, по-детски диатезная Диля сует гостям в нос задачку, которую она никак не может решить, тетя Наиля вздыхает: «А кто же нам помогал, когда мы в школе учились?» Альбина, мать Дили, встревает: «Мне папа решал! Мне всегда папа решал, без него не было бы у меня ни пятерок по математике, ни четверок по физике, ни зачетов по химии...» Внимательно смотрит в напряженное лицо Наили и продолжает: «Не было бы без него ни пятерок за домашние безупречные, без единой помарочки и подтирочки, чертежи на белоснежной бумаге, ни двоек за контрольные по тому же предмету, когда учитель догадывался, по моему мазюканию, мерзким графитовым тучкам и оставленным на ватмане дактилоскопическим линиям, что за меня чертит кто-то другой». И опять повторяет жестоко: «А это все папа чертил» и глядит прямо в блестящие глаза своей тети (нос с горбинкой тоже блестит), наслаждаясь ее подобранностью от подвоха, от этого «папы». Никто, кроме них, не замечает этих деликатных деталей. Нюансы! Дуновения позапрошлого воздуха! Что-то тайное и непроизносимое, связующее Альбину с Наилей, но что?

Салават.

Салават связывает Альбину с Наилей.

Старший Наилин брат, который ее, кудрявую, как баран, девочку с блестящими глазами и волосами, и на каток водил, и на музыку, и в бассейн, а потом еще заботливые, заказные письма с Севера слал, куда его распределили после окончания института. «Потому что татарин и всегда у Салаватки была эта татарская рожа блином, вот декан и заметил, и послал его куда макар телят не гонял!» — объясняла жена Салавата и мать Альбины Юлия Прочерковна.

А Прочерковна потому, что в свидетельстве о рождении у нее вместо отца прочерк стоял. Разумеется, называли ее так за глаза — это она сама всем в глаза правду-матку рубила. Только не простонародно выражалась, конечно, объясняла культурно: «Я просто констатирую факты». И подчеркивала, четко артикулируя: «Констатирую факты!» А когда Альбинушка-школьница в сочинении написала, что это излюбленная фраза ее родной дорогой мамы, Юлия Прочерковна увидела пропущенную «н» в «констатирую» и начала ее укорять: «Ну ничего не соображает, видно, татарская кровь, сидела бы сейчас в кишлаке, если бы я не вышла за Салаватку!! Это же русское слово, а ты в меня — русская, вот и пиши правильно, как все нормальные дети!» Держала тетрадку двумя пальцами за уголок, так что нутро ее почти вываливалось, еле-еле удерживаемое парой хлипеньких скрепок, а Альбина тем временем хлюпала носом.

Да, татаркой быть стыдно, недаром у Альбины в классном журнале вместо национальности — пустое место («И отец твой — пустое место, перхотная пакость, пигмей»); все их татарские родственники — «монголо-татарское иго», «чертовы чингисханы», «свора», «орда» — только и думают, как бы русским гадость подстроить, но она-то при чем, ведь она совершенно не похожа на «страшенного Салавата». В голове у нее звучали слова: «И лицом, и душой — вся в меня, а не в этого сивого мерина! Даром что водку не хлещет — а что еще с него взять?»

Салават, папа Альбины, совсем не умел обращаться с детьми. Мама приводила столько примеров:

«Отправишь его с тобой на санках кататься — придешь вся в синяках, обшварканная о ледяной наст; оставишь вас одних в комнате — и он начнет тебя кувыркать и голову об угол табуретки тебе разобьет; поедет на дачу, сам на крыше покуривает вместо того, чтобы сбрасывать снег, прохлаждается с сигареткой за ухом, не ударяя палец о палец, а ты в резиновых сапогах внизу в сугробе гробишь себя, зарабатываешь себе дыры в легких из-за его поганого времяпрепровождения...»

Мать четко выговаривает слова. Они длинные, выразительные, вычитанные в далекой юности из сложных книг. Взрослая Альбина, в отличие от Альбины-ребенка, знает, что вычурные слова и многозначительные цветистые фразы почитаются психопатами, которые, укрываясь за кустами этой развесистой клюквы, не знают, что и сказать. Своих чувств, своих дум у них нет.

Салават огрызается, обращаясь к Юлии Прочерковне: «Ерунду говоришь! Язык во рту, что ли, полощешь?» Потом говорит примиряюще: «Эх, Юленька, не выйдет из тебя доброй старушки!»

«Заткнись, оленевод!» — бросает ему Юлия Прочерковна и уходит в их общую спальню. Салават смешно морщит нос, как бы говоря смотрящей на него Альбине: «Ну что тут поделаешь!» — и они идут печь блины.

2

Салават, высоколобый, невысокий, спортивный и спорый, умеет все: и дрова рубить, и печь растопить, раздобривая ее то сухим сучком, то газеткой, и капусту сечкой сечь и ее в кадках солить, и варенье из выращенных на даче ягод варить, и банки для этих солений-варений готовить, и лестницу к яблоне приставлять, чтобы урожай собирать, и по этой же лестнице вниз в погреб лезть, и потом поднимать наверх на веревке ведра с подмерзшей, проросшей картошкой, и так и скакать вверх и вниз, то под землю, то к небу, и кладку для фундамента делать, и покрывать качели сначала эмалевой краской, «чтоб не заржавело», а потом серебристой, шершавой, чтобы и дочка могла так же, как он, вверх и вниз, и испещрять речь словами «олифа», «рашпиль» и «рубероид», и стихи сочинять вроде «в темноте я шел один / кто-то выколол мне глаз другой», и играть в бадминтон мечтательно трепещущим в небе воланчиком, и учить Альбину нырять в ласковом глубоком море, когда они поехали к бабушке в Крым, и мастерить мебель, в том числе книжные полки, на которых стоят любимая «Повесть о детстве» и роман об одесском пионере-герое Володе Дубинине, скрывающемся в катакомбах (Альбина сама хотела б там жить!), и прокладывать бетонную дорожку по слякоти из дачного дома до ее «домика», ее детской забавы, где она наряжала в бумажные платья бумажных же кукол на подставках-пеньках и их кавалеров, и печь слоеные пирожки, когда мама недужит, и стирать замоченное в тазу белье, детское и свое, и мастику класть на паркет.

Он мастак, Салават! Кто без Салавата накроет на стол? Кто заварит прессованный татар-чай с молоком, «душу семьи»? Кто для Альбины замерит рулеткой размеры ее чемодана и скажет, пустят ли ее со всем барахлищем, с этим бегемотным баулищем в самолет?

Это для Юлии Прочерковны он «никудышный пигмей» и порой — для Альбины, когда она подпадает под злобное волшебство своей мамы и верит ее таким загогулистым, таким замысловатым словам! А другие видят в нем мастеровитого мастера цеха на стекольном заводе, заботливого отца и мужа во всегда выглаженной, от утюга волглой, рубашке, с которым «Юлька как в замке, как в сказке живет». Только он чуть неуверен в себе, с этим в разговоре зажат, с той застенчив, замкнут в гостях; говорит «надо быть выше этого», когда разлапистый культурист прогоняет Альбину с турника на детской площадке, потому что хочет подвесить там своего малыша.

Взрослая Альбина прочла, что нерешительные, подверженные колебаниям люди часто выбирают себе в партнеры садистов. А потом у них вырабатывается стокгольмский синдром, когда они отождествляют себя с тем, кто над ними стоит, таким образом пытаясь защититься от излишних нападок. Наверное, потому Салават терял голову и в выпускном классе поддерживал безрассудства Юлии Прочерковны вроде невыпускания Альбины из дома зимой кроме как в школу, «чтоб не простудилась», а на самом-то деле чтобы оградить от встреч с парнями, «у которых только одно на уме».

Взрослая Альбина узнала, что главная цель мучителя — закрыть жертве доступ к другим, чтобы полностью ею завладеть. И верно: ведь Юлия Прочерковна и Салавата не выпускала одного на улицу, «чтобы не заглядывался на груди и муди», — возможно, она сама подверглась какому-то сексуальному насилию в детстве...

Вот они все сидят на своих стульях, а только что бродили по короткой мокрой траве, трогали буквы на плитках, стирали с них пыль, несколько раз поправляли зеленый пластмассовый конус с цветами, поглубже ввинчивая его в эту першащую в горле траву, чтоб не валился, представляли, как Салават там лежит с подложенными под правую щеку горстями земли, смотрели на прибавившихся рядом с ним новых жильцов, верней, нежильцов, тоже всех с этой прочной пластмассой, с этими копеечными, временными рамками с фотографиями, оставленными на могилах в ожидании «вечного» надгробного камня, с этими почти офисными этикетками с напечатанными на них никому не нужными днями рождения и номерами участков земли.

Три года прошло — а Юлия Прочерковна не изменилась. Так же носит прямолинейные, как она сама, юбки, желательно длинные, чтобы закрыть как можно бо́льшую часть крепких ног с широкими крестьянскими щиколотками; так же выбирает трикотажные кофты с накладными карманами, приходящимися прямо на бесформенную большую грудь. Только не так возбужденно горят глаза, куда-то пропала обычно окружающая ее аура нетерпимости и дикобразных поднятых игл, которую Альбина ощущала, еще только ступив на порог квартиры родителей, куда-то исчезли взвинченная энергия и запал, когда слова вырывались из нее как из вздувшейся консервной банки. Исчез «вечный источник раздражения», ушел «маломощный мужик», «сделал ручкой и испарился — а мне тут пахать!».

Но вдруг опять сверкнули глаза, опять забилась на виске жилка, опять нервно задрожали задубелые пальцы, теребящие вилку в салфетке, готовые кинуться в бой. Исчезли открытость и простодушность лица, которые можно легко представить у женщин с картин Казимира Малевича, и вместо них на кажущемся безобидным, белом овале прорисовались мелкие, острые, как ее редкие зубы, гадливость и гнев.

Неужели ошиблась Альбина, неужели что-то еще кроме супруга возбуждает в Юлии Прочерковне такие выпуклые, выбродившие, настоянные на многолетней ненависти мысли? Но нет, не ошиблась.

Они все сидят за столом на неустойчивых стульях и собираются выпить. Никто не решается первым произнести речь. Но вот Юлия Прочерковна порывается что-то сказать, и все притихают, держат в руках рюмки с прозрачным горько-соленым напитком, готовые все вместе выпить за ушедшего Салавата.

Юлия Прочерковна говорит: «И с того света надо мной издевается, ну что за мужик! Вон опять прислали счет за телефон и ему приписали какие-то разговоры. А я же все уже уплатила и ни с кем по телефону не тараторю, сразу трубку кидаю, если кто позвонит».

Гости, так и не выпив, ставят рюмки на стол. Нет, это еще не речь Юлии Прочерковны. Речь будет потом. Вот она торчит у нее из кармана, написанная круглыми крупными буквами — безупречные завитушки, уверенный твердый нажим. Все ждут, не дотрагиваются до купленных Юлией Прочерковной в местной, советского типа, «Кулинарии» салатиков. Альбина украдкой взглядывает на ее руки, которые продолжают мучить-мусолить то обернутую салфеткой вилку, то нож: разбитые артритом, страшные, крючковатые пальцы добротной, сочной, не пожилой еще женщины вызывают в душе какое-то бередящее чувство; такими не сможешь резать свеклу, огурцы, баклажаны, яйца, редиску — все эти ингредиенты есть в угощениях, которые Юлия Прочерковна подвигает поближе к гостям, прося начать есть.

3

«Начинайте, начинайте, чего сидите-то, давайте я всем наложу!» — бодро говорит Юлия Прочерковна, а Салават с красноватым добродушным лицом смотрит на нее с чайного столика. Такое у него выражение, что кажется, если смог — подошел бы, услужливо помог этим крючковатым пальцам справиться с ложкой, этим румяным, чуть обвисшим щекам и безжалостным к еде челюстям — двигаться еще проворней и злей, перетирая в пух и прах вареные овощи.

Его портрет принесла сегодня Наиля, прослышавшая от Альбины, что у Юлии Прочерковны ни одного портрета Салавата в комнатах нет. Что и мертвого она его ненавидит и избегает, не упускает случая, чтобы указать на ошибки. Сидит-сидит, и как вспомнит что-то из восьмидесятых годов, как «Салаватка разбрасывал везде острые пилы и ржавые гвозди и чуть не угробил ребенка». Или как, когда они с маленькой Альбиной жили еще в глухом магаданском поселке, Салават плохо привязал спасительную веревку, и, добираясь домой из детсада в кромешной северной тьме, дезориентированные пургой и ледяной крошкой, Юлия Прочерковна с младенцем на руках потерялись, стояли и держали растерянно в руках оборвавшийся хвостатый конец, пока «этот мерзавец не прибежал, сам в шапке-ушанке, унтах, а нам даже не купил полушубков приличных, выкинул босых и раздетых на снег».

Наиля принесла портрет Салавата, чтобы помянуть его в день рождения, и сегодня же унесет. Она единственная, кто отказался от водки — у нее в рюмке налита вода. Отодвигает от себя вилку и нож; начинает ложкой накладывать пищу в тарелку. Альбина вспоминает, что, в соответствии с татарским обычаем, нож с вилкой на стол не кладут, потому что ими можно невзначай истыкать тело покойника. «Какое истыкать, — думает она про себя, — когда усопший и так все время как по битым стеклам ходил, живя с такой беспомощной, но беспощадной мегерой, даром, что после Севера работал на стекольном заводе».

Нехотя все начинают жевать свекольный салат, потом маринованные баклажаны, салат с редиской с яйцом, копченую белую рыбу с рисом под майонезом, селедку под шубой, салат оливье.

«А икорку, икорку, худышка-мормышка, налегай на икру». — Истерично-румяная, с обновленной завивкой и омоложенным питательным кремом лицом Юлия Прочерковна направляет Диляру. Несмотря на массажи, кожа под глазами набрякла; блескучесть и легкость глаз тянет на дно какой-то груз, но не грусть. Это тяжесть, скорее всего, от излишков еды и эгоистических мыслей, а не скорбь от потери второй половины, про себя, «констатируя факты», отмечает Альбина. Диля скованно отодвигается от стола, Юлия Прочерковна наставляет: «Ешь, ешь!» Диля отпихивает тарелку и приподнимает скатерть, чтобы исчезнуть. После смерти деда она почти не видит бабулю. Хотя Юлия Прочерковна успела внушить ей, что «у деда все из рук валится», Диляра ночами разговаривает с ним в своей комнате, спрашивает, как он там живет. «Сегодня занята омолаживанием и налаживанием жизненно-важных функций всего организма, завтра — готовкой, в среду — разгрузочный день и можно Дилярочку ко мне привести». — Юлия Прочерковна заявляет Альбине, но по средам у Дили занятия по татарскому языку. Хотя она учится в русской школе, Альбина решила привить ей «родной язык», подсознательно отомстив ненавидящей «татарву» Юлии Прочерковне.

Альбина работает сейчас над переходом с аутентичной ступени сознания на трансцендентную. Аутентичная ступень связана, в понимании Альбины, с самостью, с созданием неповторимых вещей, с независимостью от устоявшихся авторитетов и мнений. Люди, находящиеся на аутентичной ступени, равнодушны к какой-либо критике. Раньше Юлия Прочерковна надувалась гневом, краснела; с силой одергивала на ней пальто, как будто хотела сбить с ног, с панталыку; поправляла совсем не сбившийся хлястик; подтягивала колготки до самых ушей, чуть ли не до рези в паху; просила «сдвинуть ноги, когда стоишь, чтобы не было этого дистрофичного выкоса», и тогда Альбина переживала, вечерами долго разглядывала в зеркале свое удивленное, продолговатое лицо с маслинами глаз; начесывала свои волнистые волосы, чтобы создался объем; поглаживала длинную шею с чуть выпирающим, решительным кадыком в распахнутом вороте ловкой рубашки; волновалась, красива ли; противоречила матери; плакала, когда была помладше, а когда стала постарше, начала огрызаться и сама нападать.

Сейчас же Альбина сидит за столом совершенно спокойная. Она пропускает мимо ушей замечание матери о том, что у нее не наглажены брюки (ну а что делать, когда дешевый тонкий материал вываливается из стиральной машины вместе со сцепившейся рукавами кучей белья, скрученный в трубочку, ведь либо ребенком заниматься, либо собой!), что у нее прошлогодняя стрижка, что у нее на руке «отвратительно огроменные мужские часы» (Альбина во всех вещах предпочитает функциональность), что она вырастит из Диляры «стоеросовую осину, тупую дубину», если та не будет видеться с бабушкой. Взрослая Альбина знает, что все слова, какими сейчас Юлия Прочерковна обзывает ее и Диляру, и все слова, которыми обзывала она Салавата, на самом деле относятся к самой Юлии Прочерковне, ведь та просто проецирует свое собственное бессилие на других.

Это она бесчувственна — психопаты обычно бесчувственны.

Это она не умеет одеться, то выбирая какие-то белые шляпы и белые матерчатые туфли с белыми же носками, как будто отдыхающая курортная дама на променаде, с плетеной кошелкой из джута, то переключаясь на серый драп, который и новый-то выглядит побитым пылью и молью, и напоминая в этом, прямого покроя, костюме Екатерину Фурцеву, министра культуры советских времен.

Это у нее фригидность и половые проблемы — их, скорей всего, никогда не было у всегда подтянутого, чисто выбритого и чисто пахнущего Салавата, который только в последние годы превратился в набрякший, осевший мешок.

Это она ничего не умеет: даже кашку не может правильно Диле сварить, даже кошку не в состоянии к горшку приучить, даже салаты забыла, как делать. Да вот и тренажер для себя и отдельный — для этой самой уже упомянутой кошки, чтобы она была всегда в форме и с удовольствием скакала и прыгала и благодарила хозяйку за прекрасно налаженный быт, — попросила установить Альбининого мужа Олега. Раньше было: «Салаватка, давай!», «Салаватка, сюда!» Теперь не слезает с телефона: «Скорей шли Олега, надо лампу повесить». «Скорей шли Олега, птички электронные петь перестали, фонтанчик чем-то забился», «Скорей шли Олега, дверь на балконе скрипит», «Скорей шли Олега, пусть тренажер забирает, на нем сами скачите, не могли подсказать, что ли, что кошке моей не понравится, она уже два раза сковырнулась с него и теперь ни ко мне, ни к нему ни на шаг». Альбина Олега шлет, но, поскольку она теперь стоит на аутентичной ступени, на свинцовые мерзости матери в ее адрес ей наплевать.

4

Гости подбираются к бутербродам с лососем, с прозрачным намеком разглядывают этикетку на бутылке «Пшеничной», баюкают в рюмках прозрачный напиток, ожидая, что вот наконец-то Юлия Прочерковна встанет, достанет из кармана подспорье — бумажку с записанным выступлением с вкраплением сложных слов и сентиментальных стихов — и заговорит. Прочтет речь про то, как Салават жил, про то, как его теперь нет, а вот они зачем-то остались. Про то, как умер, наверно, пропустит, ведь все знают, что это Юлия Прочерковна его в тот день довела. И так ходил как по ниточке, задыхался, за сердце держался, присаживался на диван, а она только покрикивала: «Салаватка, держи, Салаватка, снимай же с огня, Салаватка-дурак, у тебя ребенок описамши, а ты и в ус свой проклятый не дуешь». Держат рюмки в руках, готовые в любой момент подхватить тост.

Украдкой, а иногда и прямиком поглядывают на безмятежную Юлию Прочерковну. Наконец та встает. Все замирают. У Наили слезы наворачиваются на глаза. «Смотрю телевизор — а там везде Салават у меня вместо диктора, вместо актеров», — говорила она сегодня Альбине, когда только пришла, когда переобувалась в коридоре в принесенные с собой лохматые белые тапочки. «Ведь старший брат, мы на него всегда снизу вверх...». Тетя Наиля смотрит с ожиданием на Юлию Прочерковну, дав себе клятву, что до конца жизни будет заботиться о жене любимого брата, во всем ей помогать. «Не все я одобряю, конечно, но это выбор моего брата, и я должна его уважать», — сказала она, уже в лохматках, Альбине.

Наиля смотрит на встающую Юлию Прочерковну и старается не зарыдать от ожидающихся от нее теплых, обволакивающих душу слов в адрес безвременно ушедшего мужа. В этот момент тетя даже готова забыть, что инсульт у брата случился после большого скандала, устроенного в доме Юлией Прочерковной, когда она нашла на его «старом, рваном, вонючем ботинке» (ее слова) чей-то волос, немедленно нарисовав в воображении картину разврата, проституции, свального секса в подсобке, набитой бракованным, некондиционным стеклом.

Наиля с рюмкой в руке и слезами в глазах смотрит на медленно встающую из-за стола Юлию Прочерковну. Юлия Прочерковна встает, отодвигает стул и направляется к кухне, где долго копается в пакетиках с чаем. Гости молча ставят неотпитую водку на стол.

Все съедено. Больше есть нечего.

На столе пустые тарелки. Только перед Салаватом, вернее, перед его увеличенной фотографией лежит бутерброд. Чуть-чуть вроде бы приуменьшилось в рюмке, но покойный ведь и при жизни никогда не пил, с чего бы ему сейчас становиться пьянчугой? Альбина думает: «Ни за что сюда не придет. Душа отлетела и теперь занимается всем, чем угодно. Может быть, строит модели легких парусников, воздушных шхун, призрачных кораблей, которые супруга сломала, объяснив парой решительных жестов и хрустов, что есть дела поважней, например, замена газовых баллонов на даче... Теперь, умерев, сможет наконец встретиться «со всей своей татарвой», сходить в гости к родителям, которые якобы не любили Юлию Прочерковну за ее рукопашную, нараспашную русскость... Давно уже в далеких сферах витает подальше от карги жены, от капризных дочки и внучки... Хрен вам, накуси-выкоси, ожидают тут папу — а папа теперь далеко, вырвался наконец из этих проклятых, пахнущих тиной и спирулиной тисков!»

5

Бутерброды закончились. Юлия Прочерковна несет с кухни пирожные. Гости их вежливо хвалят. Юлия Прочерковна опять идет на кухню и возвращается с шоколадными конфетами в глянцевой щеголеватой коробке. «Ну садись, мам, посиди», — просит Альбина. Юлия Прочерковна приносит с кухни апельсиновый сок. «Садитесь, садитесь, чего скакать в таком возрасте». — Это Олег говорит. Юлия Прочерковна приносит с кухни клюквенный сок, объясняет: «Апельсиновый для Диляры, а это для всех». Гости уже принялись за пирожные, но Юлия Прочерковна прерывает: «Конфеты с ликером, берите, берите, а Диляре нельзя, и кофе ей не давайте, а то возбудится и ночью будет по дому бродить, всех перебудит». Альбина надавливает языком на сладкий овальный гробик; из него что-то льется и щиплет язык. Второй сладкий гробик засохший, видно, засахарился наполнявший его алкоголь. Торжественно, будто под невидимые аплодисменты, сопровождающие выход знаменитого актера на сцену, Юлия Прочерковна выносит из кухни роскошный торт, на котором написано «С днем рождения». Даже пригнулась чуть-чуть под его весом, широко ставит ноги в лапчатой матерчатой обуви. Ведь сегодня день рождения Салавата. Ему бы исполнилось шестьдесят пять.

Диляра, довольная, вылезает из-под стола. «Олежка, разрежь, — командует Юлия Прочерковна. — Уж извините, хотела «Хлопца кучерявого» спечь, но так и не вышло. — Юлия Прочерковна демонстрирует всем свои руки. Альбине опять становится не по себе. — Альбинка, хочешь рецепт? Не знаешь, что за «Хлопец» такой? Ну ты даешь! — Юлия Прочерковна опять проходит на кухню, долго роется в шкафчике и достает оттуда банку с клубничным вареньем. — А это, кажется, еще Салаватка варил, не знаю, куда и девать, если не доешьте здесь, с собой заберите!» И только под конец, когда места на столе уже нет, она приносит тарелку с блинами. Их в память Салавата Альбина спекла: так, как он научил.

«Выпьем за покойного», — предлагает Олег.

Он желает, чтобы поскорей все закончилось, но в то же самое время изо всех сил старается следовать правилам.

Все готовятся многозначительно помолчать, но Юлия Прочерковна прерывает наступившую тишину: «Ешьте, ешьте, не отвлекайтесь». Олег прячет глаза, убирает под стул прежде вытянутые ноги в удобных, на липучках, кроссовках. На нем все удобное: неснашиваемая суконная жилетка с десятком разномастных карманов, туристские брюки, которые одним мановением молнии превращаются в шорты, а на ремне, в котором он сам проделал раскаленным шилом аккуратно вычисленную нужную дырку, — целый арсенал необходимых в хозяйстве вещей: фотоаппарат с отдельным комплектом батареек и флешек на смену, складной ножик с напильничком, штопором и множеством лезвий, мобильник с закачанной туда картой местных дорог.

Альбина смотрит на мужа, а сама думает, что ее задача теперь — подготовиться к трансцендентной ступени. Так она решила, прочитав исследование под названием «Перемены ума: холографическая парадигма и эволюция сознания человека», написанное ученой женщиной с внешностью гулящей ведьмы. Трансцендентная ступень отличается от аутентичной тем, что на ней полностью растворяется «я» и пропадает страх смерти. Это одна из последних ступеней сознания; за ней идет лишь «унификационная», на которой стоял Магомет и какие-нибудь скрывающиеся в пещерах отшельники, а затем «послесмертная», которой уже достиг Салават, витая сейчас далеко-далеко, слушая музыку сфер.

Не уверенная в том, действительно ли она иногда видит отца, когда заходит в Дилярину комнату и спугивает чью-то сидящую на стуле в задумчивой позе густую, темную тень, Альбина написала автору книги — неуловимой, как летящая в небе метла, женщине с золотистыми волосами и чуть косившим, янтарного отблеска глазом, заглядывающим в запредельные области. То, что та сочинила в ответ, Альбина пока прочитать не смогла. Она подолгу оставляла письма нераспечатанными (когда их еще посылали в конвертах), а теперь — распечатанными на принтере, но непрочитанными; вот как термины за какие-то десять лет поменялись, вот как время летит!

Оно плотно спрессовано, в одной точке — настоящее, прошлое, будущее; а в кармане — сложенный вчетверо прямоугольник бумаги. Вот именно так, думает Альбина, можно описать время: несколько слоев бумаги в одном. Пока остальные жуют, она вытягивает из кармана листок и с опаской выхватывает одно предложение: «*Не могу не согласиться с тобой, что люди, имеющие доступ к «другим плоскостям», часто испытывают непреодолимые затруднения, пытаясь найти общий язык с теми, у кого этого доступа нет*».

Надо же как... Ведьма каким-то образом заключила, что у Альбины есть этот доступ. А может, и есть. И теперь она разглядывает тех, у кого его нет. Например, у Юлии Прочерковны, скорее всего, реактивная ступень сознания, присущая многим бандитам и уголовникам. Увидела то, что захотелось — и сразу поди и подай. У Олега, оглядывает Альбина своего правильного, прагматичного мужа, покрытого сетью мелких ранок от бритвы и ранних морщин, «достижительная» степень сознания, недаром он так рьяно трудится в своей компании по установке кондиционеров в автомобили; на прошлой неделе столько просидел в холодном офисе на дырчатом стуле из твердой фанеры, что аж всю спину продуло и мышцы свело, и еще в окно солнце светило, мешало глазам, а он все сидел и высчитывал, сколько кондиционеров установил и как же их продолжать устанавливать с каждым разом все больше и больше... У Наили...

6

Наиля в это время ест глазами Юлию Прочерковну, которая наконец-то достает из кармана написанную круглыми крупными буквами речь. Что она скажет о брате? Неужели она все-таки любила его? И ее непомерная ревность была отзвуком этой любви, а не паранойей выжившей из ума идиотки? Наиля абсолютно трезва, несмотря на то что, не удержавшись и нарушив обычаи, выпила уже четыре рюмки «Пшеничной». Она трезва по отношению к жизни и знает, что в речи Юлии Прочерковны не будет никакого слюноотделения и сантиментов. Она знает, что Юлия Прочерковна не испытывает никакой вины или сомнений, но все-таки надеется, что та соблюдет все приличия при собравшихся и не ляпнет какой-нибудь ерунды, как она сболтнула в прошлый раз на дне рождения Салавата, когда он еще был жив, упомянув, что он «родился рахитом и рахитичным помрет», несмотря на тот факт, что Юлия Прочерковна, выше его на пол-ладони и поэтому «жертвующая ради него женственными каблуками», не забывая о своей роли преданной, верной жены, закармливает его чуть ли не с ложечки жареной рыбой.

Наиля только не ведает, что в кармане Юлии Прочерковны совсем не речь.

Юлия Прочерковна опять встает и начинает читать:

«Ко всем, кого это может касаться.

Я теперь одна. Я вдова. Средств не хватает на полноценные продукты и витамины, жизненно важные для организма. На электричество, горячую воду тоже нужны немалые средства. Пенсия мизерная. Проверьте, пожалуйста, что там с телефоном, почему вдруг надо платить за две линии, по второй линии ведь уже некому говорить, да и по первой не мастерица. Мне давно никто не звонит».

«Правильно я написала? — вопрошает Юлия Прочерковна. — А то какая-то катавасия с отчислениями получилась, ну после того, как... — Она кивает головой на портрет. Потом подходит к каждому члену семьи с этой бумажкой и просит: — Ну вот, прочитайте, проконсультируйте, если знаки препинания по-другому надо расставить».

Альбина принимается поправлять запятые. Наиля резко отодвигает стул, забирает портрет брата и исчезает в прихожей, где, как видит Альбина в отражающее часть коридора трюмо, судорожно пытается снять свои лохматые тапочки, балансирует на одной ноге, но ухватиться за вешалку с висящими там комиссарскими кожаными куртками и пальто Юлии Прочерковны, видимо, брезгует. Альбина вдруг явственно чувствует, что отец здесь. Вот он появился. И другие это тоже почувствовали, потому что неожиданно все замолчали, только ничего не понимающая, негибкая Наиля, руководящая своими удаленными, но недалекими, по ее словам, южнокорейскими программистами, продолжает шуршать в прихожей пакетами. Хлопает дверь.

Салават соскребает недоеденную пищу с тарелок, заглядывает под стол к давно заснувшей там Диле, пытается прочистить фонтанчик, и вдруг в затихшей комнате раздается пение птиц. Откуда-то из-за пыльного тренажера появляется кошка. Альбина так явственно ощущает присутствие папы, что слышит, как он обращается к Юлии Прочерковне: «Юленька, ну как ты? Помочь?», видит, как она кидает на него ненавидящий взгляд и пинает его в бок со словами: «Опять ты, сивый мерин, в своем репертуаре паяца и садиста». Пока Юлия Прочерковна, снимая матерчатый тапок, массирует шишковатый, далеко отступивший от других палец ноги, Альбина хочет кинуться к отцу и обнять, но не может, не знает, за что ухватиться, как схватить и затрясти эту неуловимую тень, как изметелить ее кулаками: «Салаватка, дурак, что же ты, ненормальный, пришел сюда и после смерти, что же ты сотворил со своей послесмертной ступенью, что же ты, вместо того чтобы бегать по гордым горам и пить в божественных высотах небесный кумыс, вернулся в свой собственный земной ад!»

«Папа, ну что же ты, папочка, — Альбина захлебывается, укоряет, прогоняет отсюда, — даже и в смерти не получил ты успокоения, опять явился сюда, уходи, уходи».

Альбина его умоляет и даже забывает на время, что при переходе на трансцендентную стадию самое главное — это спокойствие и слияние с Абсолютом, когда это желание слияния с Абсолютом будет так сильно, что не страшна будет и сама смерть.

«Да я же говорю — идиотство, и так и не кончается, тянется, полнейшее идиотство», — подытоживает Юлия Прочерковна, поднимает с пола сложенный вчетверо, видимо, оброненный ею листок бумаги и убирает его в просторный нагрудный карман.

КЛОК

100 000 за 10 000

Есть фильм Марклея. Его совсем не нужно смотреть, чтобы понять, почему он послужил толчком к созданию данного текста. Самому Марклею тоже совершенно не обязательно было быть режиссером, закончившим киношколу — он просто взял да и снял. Его к созданию собственной кинопленки тяжестью в тысячи гигабайт и стоимостью в сто тысяч долларов подтолкнула идея. Идея, что произвольная эта плетенка расскажет о том, как тикают и утекают часы.

Фильм он назвал просто *Clock*.

Эта работа представляет собой хорошо слаженную, как мозг и краниум, кропотливую компиляцию клипов из многочисленных кинокартин, выбранных исключительно из-за того, что там фигурируют часики на привлекательных, золотистых под солнцем женских руках; хронографы с откровенной, напоказ, анатомией; настольные будильнички-безделушки с завитушными колокольчиками; с хрипами и увесистым маятником напольные монстры, а также, как суровая нитка, простые, в момент пристрелки зловещие циферблаты под отворотом рукава ершистой шинели или белоснежного кителя.

Сам Марклей на капитана совсем не похож. Скорее — цеховой мастер в негнущейся куртке, с возрастом посуровевший, без слабинки или жиринки в душе и теле мужчина: наполовину американец, наполовину швейцарец, по виду как бы спортсмен, но без запала и запашка. Чисто выбритый человек за пятьдесят, высокий и веский, с угловатым, но широким, будто экран, и потому вызывающим доверие честным лицом.

У этого незамысловатого цехового мастера в сундучке — утомительная и цепучая, как лаокооновы змеи, нескончаемо обвивающаяся вокруг зрителя лента, составленная, при сгорбленной спине, но прямом, как штык, духе, из выловленных из общего потока микрособытий.

Она запускается в действие при помощи созданного программистом специального софта, который соотносит время на часах в кадре со временем в точке показа. То есть, если начало сеанса в Токио в семнадцать часов, фильм стартует с кадра с часами, показывающими пять часов дня. Сидящий в зале любопытствующий любитель искусства может сверять стрелки на своих «Сейко» или «Полете» со стрелками в фильме с точностью до последней секунды, хотя из-за каких-то сбоев в программе во Франции *Clock* вдруг начал отставать на пять-шесть минут. В Японии, в этой стране точных приборов и восходящего солнца, синхронизация фильма с жизнью сработала безупречно.

Вот механизм сцепления кадров: в шесть утра шпион просыпается и бросает взгляд на часы, а потом, не обращая внимания на лежащую рядом красивую женщину (женский пол не считается), произносит «пора». Этот кадр из кинофильма шестидесятых годов Марклей монтирует с кадром из кинофильма тридцатых, где главные герои мчатся к перрону поезда и глядят на часы, а там только-только перевалило за шесть.

Взрыв из фильма «Авиатор», про американского промышленника и изобретателя Ховарда Хьюза, переходит в кадр из фильма «88 минут», с изумленным актером Аль-Пачино, играющим психиатра, которому объявили, что ему осталось жить всего восемьдесят восемь минут. А вот французская дива: только пару часов назад она была в ленте Марклея цветущей и молодой, а теперь постарела на пару декад и играет помятую, почти пожилую жену, в отчаянии разбивающую будильник в другой кинокартине.

При таких коллажах коллаген из кожи актеров исчезает мгновенно, и Марклей рад запечатлеть иезуитские изменения их когда-то свежих, теперь морщинистых лиц. Только успел Джек Николсон продебютировать в качестве молодого бандита в фильме «Плачь, детоубийца», как в следующую секунду он уже постаревший страховой, страшно лысый агент, сидящий в офисе и убивающий время, глядя на часы.

Время плетется нога за ногу, ползет минута за минутой, утекает в час по чайной ложке, перетекает из чужих фильмов в фильм Марклея, а затем в жизни заинтригованных зрителей с выросшими у них прямо в руках разрушительными грибками попкорна, и так все двадцать четыре часа.

6 + 1, 0

Фильм протяженностью в сутки Марклей смонтировал при помощи шести подмастерий. Мозг, вооруженный мысленным калькулятором, легко делит двадцать четыре на шесть. На самом деле делить надо на семь, и тут все намного сложнее: сколько кадров внес сам режиссер? Насколько от его решений что-то зависело? Принимал ли он все, что ему несли неутомимые ассистенты в результате своих зачастую случайных, между пиццей и писсуаром, поисков в Интернете, или добавлял что-то свое? Насчет «своего» можно поспорить, ведь даже и внесенное им самим было названо критиками «прекрасным примером апроприационного арта».

Оплатила выставленный «швейцарцем» счет модная галерея *White Cube*.

Ассистентам тоже платили. В фильме Марклея около десяти тысяч кадров, в данном тексте чуть больше двадцати тысяч выбрасываемых на ветер, вернее, в Сеть слов. Мозг под спасительным краниумом легко делит сто тысяч долларов на десять тысяч кадров и сразу же вспоминает, что это на ноль делить нельзя, а вот ноль поделить на двадцать тысяч слов вполне можно. Впрочем, собери в послушное овечье стадо хоть двадцать одну тысячу слов — все равно будет ноль. Но нужно трудиться. У Марклея болели руки, спина, краснели высохшие, как пустыня, глаза. Кровь и часы пульсировали и тикали в организме, компьютеры — «Маки» — гудели. Ассистенты тащили кадры как муравьи.

Марклей говорил, что, если бы собирал *Clock* один, у него ушло бы на это больше декады. А с помощниками — «всего лишь» три года, но зато какие года! Запястья в ожидании карпально-туннельного ныли, спина звала на помощь и алкала мягкой кровати; согнувшись в виде внушительного вопросительного знака перед экраном компьютера, уставший демиург вглядывался в кадры с двоящимися циферблатами, становящимися каплевидными по мере приближения ночи, как на картинах Дали.

Как опытный часовщик, Марклей упорядочил творчество: создал на своем «Маке» двадцать четыре папки, куда складывал киношные события каждого часа, таким образом разложив по полочкам и по папочкам все двадцать четыре часа.

18 ч. 40 мин. / 840 раз

Идея произведения, педалирующего томительное течение, истекание, крово- и хронопускание времени, совсем не нова. В юбилейную годовщину со дня рождения композитора Кейджа (1912 — 1992) команда из нескольких пианистов возродила его перформанс, заключающийся в исступляющем исполнении пьесы Сати.

Экскурс в историю: девятого сентября тысяча девятьсот шестьдесят третьего года в Нью-Йорке Кейдж со товарищи на протяжении восемнадцати часов сорока минут исполняли *Vexations*, которые, по замыслу Сати, должны были повториться восемьсот сорок раз.

В столетие со дня рождения Кейджа музыканты исполнили в богемно-благовонном Беркли *Vexations*, начав исполнение восьмого сентября, в сколько-то вечера, и закончив его в два часа дня девятого сентября. Тут нужно потрясти головой, чтобы вместе с жухлыми осенними листьями оттуда ссыпались эти мелькающие и отвлекающие от главной идеи ненужные цифры.

Первым текстом автора «Клока» (далее — автора «К.»), попавшим в руки питерского поэта Аркадия Д. (далее — АТД), был «Альбом Альфреда Лесли Сати», в котором пунктирно описывается, вернее, отражается Джон Кейдж (далее — просто Кейдж) и его исполнение *Vexations*. Слухи о смерти АТД прошли девятого сентября, когда один из редакторов краснознаменного «толстяка» не удержал позыв и пустил эту «утку». Что-то где-то он или она услышали про метастазы и морфин и *что уже позвали священника* и поспешили сообщить. Таким образом, информационная война, ведущаяся с несколькими другими новостными, т. е. носовыми агентствами (сующими нос в чужие дела), была выиграна, но АТД был еще жив. Кто первый отрапортовал, тот и победил, и неважно, что якобы умерший человек еще, хотя бы мысленно, может присутствовать, допустим, в безалаберном Беркли, допустим, на перформансе в честь келейно любимого Кейджа, памяти экзерсисов Эрика Альфреда Лесли Сати.

Сразу посыпались извинения, и тут же размножившееся сообщение о смерти в никому не видимой, но всеми представляемой, плотно закрытой больничной палате с такой же мгновенной скоростью начало уничтожаться из злободневных «Живых журналов», злорадных постов, сочувствующих «лайков» в Фейсбуке, тревожных твиттеров, утонченно-уточняющих веб-вопрошаний, дурацких долбаных дневников. Чтобы опять там появиться через три дня.

Так вот, пьеса Сати, с его пометкой «играть восемьсот сорок раз», исполняется за восемнадцать с лишним часов; произведение Марклея — за двадцать четыре, и к нему прилагается инструкция на двадцати четырех печатных листах, где указывается, на кушетках какого цвета (кожзаменительно-красных, икейских) и в каких помещениях смотреть и как правильно запускать.

Это — текст на двадцати четырех электронных страницах при полях в полдюйма и шрифте в одиннадцать кеглей, с инструкциями на десять тысяч слов. За него не надо платить. На Сати/Кейджа в Беркли тоже пускали бесплатно и еще вручали кружку с дымящимся кофе и спальный мешок.

Марклей занял клипы у многочисленных режиссеров для своего *Clock*, этот «Клок» занял идею у Марклея.

Clock в переводе с английского значит «часы», по русски «*клок*» — это клочок или кусок. Вот вам, люди, вместе с кружкой кофе и прожженным спальным мешком — дымящийся кусок времени, выдранный из календаря клочок дня, сыпучесть утекающих сквозь пальцы песочных секунд.

Проводя время в «тырнете» и черной дыре кинотеатра, люди швыряют время коту под хвост — суя им в лицо циферблаты, лента Марклея демонстрирует им, как непозволительно долго они находятся в кинозале, смотря чужой фильм, вместо того чтобы заняться чем-то своим. Вот строка из «Нью-Йоркера»:

«Кинорежиссер завлек людей в зал: теперь они станут свидетелями того, как с каждой минутой уходит сквозь пальцы их жизнь».

Статья про *Clock* продолжает свой бег:

«Представляя один день в жизни как бесконечную череду художественных нарративов, мы подтверждаем диктум Джоан Дидион о том, что рассказываем истории для того, чтобы жить, и в то же время напоминаем сами себе, что все мы умрем».

Действительно, «нарративы»: в определенный момент Марклей начал думать о каждой папке с кадрами как о главе.

900 дней и ночей

Об уходящих секундах не переставала размышлять питерская писательница Лидия Гинзбург с дымящейся сигаретой в руке. Она записывала свои мысли в комнате с остывшей, как мертвое тело, «буржуйкой», отказываясь топить ее — как делали в блокаду другие — пачками книг.

Марклей в интервью говорит: «Тлеющая сигарета из фильма Клода Шаброля, лежащая в пепельнице рядом с будильником, — символ уходящего времени, часто используемый в фильмах двадцатого века».

Лидию окружал холод и заклеенные бесполезной бумагой стылые стекла, но некоторое удовольствие доставляло это продрогшее просиживание за уцелевавшим каждую ночь от бомбежки столом.

Через семьдесят один год после начала блокады некурящему и идущему в ногу и желудок со временем, трепетно относящемуся к функциям своего тела автору «К.» (в ход идут правильные жиры, цельные зерновые, органическое молоко и *what not*) удовольствие будет приносить чтение книги, написанной в гололедные, голодающие времена.

Разлегшись в заправляемой прислугой узкой икейной кровати где-то на севере легендарной Италии, где по ночам до сих пор звенят уже давно ненастоящие, записанные на пленку колокола, автор «К.» длит свое сочное счастье, большим пальцем правой руки нажимая на пластмассовую панельку электронной читалки и узнавая, что думал человек, волей судьбы оказавшийся в Ленинграде в блокаду, в том героическом городе, где автор «К.» родилась через тридцать с хвостиком лет после «прорыва кольца».

По-разному утекают их жизни. Коротко стриженной Лидии нечего есть, и одета она в какието тряпки, впрочем, с повязанным вокруг шеи шарфом, частично чтобы уберечься от дикого холода, частично в честь былой элегантности; порой по несколько раз в сутки ей надо прерывать занятия литературой и спускаться от бомбежек в подвал (услужливый мозг под спасительным краниумом легко делит три тысячи семьсот сорок на девятьсот дней и ночей — в среднем четыре раза в день звучали сирены, оповещающие жителей об артобстрелах и летящих на город самолетах врага).

Автор «К.» спускается в подвал за ликером с игривой восточной танцовщицей на этикетке и надписью *China*. Название это двояко: возможно, оно означает Китай, возможно, в переводе с одного полузабытого испанского диалекта — «красотка» или «доступная девушка». О, девушки с девушками: Лидия Г. и автор «К.» разделяют такую любовь.

Хотя, поглощенная вкусом ликера и даже поначалу приняв его за кофейный, автор «К.» переврала его марку: вероятно, его название было *China Martini*, где *China* переводится не как Китай, а как хинин. Еще автору «К.» в Италии понравилась тонкокожая пицца и приготовленные длинноволосым рукастым руководителем бригады монтажников Карло анчоусы под волшебным, избегающим определения и разложения на составные вкусовые качества соусом.

Кроме этого посещения дальнего родственника, занимающегося не только монтажным делом, но и разведением собак и посему периодически отрывающегося от обслуживания гостей, чтобы величественно пронести свою великанскую фигуру гладиатора в спальню и там поцеловать в носик недавно народившихся таксиков, приятные воспоминания от ежегодной поездки в Италию оставила колбаса из кабана. Она была куплена сразу же после обеденного перерыва, после долгого ожидания с вовсю работающим кондиционером в машине на пустующей в страшную июльскую жару узенькой, как артерия, улочке, в заветной лавочке, своеобразной старинной примечательности маленького тосканского городка, где этой колбасой торгуют в течение трехсот последних лет несколько поколений предприимчивых, не боящихся крови с веревочками-перевязками итальянцев, и съеденная невзирая на то, что буквально за день до того в Шамборском замке, сразу же после двух давинчевских винтовых лестниц, спускающиеся и поднимающиеся по которым люди не видят друг друга, были обозрены маленькие кабанята, вышедшие на прогулку со своими родителями и разглядываемые в сильный бинокль из джипа вместе с другими такими же любителями хорошо продуваемых и обслуживаемых приключений (джип и бинокли, а также восхищенные оклики «Смотрите, смотрите!» и вслед за этим остановка на той или иной усыпанной листвой дорожке, напротив той или иной звериной, таящейся в чаще, семьи, предоставлялись туристским агенством *Vassal*). Автор «К.» в эту поездку ела сыр, приготовленное особым «туринским» способом сырое мясо, а также любимую всей Тосканой печенку и паштет из нее. Все эти обстоятельства еще не исчезли из памяти и придают пикантности чтению «Записок блокадного человека» Лидии Г.

«Вкусных» записок, можно было б сказать, используя передержанное, как испорченные вина, клише, отсылающее к особому смакованию крепеньких, как сосисочки, слов — конечно, «вкусных», если бы речь не шла о блокаде, в которую у автора «К.» погибли родные: два мальчика двух и четырех лет.

«Эн медленно идет по улице. Сейчас вечер, перед белой ночью, с великолепным холодным (даже в душные дни) косым светом, в котором горит асфальт Невского проспекта. Привычное удивление, когда после позднего рабочего дня выходишь из темноватых комнат и застаешь на улице свет в его неувядаемом разгаре. Это и есть та неисчерпаемость длящейся жизни, которую так любят настоящие ленинградцы. Это чувство непочатого еще запаса жизни, отпускаемого на каждый день».

Автор «К.» тоже гордится этим названием «настоящие ленинградцы» и без конца вспоминает то «чувство непочатого еще запаса жизни», которое сопутствовало ей во время проживания на Малой Охте, так недалеко от навсегда замолчавшего в жизни и теперь говорящего только со страниц АТД; во время просиживания белыми ночами на балконе с осыпающейся «беломориной», заимствованной из сумки тогда еще живого отца, и подслушивания разговоров проходящих внизу живеньких парочек; во время прогулок с родителями в Петергофе в возрасте восьми лет, когда не нужно ничего, кроме ответной любви мамы и папы, а также приятного ощущения от новых бело-красных сандалий и смородинного мороженого за семь копеек; во время погони с фотоаппаратом за воистину гоголевским учителем рисования и затем трепещущего разглядывания целой пачки тогда еще черно-белых — в восьмидесятые, в СССР — расплывчатых, снятых исподтишка фотографий, на которых ничего не отразилось, кроме аллеи деревьев на Пискаревском, круглого бока трамвая и рукава его черного ватника. Только в Питере можно так гнаться за художником Пискаревым на Пискаревском проспекте!

«Не отсюда ли у Эна взялась мечта, занимавшая его в юности. Мечта о жизни, состоящей из долгих дней. Из дней переживаемых, осознаваемых во всей своей протяженности и в каждой частице своего состава».

Да, да, мысленно кивала головой автор «К.», именно так надо жить, и оглядывала погруженную в полумрак комнату в старинном доме, возведенном по собственным чертежам профессором физиологии Туринского университета Массимо М. для своих дочерей, который достроил его и в возрасте пятидесяти пяти лет неожиданно умер, и отгоняла комара, привлеченного лампой, и мечтательно откидывалась на икейской кровати, подминая подушку с кружевной наволочкой с инициалами М. М., непонятно как здесь сохранившуюся и выглядевшую чистой и свежей, и размышляла о зарытых в саду пистолетах еще со Второй мировой, так и не вырытых, положенных в холщовый мешок, будоражащих воображение, спрятанных под вишневым деревом в семидесятых годах, только чтобы не сдавать мэру, боровшемуся с поразившим тогда Италию терроризмом (каждый день в кого-то стреляли, и Роберто, праправнук Массимо М. и будущий муж автора «К.», спешивший семнадцатилетним подростком в школу на мотороллере, однажды увидел, как убирали с автобусной остановки разметанные бомбой на кусочки трупы людей).

В предместье Питера, на даче, у автора «К.» тоже остались свои пистолеты: короткоствольный пластмассовый «кольт» с железным курком и бумажной лентой пистонов; двуствольный черный, стрелявший присосками «наган» с пружинкой внутри; ребристый серебряный револьвер, больше всех похожий на настоящий, если бы на рукоятке не красовался выпуклый мишка-медведь. Игрушечные ржавели так же, как настоящие, но, несмотря на это, все равно сохранили свою притягательность, и хотелось возвратиться туда, куда, недалеко от железнодорожной станции Токсово, автора «К.» привезли почти сразу после роддома (есть ее фото в возрасте шести месяцев, в белой панамке, в манежике, цепко держащей в пальцах цыпленка). В детстве жизнь действительно состоит из долгих дней.

«А сейчас у хода жизни свой порядок — вопреки белым ночам. Круг должен замкнуться (чтобы начаться сначала — поскольку он круг). Ход вещей определяет усталость, исчерпанность ритуальных жестов дня, наступающий час последней еды. Круг печально стремится к своему несуществующему концу.

Что-то тревожное есть в несовпадении состояния дня с состоянием человека».

Да, да, все так и есть — и автор «К.» по темным ковровым лестницам, оберегаемая и освещаемая лишь офортами в посверкивающих стеклами «очков» рамах, спускается вниз, с ностальгическим звуком включая допотопным выключателем свет, находя на подносе свою раскупоренную драгоценную «Чину» и стараясь не глядеть в глаза многочисленным, развешанным по стенам, приобретенным через итальянского супруга родственникам попеременно женского и мужского полов, чьи имена, деяния и даже родство давно всеми забылись; распахивая дверцу холодильника, заставленного вкуснотой из изысканной *Eataly* и, как плащаницу, бережно снимая с деликатного тела брезаолы и прошуто обертку, отщипывая то один кусочек, то другой от утыканного оливками хлеба, запивая то «Чиной», то красным столовым вином и затем возвращаясь, мимо черно-белой фотографии начала двадцатого века с мертвыми школьниками, непонятно как тут оказавшимися (в первом ряду как бы непринужденно присели, в среднем пытаются держать спину прямо, особенно те, которые рядом с учителями, а в последнем уже просто свободно стоят); мимо комнаты со старинным трюмо с целой горстью вышедших из оборота монет и непонятно за что врученных медалей, набором гирек для взвешивания и шпагами для фехтования, обратно в свою и продолжая читать о ленинградской блокаде...

«Абсолютная несвобода душевных движений, пригвожденных к вещам, стоявшим когда-то на низших ступенях иерархии ценностей.

В торопливом пробеге от еды к еде — нечто бессознательное, полярное тем долгим дням, — насквозь осознанным, переработанным мыслью, — о которых мечталось когда-то».

«Теперь все это изменится, и торопливых пробегов от еды к еде больше не будет — ведь у меня появится «Клок», — думает автор «К.», засыпая, нежно прикоснувшись к блокаде, мягко урча сладко наполненным животом, проваливаясь в поздний сон под магнитофонную запись колоколов на ратуше церкви, положив в уже начавшей размыкать рассветные глаза темноте Лидию Гинзбург в электронной планшетке на грудь.

1946—2012

Люди всегда хотят быть самыми первыми, кто давно все узнал и познал. «Я уже в курсе», — можно часто услышать в ответ, когда сообщаешь собеседнику о чьей-то кончине. Не «прими мои соболезнования» или «так жаль», а именно что «мне давно это известно». Сообщение о смерти АТД облетело Сеть, когда поэт был еще жив. Но кому-то было важно первым принести эту весть. Неважно, что человек еще дышит, неважно, что, возможно, он именно сейчас вспоминает кого-то из нас или в полубреду запинается о цитаты из своих книг, уже не отличая их от заедающих эпизодов из заветного, с запрудами и заборами, загорелого западноукраинского детства. Важно быть первым: успеть всем сообщить, а потом реальность все равно нагонит ложную весть.

Автор «К.» внимательно изучает список людей, поспешивших отметиться под постом с разлетевшейся вестью. «Эх, Аркаша, мы с тобой были такими друзьями», — запанибратски вздыхает один, лет этак на двадцать пять моложе Аркаши и на пятнадцать килограммов потолще. «Мне тебя уже не хватает», — вторит другой, только полгода назад открывший для себя такого поэта. Автор «К.» узнает в этих людях своих личных друзей. Автор «К.» думает: «Эти люди потом будут так же спешить, говоря обо мне».

Молодая любительница лиловой губной помады и литературы в ЖЖ в ответ на упрек сообщает:

«Никакой вины нет в том, что мы, предвосхищая события, рапортуем о смерти, просто эта новость показалась мне такой важной, что я решила сразу же передать ее всем остальным».

Болезнь человека, еще не перерастая в смерть, но постепенно к ней приближаясь, побуждает людей бежать к Википедии и проставлять год после тире, а Петербург после Потсдама, где отцу-офицеру передали в роддоме сопящий тихонький сверток. Новость эта настолько «важна», что ее обязательно нужно распространить всем по цепочке, даже не подозревая, что больному о всей серьезности его хворобы так и не сообщила жена и он буквально за две недели до известия о своей смерти еще прохаживался по хоспису в профессорском пиджаке, недоуменно поглядывая на испускающих последние хрипы соседей, с бокалом вина, «чтобы усмирить ревматизм», не совсем понимая, почему же нельзя похватать манускрипт и манатки и на маршрутке отправиться домой на Малую Охту.

В то время как о его диагнозе (рак) уже знала добрая треть пользователей социальных сетей.

Но дальше, дальше. Тут совершенно ненадобно застревать. Так вот, этот самый поэт, всегда руки-в-боки, всегда в белых штанах, с вечной сумкой, перманентно наполненной чьими-то верстками, с бокалом в руке, в любое время суток готовый размышлять о Бланшо и Витгенштейне, как-то сказал:

«Меня интересует приключение ума, как называл это Борхес. Вот то приключение идеи, те претерпевания, которые случаются с идеей».

«Клок» — это идея в развитии и ее приключения, а также инструкции к действию, к возникновению других приключений и других, более персональных, идей.

Йозеф Бойс — художник идей. От него осталось больше идей, чем шерстяных костюмов и обмотанных войлоком санок. Когда мы вспоминаем о Бойсе, на ум приходит сначала высокая шляпа с полями и полуохотничий, многокарманный жилет, затем «разговор с зайцем» и его высокие, какие-то серые скулы, а не аллеи посаженных им деревьев в рамках проекта *Social Sculpture*.

Его идея проста. Взять санки с выразительным загибом деревянных полозьев, положить на них что-нибудь войлочное, что-нибудь кожаное, закрепить все это ремнями, для человечности добавить флягу с подразумеваемым внутри питьем и не усложнять. Любые санки с войлоком — это Бойс.

Его идея проста. Взять окоченевшего затвердевшего зайца, прикрепить к лапам что-либо музыкальное и металлическое, будто это струна, облить ему голову медом с вкрапленными в него золотыми песчинками и для человечности добавить трогательное название этому абсурдному акту. Любое дохлое животное на руках, которому шепчут что-либо в ушко, — это Й. Бойс.

Джеймс Ли Байарс, для которого Йозеф Бойс был кумиром, — художник идей. От него осталось больше идей, чем произведений искусства. Когда мы вспоминаем о Байарсе, на ум приходят его красные шляпы и золотые костюмы, а также посланные с постамента где-то в Китае тихие необъявленные поцелуи и громкие выкрики в большой рупор на крыше Рейхстага, а не его каменные книги-стелы и стеклянные шары на полу или шуршащий бук-арт, к примеру, алая бумажная лента, сложенная гармошкой и вклеенная в книгу Эмили Дикинсон, в расправленном состоянии превращающаяся в хвост бумажного змея, или налезающие друг на друга чернильные звезды, как арабская вязь, в залюбленном «Логико-философском трактате»: то, что можно потрогать, но нельзя, за неимением безумных денег, купить (хотя, надо признаться, последние две работы автор «К.», не удержавшись, купила у дилера в Санта-Фе — а вот поцелуи и выкрики купить невозможно). Любое произведенное в толпе незаметное элегантное действие — это оммаж Джеймсу Ли Байарсу.

Его идея проста. Отправиться на легком велосипеде в буддистский храм какого-нибудь прозрачного, наполненного стерильным воздухом японского городка, собрать вокруг себя несколько десятков молчаливых монахов и начать сосредоточенно разворачивать, раскатывать по дорожке большой белый рулон, на котором, кроме белизны, ничего нет. Любая мысль о таинственном, возвышающемся в седле велосипедисте в Киото, о множественных красных сердцах и человеке в золотом пальто, ложащемся навзничь в золотой галерее, — это оммаж Джеймсу Ли Байарсу.

От Мориса Дюшана осталось больше идей, чем унитазов (а Марклей превозносит Дюшана).

Его идея проста. Взять «дипломат», открыть его и на одну сторону наклеить картинок, а в другой сделать перегородки, будто это увиденный сверху план дома. В ячейки набросать мелких штучек и положить заметки с инженерными чертежами «под Леонардо». Любой «дипломат», раскрытый и оснащенный как дом, — это Дюшан.

От Уорхола, вместо консервных банок, — одна большая идея.

Уорхол придумал дизайн супов марки «Кэмпбелл» в шестидесятых годах двадцатого века. Супы заметили. Количество продаж возросло. В десятых годах двадцать первого века суповая компания решила повысить продажи и вместе с дизайном использовала имя Энди Уорхола на банках, чтобы почтить его память. Банки сразу же раскупили, но приобретали их уже из-за коллекционных наклеек, а не из-за нездорово-калорийных супов.

Эти жирные супы стоят у автора «К.» на этажерке рядом с фотографией жирных брусков, подписанной летящим красным фломастером: *Joseph Beuys*. Фотография была куплена на аукционе *Ebay*.

В двадцать первом веке принято презрительно щуриться на любые упоминания о выходе нового «кирпича», потому что «роман устарел». Тем не менее интеллектуалы раскупают «роман о том, как пишется этот роман», или «роман, исследующий другие романы».

Это же — не роман. Это идея, инструкции и несколько иллюстраций.

Читать сам роман не нужно — ведь идея известна.

Писать новый роман утомительно.

Ведь идея уже в голове.

В нынешние времена достаточно предложить рынку всего лишь идею романа, ведь именно она, на обложках, на постерах, на губах, продаст этот роман.

А читать его никто не будет: когда читать, когда жить некогда!

И поэтому писатель предлагает читателю идею романа. А идея такая: сам иди и пиши этот роман. Да не забудь прочесть во второй половине «Клока» подробный пример. Это не раздутый, не разукрашенный художественный текст, это простой учебный пример, и ничего литературного, поэтического тут просто нет.

Пражский профессор Станислав Гроф детально описал опыты, проводимые с пациентами, больными раком. Гроф надевал на них наушники с музыкой и давал ЛСД. После наркотических «откровений», когда они якобы подключались к мозгу Вселенной и вспоминали, с каким трудом рождались и застревали в материнских путях, больные понимали, что жизнь их чего-то стоила и была кому-то нужна. Умирать им после этого было легче.

Идея «Клока» — предавание значимости слипающимся в серый комок, машинально, как каша, прожевываемым, проживаемым дням.

Подобные идеи об идеях носятся в воздухе. Сидя в кровати в сиреневой, с абстракционистскими каплями и серебристыми блестками, психоделически-модной футболке, автор «К.» готовится к радиопередаче памяти АТД и, только успев прочесть одну строчку из их переписки о том, что «Ваши письма лучше всего распечатывать фиолетовым цветом», обнаруживает рядом журнал, в правом белом углу которого виднеется «3 сентября». Чтобы оторваться от печали, читает.

(Печаль и печать.)

В сентябрьском выпуске на странице семьдесят семь — статья про новый роман испанского прозаика Виллы-Маты. В этом романе издатель по имени Риба пытается придумать «теорию романа», приезжает в некий город на литературную конференцию и там в отеле закрывается в номере, мучимый вопросом: «Если теория уже замыслена, зачем писать сам роман?»

В результате Риба бежит и от лекции, которую он должен был прочитать, и от кучи бумаг с только что рожденной теорией — скомканных, в сгустках чернил, как плацента, брошенных в урну.

Вилла-Мата пишет: «Он похоронил эту теорию и вообще все теории, которые существовали когда-либо, и покинул город, так и не поговорив с пригласившими его людьми».

Статья объясняет: «Главный герой бежит пустоты. Он часами бессмысленно сидит в Интернете, бездумно встречает то одного, то другого, балансирует на грани полного краха. Но затем понимает, что любой самый крошечный инцидент — если знать, как правильно его «прочитать», — это и есть самое настоящее волшебство».

Герой Виллы-Маты ищет эти хроножемчужины, становящиеся «инструментом интерпретации» собственной жизни. «Для этого писателя, — продолжает свой бег статья — есть два вида реальности. Одна — давящая на человека и твердоносая, будто смерть. Это — сами события, живая жизненная материя, повседневная фрагментарность. Другая — так называемый «внутренний реализм». И вот этот внутренний реализм, с его эмоциональной наполненностью, и является истинной красотой жизни».

Автор «К.» рада оторваться от подготовки к грустной передаче про ушедшего АТД. Ведь раньше АТД писал ей письма почти каждый день, скрашивая ее бессмысленное просиживание в Интернете, описывая, как встречается где-то в далеком Питере с учениками, которым читал курс лекций, озаглавленный «Иная логика письма», прося прислать ему очередную порцию черных футболок и белых носков. Это у АТД автор «К.» научилась пить красное и вкраплять в эссе золотое и сложное...

Но «внутренний реализм» автора «К.» гонит ее к приобретению этих тонких концептуальных, когда французских, а когда испаноязычных, но никогда русских и очень редко американских книжек в Сети, чтобы из них выстроить своеобразный параллельный туннель. Где-то на стыке этих разрозненных романов гнездится счастье.

Да, да, так и есть, куда ни глянь, куда ни посмотри, из каждой книжки, как хамза, смотрят глаза, провожают тебя, когда ты встаешь с кровати, чтобы пойти заварить себе чаю с черничной отдушкой, встречают тебя, когда возвращаешься и к темно-синей морской простыне, распростершейся в штиль на свежеоструганном деревянном каркасе, и к мраморному, испещренному коричневыми прожилками, похожему на мини-пустыню бульотному столику. Каким-то образом книги знают, что ищешь, стекаются к деревянному ковчегу-постели, чтобы вместе с тобой спастись от наводнения, привести на потустороннюю сушу, завести совсем другие часы... С обложек, с плоской руки Фатимы, смотрят невидимые голубые глаза, обступают легко вообразимую капсулу твоей колыбели... «Ты выстрадал настоящую жизнь с ее повседневным течением времени, но ты смог контролировать поток вымышленной прозожизни, читая в собственном ритме... Как читатель, ты был властен как Бог: время тебе отдалось»[1].

Автор «К.» в серой нитяной курточке с капюшоном, на которой изображены белые силуэты обнаженных девиц и какие-то короны со звездочками фирмы *Silver Star Company*, основанной черным хипхоппером, плотно прикрывает дверь в свою комнату на втором этаже, принимает душ с применением всяческих скрабов и приятных отдушек и с предвкушением радости от «нового слова» ложится в кровать, вытягивая из стопки книг на бульотном столике очередной современный роман.

Это блуждания и брожения американского нигерийца.

В романе «Открытый город» Т. Коула врач-психиатр по имени Джулиан слоняется по Нью-Йорку, бродит по улицам четным, нечетным, встречает черных и нечерных людей, исследует всяческие закоулки и закавыки при общении с первыми встречными.

(Коул и закоулки!)

Герой делится впечатлениями о сабвее, палестинском вопросе, случайных встречах, своих пациентах. Любое соприкосновение с незнакомцем дает толчок идее или экскурсу в колониа-

---

[1] Цитата из романа французского писателя Эдуарда Левё «Суицид».

лизм, феминизм, ваххабизм. Длинный список «идей-людей», помещенный в романе, превращает то, что было бы небольшой куцей новеллой без этого списка, в роман.

Автор «Открытого города», педалируя болезненный интерес американцев ко всем инородцам (как будто, если у тебя иная кожа, она становится более чувствительной к равноправному, равнодушно пробегающему мимо американскому миру), выстроил роман как серию прогулок по городу, вереницу улиц и выходов из метро, пунтилирующуюся, перемежающуюся встречами с представителями иных народов, тем или иным образом связанных с Африкой.

Все эти мутные герои путаются под ногами у текста и сливаются в конце концов в один персонаж, разъятый на увеличенные под микроскопом автора части.

Например, черный водила, обижающийся на своего «черного брата», не поздоровавшегося при входе в такси (а тот, будучи новеллистом, усаживаясь в автомобиль, запутался в полах пальто и в своих мыслях). Таксист везет новеллиста домой и высаживает его за пару кварталов от дома, отказываясь подъехать прямо к крыльцу, несмотря на проливной ливень за окнами. Зато эти кварталы позволяют Коулу написать несколько новых параграфов — о том, как его альтер-эго бредет под дождем и встречает немолодую, немногословную туристку из Чехии, с которой они укрываются от дождя сначала под козырьком кафе, а потом под отельными одеялами.

«Ах да! — думает автор «К.» — Как уместна здесь туристка из Чехии, ведь роман Коула был мне рекомендован проживающим в Чехии и работающим в новостном агентстве критиком Кириллом К.!»

И продолжает читать. А там очередная встреча с темнокожим представителем человеческой расы. Это пациент, ветеран Второй мировой, впавший в депрессию и пришедший к доктору на прием. Как он по-детски радуется оттого, что его будет лечить «черный брат», и как, позабыв о депрессии, простодушно выкладывает свои мысли врачу!

Джулиан морщится, нарратив наращивается, педантичные записи «а-ля Зебальд», под какую убедительную увертюру или сурдинку сонаты к нему пришла та или иная идея, тянутся тщательной чередой. И вот неожиданно он произносит такие слова: наша эпоха заслуживает внимания уже только тем, что по сравнению с предыдущими люди наконец получили возможность мирного долгого существования и не умирают целыми пачками, сраженные в баталиях или банальной болезнью.

И действительно, достаточно всего лишь взглянуть на цифры, проносится в голове у автора «К.», сразу же проделывающей несколько галопирующих гугловых поисков и узнающей, что в 1937 году в России было расстреляно за политические преступления 353 074 человека, а в 1938 году — 328 612. Эти цифры, сообщает Хироаки Куромия в исследовании под названием «Голоса Мертвых: Сталинский Террор в 1930-е годы», не совсем точны и на самом деле могут приближаться к одному миллиону погибших. На этом же сайте компания «Торрент» докладывает, что к 2012 году в их базе данных в Сети скопилось более одного миллиона фильмов, концертов, книг и оцифрованных радиозаписей, которые пользователи могут скачать.

В период с 1917 по 1990 год, по обвинению в государственных преступлениях в России было осуждено 3 853 900 человек, из которых 827 995 были приговорены к высшей мере. С этими цифрами можно сравнить количество регулярных пользователей Интернета в России в 2001 году: включая сельские районы и малые города, оно составило 3 700 000 человек.

Коул тоже любит цитировать цифры и заканчивает роман статистикой птиц, расставшихся с жизнью при столкновении со статуей Свободы в Нью-Йорке. В 1888 году, пишет он, в особенно штормливую ночь, около тысячи четырехсот голубей было обнаружено на ее короне, факеле и пьедестале. Вскоре некий предприимчивый полковник решил отдавать погибших птиц в жертву науке и посему подсчитывать их каждое утро и вносить число умерших в специальный, заведенный государством реестр. Так, например, 13 октября 1888 года у статуи Свободы было подобрано 175 корольков и непонятно, почему они, врезавшись в нее, так неожиданно нашли свою смерть. Это, пишет Коул, до сих пор остается тайной для нас, так как ночь 13 октября была в плане погоды довольно благоприятной.

На этой последней строчке романа автор «К.», недоуменно поднимая брови, запрятывает Коула под пыльную стопку журналов, уже высокую и достаточно неустойчивую на ковровом полу, и достает «Киндл» с закачанным туда свежим выпуском «НЛО».

Наутро домработница Валя, отвозящая малолетнюю дочь автора «К.» в детский сад, делится впечатлениями:

«Только подъехали к двести восьмидесятой дороге, как раздался страшный шум. Трах-тарабах! Как будто что-то в нас врезалось или ударило. Вдруг смотрим — а по лобовому стеклу скачет булыжник, делает пару прыжков с подскоками и валится под колеса. Видимо, по крыше автомобиля каменюгой шарахнуло. И в это же время целая стая каких-то птиц садится рядом с фривеем. Никогда не видела столько птиц вместе. И одна огроменная птица отлетает от нашей машины. Наверное, она булыжник в клюве несла и уронила, а он в нашу машину попал».

Автор «К.» верит в принцип случайности, частенько используемый Кейджем при сочинении музыки, и поэтому без удивления, но с покорной радостью видит вынесенную в эпиграф одной из статей, напечатанной в «НЛО», цитату из Сьюзен Зонтаг, находящуюся в совершенной гармонии с собственными недавними мыслями:

«В центре современных ожиданий и современного этического чувства лежит убежденность в том, что война — это отклонение от нормы, несмотря на то что ее невозможно остановить. А норма — это мир, несмотря на то что его невозможно достичь. Конечно, такое восприятие войны не было характерно для человека на протяжении всей его истории. Нормой была война, а мир — исключением».

В 2001 году автор «К.» по поручению АТД звонила Зонтаг домой и до сих пор помнит, как звуками и трелями «побывала» в нью-йоркской квартире львиногривой зычной мыслительницы посредством телефонной компании «Мирный звонок».

Позже выясняется, что уже тогда впоследствии скончавшаяся от рака Зонтаг была смертельно больна.

«Так и есть, — вздыхает автор «К.», думая об эпиграфе, — и может быть, поэтому, зная, как непредсказуема и коротка наша жизнь, Лидия Г. в плотно закупоренном дьявольскими печатями городе хотела прожить каждый день с всеобъемлющей полнотой... И поэтому мы в наше спокойное время забыли о маячащих на периферии бомбах, бурках, бедуинах, бородатых талибах и позволяем этим дням протекать абсолютно бездарно...»

Затем автор «К.» просматривает на компьютере сообщения от своих фейсбучных френдов об урагане по имени Сэнди (в октябре 2012 года в России было 6 716 460 пользователей соцсети *Facebook*, что сопоставимо с количеством убитых евреев во время Второй мировой: 6 100 000). В ожидании шквального урагана и наводнений ньюйоркцы закупаются пивом, шашлыками и пышками, а автор «К.» на другом побережье, с черной плитой лэптопа поверх одеяла, валится в сухой теплый сон.

Но к воспоследующему образчику текста автора «К.» больше подходит безумно красивый, божественно кудрявый француз Эрве Г. с его психоделически путаным «Путешествием с двумя детьми», небольшим, недавно переведенным на русский и из-за однополой темы непопулярным романом.

Вот сравнительная таблица произведений:

Герои «Путешествия с двумя детьми» — двое мужчин, которые собираются взять с собой в Марокко двух симпатичных подростков. Герои воспоследующего образчика текста — мужчина и женщина, собирающиеся взять к водопадам Игуасу в Аргентину двух малышей.

Первая часть произведения Эрве Г. — об удовольствии: это, собственно, и есть планирование путешествия и мечты о том, как все произойдет, какие чудесные совпадения и соприкосновения случатся с мальчиками и мужчинами; вторая часть — о страдании: мечты не совпадают с тем, что происходит в Марокко; «внутренняя реальность» расходится с «внешней».

Первая часть произведения автора «К.» — идея романа, она восхитительна и проста, и любой читатель, руководимый ею, и сам станет творцом; вторая часть — образчик текста, описание головокружительного путешествия к далекому чуду света на границе сразу трех стран, Бразилии, Уругвая и Аргентины, где мелкие шажки от дома до заказанного автомобиля, от автомобиля до парковки аэропорта, от аэропорта в Сан-Франциско до аэропорта в Далласе и потом снова до бестормозного, в буквальном смысле, такси в моросящем, мреющем Буэнос-Айресе, с царапающимися, катающимися клубком по полу и верещащими, как гиены, девчонками, совершенно не соответствуют изначальному размаху воображения, ведущего нас к волшебству водопадов.

Первая часть «Путешествия» — подготовка к далекому путешествию. Герой покупает книги путешественников в арабские страны и залпом проглатывает их, представляя места и достопримечательности, которые намеревается посетить. Первая часть «Клока» — развертывание пейзажа идеи романа, назидание об уходящих часах, мелькающих и неуловимых, как кадры из фильма; вторая часть — образец и пример того, как расправить крылышки клочкам времени, чтобы пригвоздить их и сохранить.

Герой Эрве Г., оказавшись в Марокко с двумя подростками, прицельно выбранными для телесных недетских утех, раздраженно записывает: «Дерьмовое путешествие, дерьмовые дети». Герой автора «К.», оказавшись в плоской плавучей жестянке у водопадов с двумя детьми, дрожит в своей нейлоновой куртке, подводит молнию под подбородок, чтобы, не дай бог, слюнявые поцелуи дождя не дотронулись до шеи или груди, держит продрогшими руками резиновый мешок с документами и другим барахлом, с ремешком перехваченным горлом, с опаской глядит на ухарские хари матросов и под холодными брызгами в несущейся на скалы накрененной моторке не имеет возможности достать авторучку, чтоб записать «ну что за херня».

Критик Б. пишет: «В первой части — воображение, во второй — что на самом деле получается, и между двумя этими частями зазор».

Этот текст можно назвать «КЛОК-40». Клок жизни, выдернутый из жизни сорокалетнего человека и пригвожденный к бумаге. В сорок кажется, что жизнь уже пройдена, и поэтому записывание событий каждого часа помогает человеку понять, что, несмотря на сорок, что-то все-таки еще есть. Или наоборот, что давно уже ничего нет, ибо пик каждого часа превращается в запись переваренной (или отказывающейся правильно перевариться) еды.

Автору «К.» недавно исполнилось сорок — это так страшно! Методом слепого тыка в «тырнете» автор «К.» натыкается на биографию покончившего с собой в сорок два года французского писателя Эдуарда Левё и узнает, что он не только написал роман «Суицид», передав его издателю за десять дней до своей смерти, но и выпустил книгу под названием «Автопортрет», в которой описал себя в одном параграфе протяженностью в 1500 предложений.

«Так-так-так, это мое», — оживляется автор «К.» и продолжает читать:

«Не только писатель, но и концептуальный фотограф, Левё путешествовал по США, выбирая для своих остановок города, одолжившие названия у других: Берлин, Флоренция, Оксфорд, Стокгольм, Рио, Мексико, Сиракузы, Версаль, Калькутта, Багдад, и издал альбом фотографий под названием *Série Amérique*, показывая пустые глаза и пустынные улицы, забытые заводы и затхлые заводи — всеобщую богооставленность тех, кто там живет».

Тут автор «К.» вспоминает, что ее нелегальная и поэтому недорогая домработница Валя только вчера говорила, что сняла комнату в доме между улицами Мадрид и Багдад, а может быть, Россия и Персия, хотя сама она «с Черновцов» и понимает, что эти слова пришли неспроста. Вдохновясь тайными знаками, автор «К.» кладет плоскую могильную плиту своего лакового черного ноутбука на одеяло и, копируя мертвого Эдуарда Левё, начинает писать:

«Я никогда не смогу подсчитать, сколько современных романов я прочитала. Мне совсем не хочется определять, сколько романов оказали влияние на мой «Клок». Мне совершенно неинтересно будет узнать, какой из этих романов критики посчитают лучшим и какой худшим по сравнению с «Клоком». Я уставлюсь на собеседника невидящим взглядом, если он спросит у меня, почему я выбрала именно эти пять-шесть романов, чтобы включить их описание в «Клок». Я допускаю, что упустила несколько интересных романов, показывающих, как далеко ушел современный роман. Я сама вообще не сочиняю большие романы для взрослых. Когда я написала детский роман по-английски, он оказался слишком большим, и ни один агент не захотел его взять. Я не пишу длинных рассказов. Я не пишу ненужных, нудных стихов. Я презираю фантастику и туристские ботинки с комарами, коитусами в спальном мешке, дребезжащими котелками и такой же дребезжащей гитарой. Моя проза состоит из фрагментов. Я не оставляю негативных комментариев о своих литературных коллегах, несмотря на их убогие убеждения и принадлежность к чуждым мне политическим партиям. Я не пишу пьес или песен. Я предпочитаю написать письмо, чем позвонить. Мне легче разговаривать с собеседником с глазу на глаз, чем по телефону. На своем телефоне я использую всего две-три нужные кнопки. Я встаю со стула, когда говорю с женщиной, независимо от ее красоты. Мне все равно, когда я сижу и ко мне подходит мужчина.

Я не знаю номера своего мобильного телефона, потому что мне никто никогда не звонит. Я согласна с наблюдением Левё о том, что окончание путешествия оставляет такое же грустное чувство, как окончание книги. Я расхожусь с ним во мнениях насчет смерти: он заявляет, что конец жизни его не страшит. Я согласна с его утверждением, что смерть ничего не изменит. Когда я надеваю новую блузу и модный шарф, я выгляжу лучше, чем остальные девяносто семь процентов представителей женского пола. Когда я смотрю в зеркало, я скорее красива, чем некрасива: эта мысль приходит ко мне девять раз из десяти, когда я чищу зубы перед зеркалом в ванной. Каждый день мне приходит в голову мысль покончить с собой; в то же самое время я знаю, что, если бы мне сказали, что моя жизнь завтра закончится, я дико захотела бы жить. Я знала лично поэта, который, обладая прекрасной фигурой, приличной работой и имея возможность каждый год посещать солнечный кинофестиваль в Каннах, прилетая туда из своего кислого Квинса, тем не менее покончил с собой. Когда я случайно повстречала в Нью-Йорке его немолодую вдову, я первым делом обратила внимание на то, что она хорошо сложена, но не на манеру стихосложения в сборнике ее погибшего мужа, который она мне подарила. Я никогда не стреляла из револьвера. Это превращает меня в элитистку в нашем отчаянном городе, где у всех есть обрезы и длинные списки всяческих преступлений. Мне часто приходит в голову идея, что в нашем городе хорошо бы держать в бардачке револьвер. Когда я еду ночью по улицам, я никогда не останавливаюсь на красный свет и просто медленно проезжаю, чтобы избежать нападения на перекрестках. Когда я без остановки еду по улицам, мне чудится, что на обочинах стоят тени. Когда я еду в машине, в зеркало заднего обзора я часто вижу, что такая же машина едет за мной, как будто впереди — это я в настоящем, а позади — это я в параллельной реальности. Я никогда не была под арестом, но однажды наблюдала, пригнув голову, в кабине грузовика ожидавшей меня на парковке любовницы, как за мной приехали полицейские, чтобы допросить по поводу отсутствия билета в метро. Отбиваясь от ее рук, я представляла, что было бы, если бы мне не пришла в голову идея перепрыгнуть через турникет и убежать, в то время как смотрительница вызывала подмогу. Как и Лёве, мне удалось увидеть целую семью кабанов, когда я проехалась на джипе с биноклями и другими ищущими графских наслаждений туристами по нормандскому лесу. В Италии мне удалось попробовать кровяную колбасу из кабана. Я ела мясо аллигатора во Флориде, но отказалась попробовать лягушачьи ноги во Франции. Мне никогда не хотелось изнасиловать женщину. Я ездила в открытой спортивной машине, но вокруг моей головы скопилось столько болотной слипающейся мошкары, что я не получила никакого удовольствия от этой езды. Я никогда не видела мертвого тела своего гражданского мужа и не нашла в себе сил приехать на кладбище в Сан-Хосе, где он похоронен. Я видела своего мертвого деда, но его могила так далеко, что, чтобы прилететь туда, мне нужно будет взять отпуск на три-четыре дня на работе.

Я сберегаю свои отпускные для отпуска в Израиле и Иордании, а если денег не хватит, то в Греции. Я видела мертвой свою бабушку со стороны матери, но, хотя ее могила находится на том же кладбище, где и дед, я никогда туда не полечу. Я не видела мертвым своего отца, но навещала его могилу бессчетное количество раз. На кладбище рядом с ним есть свободное место, но несмотря на то, что я его всегда сильно любила, я не хотела бы лежать рядом с ним. Я считаю, что болтающийся на веревке, повешенный на дереве ребенок Маурицио Кателлана безвкусен в качестве произведенья искусства, хотя при ближайшем рассмотрении становится ясно, что это искусно сделанный им манекен. Мне доставляет эстетическое удовольствие смотреть на виртуозно вылепленный труп скульптора Пола Тека, который он одел в свой костюм и назвал произведенье «Гробницей». Я не считаю использование праха любимых людей в инсталляциях хорошей идеей. После того как умер мой гражданский муж, я два года болела и испытывала галлюциногенные состояния. Когда после этого умер отец, я переживала полтора года, но не так сильно. Когда в этом году умер близкий мне АТД, я почти не расстроилась — мне кажется, что он до сих пор жив. Мне всегда нравились мужчины и женщины на двадцать-тридцать лет старше меня, но, в то время как я становлюсь старше, нравящиеся мне мужчины становятся младше и достигают шестнадцати-восемнадцати лет; у них тонкие щиколотки, шорты, скейтборды; женщины могут быть и моего возраста и не обязательно с длинными волосами, но они должны быть умны.

Я имела интеркурс в Казахстане, Китае, Париже, анальный секс в Аризоне и куннилингус в Литве. Я восхищаюсь коллекцией крошечных керамических клиторов, которую сделала скульпторша Ханна Вильке. Я часто заглядываю в «Википедию», чтобы узнать, не умер ли один знакомый концептуальный художник из Амстердама, лечащийся от рака трахеи. Я с содроганием вспоминаю серию фотографий умирающей от рака лимфоузлов Ханны Вильке, превратившей собственное медленное расставание с жизнью в произведенье искусства. Я видела фотографии мертвой Сьюзен Зонтаг в музее, на выставке ее партнерши Анни Лейбовиц, и они показались мне артефактом человеческой жизни, а совсем не искусством. Я никогда не видела и, скорей всего, не увижу фотографий своего мертвого тела. Мне всегда любопытно видеть, как быстро проставляют в «Википедии» дату смерти только умершего человека. Меня нервирует информация о себе, предоставленная Библиотекой Конгресса, с годом рождения 1972, зазывным тире и пока отсутствующим годом кончины. Я уверена, что никто в Библиотеке Конгресса не знает, когда я умру. Мне гораздо интереснее обсуждать со знающими людьми сложные статьи про новые выставки, чем ходить по «демократичным» музеям. Я предпочитаю слушать, что говорят про себя сами художники (обычно про баб, отсутствие бабла и паленую водку), а не путаться в противоречивых предисловиях к их каталогам. Когда я слушаю музыку, я не разбираю слова — ни на одном языке. Когда мне принесли на концерт напечатанные тексты песен семидесятивосьмилетнего, все еще поющего о сексе певца, мне нравилось их читать в темноте, вместо того чтобы следить глазами за сценой, хотя этот еврейский буддист с выразительным носом, несомненно, был сексапилен. Когда я брожу по Сети, я становлюсь телепаткой. Я думаю, что провидение посылало мне именно те романы, которые заводили мой «Клок» и позволяли ему тикать как нужно. Я считаю, что у автора романа под названием «Личная жизнь деревьев», в котором повествуется о некоем Джулиане, который ведет ежедневный дневник роста бонсая, нет литературного дара, однако благодаря ему и одному нигерийцу я знаю уже два современных романа с героем по имени «Джулиан». Я расстраиваюсь, видя в карточке Библиотеки Конгресса, что автор «бонсайского дневника» на три года младше меня, но радуюсь, что и у него есть дожидающееся его смерти тире. Я люблю читать новые романы в кровати, и тут же я удовлетворяю себя. Я люблю спать одна, хотя порой вспоминаю, как несколько раз терлась ночью лицом о волосатую спину с выступающими на ней неровными родимыми пятнами. Когда мне подарили складную металлическую щетку для чесанья спины, причем два разных дарителя и в двух экземплярах, необходимость спать с кем-то отпала. Рядом со мной лежит книга об удаленном видении и экстрасенсорных возможностях, и каждый месяц я спешу к сайту «Звездная зона», чтобы с нетерпением проглотить свой гороскоп. Когда я предложила одной известной писательнице вместе писать повесть об удаленном видении так, что я бы отвечала за экстрасенсорность, а она — за описывание во всех деталях своих половых органов, которые совпали бы — или совсем не совпали — с тем, что я про нее себе представляю, она отказалась, но не потому, что я ей была неприятна, а потому, что нашла стилистические недочеты в моей порции текста. Я догадываюсь, что 93,5 % читателей «Клока» не разделяют моих интересов. Я вставила в этот текст цитаты из Левё, но, поскольку я упомянула здесь его имя, кто может меня упрекнуть. Я цитирую чужие слова с таким же бесстыдством, с каким Кристиан Марклей цитирует чужие фильмы. Мне нравится находить в Сети случайные фразы и тащить их сюда. Я хочу послушать доклад профессора Русской антропологической школы, где он заявляет, что «путешествие — это активное взаимодействие с местами, а не их пассивное отражение: перемещение исключительно ради поглощения или спонтанного порождения потока визуальных и иных образов — само по себе еще не путешествие», но я всегда чувствую себя неуверенно в незнакомых местах. Мне не нравится, как пахнут чужие женские и мужские трусы. В то же время я допускаю, что в список упомянутых мною романов вкралась ошибка или случайность. Когда я составляю список имен, я боюсь когда-либо встретить тех, чьи имена я упустила. Я знаю, что один из моих текстов посвящен умершему Аркадию Д., но я давно не помню, что это за текст. Я не сожалею о том, что мой другой текст посвящен критику Б., который пытался меня задушить в своей московской квартире, будучи пьяным, потому что я мало упоминаю его имя в статьях. Мне неловко оттого, что еще один мой текст посвящен культовой фигуре в автоспорте Е. М., потому что мы с ним разошлись из-за досадной ошибки с письмом, которое содержало информацию про него и которое не должно было попасться ему на глаза. Я никогда не думаю о людях, которым я не могла бы посвятить один из своих текстов. На самом деле существует очень мало людей, с которыми я вообще хотела б общаться. Чем старше я становлюсь, тем меньше вокруг интересных людей. Мне известно, что коллеги по работе не считают меня достойной внимания, так как я никогда не смотрю телешоу «Секс в городе» про бешенство матки и не цитирую расхожих фраз. Я никогда не посвящаю своих текстов тем, с кем я сплю. Поэт Аркадий Д. посвятил мне несколько своих текстов, всегда упоминая об этом в своих письмах ко мне, но потом, когда я видела напечатанными эти тексты, я видела, что тексты, посвященные мне, теперь посвящены кому-то еще. Я написала несколько взвинченных, обвиняющих писем тем, кому были посвящены его тексты, но не упомянула причины своего недовольства, так что они остались в полном недоумении по поводу моих вспышек гнева. Я допускаю, что периодически провидение совершает ошибки, но что касается общего вида и плана, тут сбоев нет. В новостях я прочла, что генерал по фамилии П. вынужден был уйти в отставку из-за связи со своим биографом по имени, которое начинается с П. Я всегда мечтала о связи с литературоведом или биографом, так как самая интенсивная связь может быть с человеком, подосланным к тебе с целью описать тебя тебе и другим. Если бы мне подослали биографа, я хотела бы видеть его властной дамой с темными волосами и округлой грудью, контрастирующей с прямыми элегантными линиями делового костюма. Если это мужчина-биограф, он должен пахнуть восточными сладостями и быть темнокожим, так что, когда я буду ему отдаваться, я буду представлять, что я колонистка в какой-нибудь дальней колонии и это мой раб, который неожиданно одержал верх. Я знаю, что биограф не сможет сказать обо мне всего, что я вижу в себе. Я знаю, что чем больше я говорю про себя, тем больше остается того, о чем я молчу. Критики, которые писали о Левё, сказали, что чем больше в его тексте заявлений о том, что он из себя представляет, тем явственнее виден пробел, то, что за этими словами ничего нет. Я вижу, что среди важных для Левё имен — Рэймонд Рассел, Чарльз Бодлер, Марсель Пруст, Алан Роб-Грийе, Антонио Табукки, Андре Бретон, Оливье Кадьо, Хорхе Луис Борхес, Энди Уорхол, Гертруда Стайн, Герасим Люка, Жорж Перек, Жак Рубо, Джо Брайнард, Роберто Хуаррос, Ги Дебор, Фернандо Пессоа, Джек Керуак, Ларошфуко, Бальтасар Грасиан, Роланд Барт, Уолт Уитман, Натали Куинтан, Библия и Брет Истон Эллис — нет ни одного русского. Я никогда не слышала о Рэймонде Расселе и считаю это большим упущением. Я думаю, что люди, влюбленные в Пруста, — манерные закрытые гомосексуалисты, бегущие от грубой жизни, запоров и разговоров с другими и каждый день фотографирующие вид из своего окна (машины, паркующиеся под деревьями), чтобы тут же запостить это в «Фейсбук». Я отказала во взаимности человеку, статистику по образованию, который хвастался тем, что посетил лекцию Хорхе Луиса Борхеса в Калифорнии, а затем поехала в Аргентину, чтобы с благоговением ходить по улицам города, по которым Борхес ходил. Мой другой близкий человек ужинал с Уорхолом и сказал, что никогда не встречал такого удивительного молчуна. Когда я ужинала в дорогом ресторане с любовником, мне захотелось пойти в туалет, но было как-то неловко, и поэтому я не пошла, зато потом, когда мы поехали по хайвею, мне сильно приспичило, и я попросила его остановить автомобиль на обочине и сразу же вышла и угодила в какой-то грязный овраг. Это воспоминание до сих пор доставляет мне неловкое чувство, еще более неловкое, чем осознание того, что этот любовник давно уже мертв. Я могла бы влюбиться в Гертруду Стайн и была бы не против прокатиться с ней по оккупированной Франции, скрывая нашу дегенеративную любовь и еврейское происхождение. Я даже имела любовницу, похожую внешне на молодую Гертруду, но имевшую в голове полный вздор и писавшую абсолютно плохие стихи. В юности я без зазрения совести бросала людей, у которых не находила ночью в холодильнике твердого сыра и хорошего хлеба. Я знаю, что родители Жоржа Перека были отправлены в концентрационный лагерь в Освенцим, и именно этот факт, а не его книги, а также тот факт, что Жорж Перек слишком много курил и умер непозволительно рано, возбуждают мой интерес. Я знаю, что Ги Дебор покончил с собой и что его идеи обожал один привлекательный молодой человек по имени Болдуин, монтирующий фильмы из других найденных фильмов и знаменитый в своих кругах как «король *found footage*», и именно этот факт возбуждает мой интерес к этому имени, а совсем не его философские идеи о «театре спектакля». Я читала Джека Керуака, но больше мне нравится его окружение и ореол секс-символа Нила Кассиди, и я даже внимательно прочла его биографию, чтобы понять, как ему удалось поиметь столько женщин, но так и не поняла. Я хотела бы написать, что поимела столько же любовниц и любовников, сколько Кассиди, но я не выношу лжи. Я читала книги Ролана Барта о смерти и фотографиях, но четыре факта, которые меня с ним роднят — он испытывал болезненную любовь к своей матери, тщательно мылся и одевался, был рафинированным гомосексуалом и написал статью о Сае Твомбли, которого выставлял в своей галерее один дорогой мне человек — не имеют отношения ни к смерти, ни фотографиям. Я понятия не имею, кто такая Натали Куинтан, но мне хочется, чтобы она была красивой, умной и эротичной и жила недалеко от меня.

9.00, 10.00, 11.00, 12.00, 13.00...

Нынешнее время, как вышибала, выталкивает фикшн за двери.

Вымышленные события из чьей-то плохо обрисованной, затхло пахнущей жизни интересуют меньше, чем свежие новости. Проза, чтобы не потерять конкурентоспособности, должна напоминать репортаж.

Новостная лента меняется каждые десять минут, и поэтому авторы обязаны научиться воспроизводить ее из себя.

В условиях глобализации каждый день нужно выдавать на-гора новый продукт, иначе плодовитые конкуренты сожрут тебя с потрохами. Выдавание на-гора идей подменяет выдавание на-гора тщательно обработанных и трудоемких произведений. Этот текст — вовсе не «текст идей», а идея о том, что с подачи автора читатели начнут создавать однообразные, но разнящиеся наполнением тексты.

Это простая идея, которую читатель может повернуть, как манекен, лицом к себе, поставить у себя между ног и начать творить с этой куклой, зажатой между колен.

Современный писатель должен предложить читателю способ создания проникновенных трепетных текстов, в которых — вместо того чтобы вглядываться в судьбы картонных карточных дам и их хвостатых, мокроватых стареющих хахалей на картонных подставках — читатель будет исследовать самого себя по указанию автора.

Настоящие новые тексты — это инструкции к написанию текстов.

В соответствии с данной инструкцией любой клок жизни может быть рассмотрен при помощи своеобразного трафарета, когда в поле зрения попадает только то, что происходит в самом начале любого часа, примерно первые пять, десять, максимум двадцать минут.

Да, да, все так, и задача, которую она себе поставила перед путешествием в Игуасу, была довольно проста — однако, поднося к глазам голубой трехзвездочный «Ориент», автор «К.» осознавала, что, несмотря на всю мощь и цепенящую целенаправленность водопадов, заставляющую людей застывать перед серебристыми брызгами; несмотря на такую доступную, буквально предлагающую себя, расставившую на земле ноги радугу, как бы продающуюся в наборе и с «Глоткой Дьявола», и с крикливыми стаями напористых альфа-енотов, вырывающих из рук туристов сумки с едой и заставляющих их кричать от укусов и ронять на землю бинокли и карты; несмотря на посещенные улицы голографического, головоломного Борхеса и вызывающего катарсис Касареса; несмотря на колоритный контраст в происхождении, возрасте и образовании сопровождающих ее путешественников, пожилого, интересующегося генеалогией и историей рыжеватого, истончающегося с возрастом Лионеля, чьи предки со стороны матери были итальянскими графами, а со стороны отца — обеднели и приехали перед Первой мировой войной в Аргентину, чтобы создать довольно успешную сеть аптек, и его молодой темноволосой, перед свадьбой ставшей крашеной блондинкой, жены, посасывающей матэ, озабоченной маисовыми пирожками и до сих пор практикующей парикмахерское мастерство, подстригая престарелого мужа и малолетнего сына и не вмешиваясь в разговоры о современных политических деятелях, которые так любил вести Лионель; несмотря на увиденных демонстрантов, швыряющих камни и опрокидывающих урны с мусором на подступах к национальному банку; несмотря на рассказы о нападении на жену брата Лионеля, выходящую с собственной автостоянки, на которую приезжала раз в день, чтобы забрать ежедневную выручку; несмотря на рассказ о нападении на самого Лионеля, когда он выходил из сбербанка с конвертом с деньгами и, ударенный сзади чем-то тяжелым, упал на асфальт (хорошо, что был в какой-то засаленной, случайно надетой из-за моросящей погоды твидовой кепке, и, видимо, эта кепка, когда ударился затылком, спасла); несмотря на похищение племянницы Лионеля ночью вместе с авто и совсем недорогой выкуп, затребованный ее похитителями, манерой одеваться и разговаривать напоминающими коррумпированных полицейских, и даже вежливо пригнавшими обратно ее новенький «Лексус»; несмотря на распластанные, подернутые грязноватым налетом стальные крылья, перенесшие автора «К.» буквально за несколько часов на другой — волшебный — край света, и сверхчувствительные аппараты, показывающие, где гроза, а где воздушная яма, и даже разрешающие выходить в Сеть, все, что отобразилось в ее твердообложечном, специально купленном для путешествия разграфленном «Леухттурме-1917» — это крики и кривляния Лауры с Паулой; ненужные, давно забытые всеми безделки, за которые они до первой крови сражались; их одежда, которую после водного путешествия и близкого подхода к скалам на плоскодонке нужно было стирать; принятия нескончаемых, не отличающихся друг от друга (иногда только было никак не настроить горячую воду, и от этого кожа покрывалась гусиними пятнышками, а настроение ухудшалось) душей в отеле с многочисленными полотенцами, в результате оказывавшимися мокрыми и запачканными на полу перед ванной, а также оттон маленькой Паулы от ванны с водой и от холодильника с небесплатными яствами, в который та пыталась залезть с кличем «ням-ням», и затем оттаскивание Лауры от Паулы, которую она пыталась отвлечь и от ванны, и от еды в приступе доброхотного вдохновения, но в результате роняла на пол, стукала и огребала по шее; случайные, проскальзывающие сквозь текст и жизнь персонажи: похожие на героев-любовников официанты с иссиня-черными, зачесанными назад волосами; таксисты без тормозов; носильщики без мозгов; увешанные паспортами и посадочными талонами пассажиры; простые, ничем не примечательные продавцы примитивных полиэтиленовых дождевиков и элементарных бутылок с водой для питья; толстые охранники, следящие за тем, чтобы люди не выносили выпечку из буфета «Жри, пока ты не лопнешь»; внимательные, но невнятного вида, похожие друг на друга консьержи и плохо говорящие сразу на всех языках поджарые, как подростки, проводники в кроссовках последней модели, с аппетитными загорелыми икрами и рюкзачком за плечами с предусмотрительным ланчем, а также описания того, как сложно и даже невозможно описывать происходящее перед глазами в силу тех или иных отвлекающих обстоятельств или затрудняющих и замедляющих передвижение по стране туристских препон.

2002... 1952... 1932... (Лионель)

2012 год. Лионелю было уже восемьдесят два: сетчатая шляпа от солнца с полями, жилет с лабиринтом карманов и сумка через плечо с документами совершенно не делали его похожим на туристского аса, а скорее, на пациента какой-нибудь сенильной сюсюкальной клиники; штаны свисали с давно недебелого зада, а брючины волочились по грязной земле, так что он на них не раз наступал, и не раз он валился с инвалидного кресла в попытке бодро с него соскочить, чтобы по указанию гида взглянуть на карту каких-нибудь джунглей с веселыми, яркими изображениями наиболее ядовитых их обитателей, но, объездив весь мир и не утеряв любопытства, он умел пользоваться Интернетом и именно при помощи имейла, а не звонка, пригласил семью автора «К.» отправиться вместе с ним в Игуасу.

2002 год. Аргентина, как всегда, в кризисе. Люди в отчаянии, с одышкой, с очистками и ошметками в сетках бегут по улицам, что-то кричат, оцепляют закрытые банки, швыряют мусор с бутылками на порог. Будущее неопределенно, сбережения с каждым скачком инфляции стремятся к нулю. Роберто, тогда еще не поседевший и не потолстевший муж автора «К.», говорит: «Сейчас самое время купить дешевый билет!» И вот они в Буэнос-Айресе. Автор «К.» тогда еще не такая худая, как в сорок; щеки приятно круглятся, грудь тоже и совсем не свисает; из трех самых близких людей к тому моменту умер только один, и поэтому жизнь хороша. К тармаку подгоняют кажущийся игрушечным самолет.

На нем автор «К.» и аристократически красивый Роберто полетят в Патагонию, где будут скакать на больших лошадях при помощи низкорослых, но выносливых гаучо и бродить по пустынным полям, обрамленным зданиями с разбитыми окнами, меж которых то там то сям возвышается статуя Евы Перон.

Лионелю только исполнилось семьдесят два. Он полон надежд. Несмотря на сопротивление со стороны семьи старшего брата, он решает жениться. Пусть отойдут в прошлое одиночество с грустью, когда никто не заботится о желаниях слабеющего с каждым днем тела. Пусть отойдут жене, а не загребущей супруге старшего брата все накопления и наследство, а также целая коллекция видеопленок, свидетельствующих о былой эластичности рук и ног и посещении экзотических стран. Вместе с женой, которая младше его на сорок лет и которой он раньше в парикмахерском салоне платил, вставая с кресла и ласково проводя по освеженной своей, а потом и ее голове, а теперь пользуется бесплатно ее домашними стрижками, он машет удаляющимся на самолетике автору «К.» и Роберто. Молодая жена, как всегда, стоит-молчит рядом, загадочно улыбается и обнимает его. Так же неловко висят на тощем Лионеле штаны. Именно тогда автор «К.,» вглядевшись в эту необычную пару, шепчет Роберто: «Мне кажется, у них будет ребенок». «Да какой ребенок, ему уже почти восемьдесят», — отмахнется Роберто. Ребенок появится через пять лет.

1992 год. Лионелю исполнилось шестьдесят два. Он полон надежд. Чтобы поесть, он спускается с пятнадцатого этажа своего расположенного в центре Буэнос-Айреса дома вниз, проходит несколько кварталов и идет в ресторан, где неизменно выбирает салат из сердцевин стволов пальм и яиц. Чтобы подстричься, он отправляется на первый этаж, где вместе с прачечной и спортзалом располагается парикмахерская с пожилой, грозящейся переехать в другой район, поближе к недавно народившейся внучке, хозяйкой салона, которой Лионель рассказывает о своей мечте посетить Самарканд и Бухару, но опасается расспрашивать ее о себе — ей за пятьдесят, и в его глазах она слишком стара. Здоровье в полном порядке, диабет укрощен серией ежедневных уколов, а чтобы пополнить счет в банке, Лионель спускается с пятнадцатого этажа и самолично обходит несколько магазинов, исправно платящих ренту (кондитерская, правда, собирается порвать контракт, но дантисты и мясники не подводят), поэтому денег у него, да и у страны сейчас полно: Аргентина переживает достаточно приличный период. Никто не бегает по улицам с ошметками и очистками, и можно спокойно зайти в банк, не опасаясь, что на выходе тебя стукнут бутылкой по голове. Лионель уже посетил Африку, Египет, Новую Зеландию, Санкт-Петербург, а список планируемых путешествий до сих пор не истощен. Еще многое впереди.

1982 год. Лионелю исполнилось пятьдесят два. Он остается абсолютно один. Отец только что умер. Мать скончалась, когда Лионелю исполнилось сорок пять, но с ее мнением в семье никто не считался, и окружающие почему-то всегда полагали, что у Лионеля никого не было, кроме отца.

От него больше никто не зависит: у него нет ни обязательств, ни каждодневных забот. В десять утра он спускается со своего пятнадцатого этажа, чтобы позавтракать и выпить неизменного зеленого чаю; в одиннадцать он снова уже наверху: просматривает в уме карты готовящихся путешествий и, полулежа на диване, разглядывает сувениры, оставшиеся от отца. Его портрет — приглаженные светлые волосы, благородный наклон головы — внимательно глядит на Лионеля с противоположной стены. Портрета матери нет, и много лет спустя, в 2012 году, Лионель неожиданно удивит дальних родственников, заявив, что хочет быть похороненным рядом с ней, в маленькой деревушке в Италии с названием Праростино. На могилу к ней никто не приходит, и родственники усопших «соседей» пытаются расшириться за ее счет: на ее место всегда налезают чьи-то чужие цветы, сорняки и венки. Но за окнами сейчас 1982 год. Самое время посмотреть мир. Аргентина постепенно оставляет за спиной самые кровавые годы. Бывало, что люди выходили из дома и не возвращались. Среди друзей Лионеля, мороженщика Мигеля с носом-бульбой и бежевым объемистым свитером или разведенной Лейлы, торгующей музыкальными инструментами и все ожидающей, когда Лионель сделает ей предложение, таких пока нет. В два часа дня он спускается с пятнадцатого этажа и семенит в турбюро на улицу Артура Фрондизи, чтобы обсудить с агентом новейшие предложения в Полинезию, Перу, Катманду.

1972 год. Лионелю исполнилось сорок два. Он не выходит из дома и бросил работу, потому что должен ухаживать за отцом. Погрузившись в изучение дозы лекарств и меряние температуры, Лионель пропускает все известия о падении хунты и о бунтах студентов в Кордобе. Ему некогда читать в газетах о возвращении Перона и очередных похищениях, совершенных Революционной армией и «Монтонерос». Вместо инфляции он борется с инфлуэнцей. Иногда отец рассказывает ему, как в конце девятнадцатого века приехал из Италии в Аргентину и как поехал потом в какую-то экспедицию, махая кривым мачете и вырубая тростник, чтобы пройти к Игуасу. Тогда и западает в душу Лионеля это волшебное водопадное слово... Несмотря на ухудшающееся здоровье отца и иногда доходящие до него известия о тысячах людей, брошенных без суда и следствия в тюрьмы, Лионель полон надежд. Когда-нибудь все это закончится, и он отправится в Африку, чтобы посмотреть на сафари, или полетит в Полинезию, чтобы увидеть тропических птиц.

1962 год. Лионелю исполнилось тридцать два. Он исправно трудится инженером в итальянской компании, чистит по утрам ботинки и зубы, целенаправленно идет по улице в глаженой свежей рубашке, потом что-то чертит на чистой бумаге в опрятном офисе, но этой работе скоро наступит конец. Его брат гуляет и кутит напропалую, скупает какие-то случайные бизнесы и подбирает в барах случайных баб, не выпуская из рук сигарет и вороха денег, а Лионель в ресторане аккуратно изучает меню, чтобы исключить из диеты все мучное и жирное. Тем не менее к 2012 году он выглядит не таким здоровым и бодрым, как его старший брат, но в 1962 году он об этом не знает и поэтому продолжает блюсти. Девушек у него нет, но он мечтает о путешествиях и полон надежд. Обстановка в Аргентине, стабилизируясь, становится лучше. Свежий ветерок шестидесятых еще не подул, но в воздухе Буэнос-Айреса уже сквозит что-то новое, и Лионель это чувствует на себе.

1952 год. Лионелю двадцать два года, и он учится в университете на гражданского инженера. В Аргентине правит Перон. Каждый день на улицах случаются демонстрации, но Лионель смотрит на них так, как будто они за стеклом и они проходят мимо него. Когда в классе жарко спорят о каких-нибудь потасовках или скандалах, Лионель утыкается в чертежи или принимается разворачивать бутерброд, принесенный из дома, в то же время пытаясь не упустить, о чем же они говорят. Политика ему любопытна, но собственное участие в ней не вдохновляет, и поэтому он продолжает есть свой бутерброд даже тогда, когда в углу комнаты начинается свара и обладатели противоположных политических мнений меняют теории на тычки и толчки.

1942 год. Лионелю двенадцать. Он ходит в школу, пытаясь вести нормальную жизнь и получить образование во время войны. Италия на пороге полного краха. Будущее выглядит неопределенным и страшным. В один из морозных январских дней сорок четвертого года над просторным домом соученика Лионеля взвиваются языки пламени. На следующий день одноклассник не является на урок. Лионеля это сильно тревожит: он вспоминает, как один раз, когда тот заболел, ходил к нему в гости и ученик, встав с кровати, показывал Лионелю, как варить суп. Возвращаясь из школы, Лионель обходит дом соученика стороной, не смотрит в сторону его улицы. Дома он краем уха слышит, что семью одноклассника, состоявшую из простых трудолюбивых крестьян, обвинили в связях с партизанами и всех сожгли заживо. Лионель вгрызается зубами в свой бутерброд и случайно прокусывает до крови язык. В 2012 году, дожив до восьмидесяти лет, Лионель вздрагивает, заслышав на улицах немецкую речь. Язык саднит. Германия так никогда и не появится в списке готовящихся путешествий.

1932 год. Лионелю два года. Он еще совсем малышок, только начинающий осмысленно говорить. Он живет с отцом, матерью и старшим братом в небольшой североитальянской деревне, где люди ездят на велосипедах в лавку за овощами и мясом. Машин ни у кого нет. Отец только что вернулся из Аргентины, основав там прибыльную сеть аптек и оставив преданных людей управлять ими на месте. Только после войны вся семья отправится из обедневшей Италии обратно в зажиточную Аргентину, но пока они живут в Праростино и не ведают, что через какое-то время немецкая речь будет звучать на улицах их городка. Мэр Праростино не был избран народом, а был назначен фашистами. Муссолини находится на вершине власти, пытаясь выстроить итальянскую империю в Африке и перехитрить Гитлера. Итальянский президент полон надежд. Маленький Лионель не умеет читать, но если бы умел, то прочитал бы высказывание Муссолини на хлебнице: «Хлеб — всему голова». Но хлебу

163

Лионель в любом случае предпочитает материнское молоко, которое до сих пор пьет, несмотря на все ее попытки его отучить. Он ходит, дергая за материнский подол и пытаясь вынудить ее сесть: когда она все же садится, он произносит «ам-ам» на каком-то своем языке и принимается пить.

2002 год. Лионелю опять семьдесят два. Не замечая ухмылок автора «К.» и Роберто, он указывает со счастливым дребезжащим смехом на себя и на нее, стоящих со всезнающими улыбками у водопадов; на себя и на нее, таинственно обнимающихся в каком-то саду; на себя и на нее, поедающих папайю в какой-то демократичной столовой; на себя и на нее, стоящих на эскалаторе в супермаркете и целующихся, отставив корзинки с едой. *Mio amore*, восклицает он, указывая в сторону подсоединенного к видеокамере экрана телевизора на стене, а недавняя невеста загадочно улыбается и только и делает, что подкладывает ему выпеченные из маниоки шарики с сыром. А она умеет их печь!

Сентябрь 2012 года: Роберто боится звонить в Аргентину, опасаясь когда-нибудь услышать сакраментальное «А Лионель только что умер».

В августе 2012 года он оплачивает тур для всех путешественников из Буэнос-Айреса в Игуасу, а билеты из Сан-Франциско в Буэнос-Айрес оплачены «милями», так что поездка получается баснословно бесплатной, потому что за не достигшую двухлетия Паулу, дочь автора «К.» и Роберто, платить не надо вообще.

«Поторопись с решением, поторопись», — убеждая домоседного автора «К.», просит Роберто, год назад потерявший работу в компании, выпекающей наполненные кремом сладкие пирожки, оттого что пекущаяся о здоровье публика района Залива почти полностью отказалась от выпечки и от сахара, и поэтому всегда ищущий, где и что раздобыть забесплатно: на концерты любимых групп он проходит как журналист и даже интервьюирует «звезд», но потом пленки с так и не расшифрованными записями куда-то теряются; в путешествия летает, то сопровождая в деловых поездках жену, которая продает «улучшающие здоровье напитки» (эта работа тоже грозит обратиться в ничто, как только здоровая публика района Залива узнает, что в этих напитках сахара не меньше, чем в пирожках), то на эти самые поступающие на кредитную карточку «мили», которые тщательно аккумулировал, умножал, собирал.

И после известия об очередном сердечном приступе Лионеля они все-таки решают лететь, взяв с собой и семилетнюю племянницу автора «К.», чья мама, растящая дочь абсолютно одна, неожиданно слегла в больницу после операции на двухперстной кишке.

«Он в последний раз в жизни хочет позволить себе полет в Игуасу, чтобы попрощаться с волшебством водопадов...» — заявляет Роберто, и автор «К.» представляет поддергивающего штаны субтильного Лионеля, спешащего к Игуасу, спотыкающегося, то перегоняющего, то не поспевающего за своей инвалидной коляской, которую в качестве подстраховки толкает его молодая, потягивающая матэ жена... Лионеля, перемогающего одышку и ватный сумбур в голове, но все же стремящегося к бурным водам, радуге и назойливым стаям ненасытных енотов, к пенящимся шумным потокам и свежести на лице... рыжеватого Лионеля с шелушащимися старческими пятнами на лице, с замиранием сердца покупающего в последний раз в жизни туристский «пакет»...

И предполагает, что для него эта поездка получится удивительно длинной и значимой, ведь он с особым вниманием будет смотреть на каждый лучик и брызг сквозь слезы, смешанные с изверганием водопада, впитывать в себя пейзажи и сцены, полностью поглощенный увиденным действом, и что, вероятно, можно сделать любую поездку — не только последнюю и в буквальном смысле «предсмертную» — такой значимой и такой длинной, и что не только поездку можно удлинить таким способом, но и жизнь.

Севастополь в августе 1855

Современные исследователи согласны с тем, что время может стать растяжимым. Результаты нескольких экспериментов показывают, что испытуемым кажется, что прошло больше времени, когда они делают и испытывают что-то совершенно новое и интересное или когда опасаются за свою жизнь. К примеру, некий ученый давал указания участникам эксперимента спрыгнуть со специального колеса обозрения и находиться несколько секунд в свободном полете, с привязанной к торсу веревкой, в то время как он бесстрастно стоял внизу с изобретенным им «хронометром восприятия» и подсчитывал, насколько — в соответствии с их ощущениями — удлинилась их жизнь.

Если сравнить «внутреннюю реальность», о которой шла речь в главе под названием «стр. 77», с «внешней реальностью», внутренняя реальность окажется более протяженной. Иногда нам кажется, что время застыло, хотя стрелки на наручных часах ни на секунду не прекращают свой бег. Бывает, задумаешься, уйдешь куда-то в черные дыры собственных мыслей, а потом кинешь быстрый взгляд на часы и удивишься, и снова, как бы не веря, кинешь на часы теперь уже замедленный взгляд...

Современный историк культуры Илья Калинин цитирует формалиста Виктора Шкловского, говоря об «экзистенциальном потрясении», которое может вернуть «непосредственность переживания жизни», утраченную «под воздействием повседневных рутин». Шкловский пишет: «Автоматизация съедает вещи, платье, мебель, жену, страх войны». Небольшое исследование Калинина под названием «Севастополь в августе 1855. Война, фотография и хирургия: рождение поэтики модерна» можно растащить на цитаты:

«Ничтожество жизни — результат ее захваченности бессознательным автоматизмом повседневности, когда экономия эмоциональных и когнитивных усилий приводит к тому, что мы перестаем замечать и окружающие нас вещи, и рядом с нами другого. Страх войны «съедает» размеренная мирная жизнь».

Калинин, подобно испанскому прозолюбцу Вилле-Мате или французскому самоубийце Левё с его цитатой про регулируемое внутренним метрономом чтение книг, подчеркивает присутствие в субъекте т. н. внутренней реальности, несомненно более красивой, чем грубая жизнь. Эта «внутренняя реальность» называется им «внутренним пространством субъекта», в коем присутствуют «микроскопические элементы его психической жизни».

Опираясь на текст Льва Толстого, Калинин как раз и дает пример этого расхождения между временем «жизненным» и «реальным», когда мгновенная смерть ротмистра Праскухина на поле боя (осколок попал ему в грудь) воспринимается им самим как нескончаемо длящееся, протяженное действо:

«...в это мгновение, еще сквозь закрытые веки, его глаза поразил красный огонь, и с страшным треском что-то толкнуло его в середину груди; он побежал куда-то, споткнулся на подвернувшуюся под ноги саблю и упал на бок. «Слава богу! Я только контужен», — было его первою мыслью, и он хотел руками дотронуться до груди, — но руки его казались привязанными, и какие-то тиски сдавливали голову. В глазах его мелькали солдаты — и он бессознательно считал их: «Один, два, три солдата, а вот в подвернутой шинели офицер», — думал он; потом молния блеснула в его глазах, и он думал, из чего это выстрелили: из мортиры или из пушки? Должно быть, из пушки; а вот еще выстрелили, а вот еще солдаты — пять, шесть, семь солдат, идут

все мимо. Ему вдруг стало страшно, что они раздавят его; он хотел крикнуть, что он контужен, но рот его был так сух, что язык прилип к небу, и ужасная жажда мучила его. Он чувствовал, как мокро было у него около груди, — это ощущение мокроты напоминало о воде, и ему хотелось бы даже выпить то, чем это было мокро. «Верно, я в кровь разбился, как упал», — подумал он, и, все более и более начиная поддаваться страху, что солдаты, которые продолжали мелькать мимо, раздавят его, он собрал все силы и хотел закричать: «Возьмите меня», — но вместо этого застонал так ужасно, что ему страшно стало, слушая себя. Потом какие-то красные огни запрыгали у него в глазах — и ему показалось, что солдаты кладут на него камни; огни все прыгали реже и реже, камни, которые на него накладывали, давили его больше и больше. Он сделал усилие, чтобы раздвинуть камни, вытянулся и уже больше ничего не видел, не слышал, не думал и не чувствовал. Он был убит на месте осколком в середину груди».

В приведенном выше отрывке ротмистр умирает мгновенно, но его внутренние, непрекращающиеся, длящиеся ощущения создают иллюзию продолжения жизни: возможно, для него жизнь на самом деле была длиннее, чем это снаружи казалось пробегавшим солдатам и офицерам в шинелях.

При помощи Марклея мы пристальнее вглядываемся в то, как уходят минуты: они представлены не абстрактным протеканием времени, а вполне конкретными циферблатами, целлулоидными цитатами из разрозненных фильмов. Это просматривание фрагментов из фильмов с часами выстраивает особое параллельное существование, «другую реальность», заставляющую нас воспринимать минуты совсем по-другому. Также по-иному воспринимаются короткие музыкальные, умноженные на восемьсот сорок раз фразы в восемнадцатичасовом исполненье Сати.

Если мы применим эту идею к литературе — внимательно вглядываться не в циферблаты, а в то, что происходит, как только стукнуло три, пять или шесть, — то мы сможем этим пристальным разглядыванием не только деавтоматизировать, но и удлинить свою жизнь.

Можно ли на самом деле растянуть время и обогатить жизнь, если внимательно разглядывать и записывать события, случающиеся на пике каждого часа? Превратить готовящуюся поездку в Аргентину в охоту? Что же случится? Что удастся поймать?

Аргентина в августе 2012

17 августа. Буэнос-Айрес. Восемь утра. Номер карусели тоже восьмой. Вот она стоит совершенно бездвижная и безразличная к нашему появлению, но неожиданно дергается всем своим черным резиновым телом, как спохватившись, и на истасканной и истоптанной резиновой ленте появляются первые сумки и катули. Это слово я впервые услышала в Лондоне. Здоровенный мужик в кожухе, откуда-то с Украины, путеше-

ствовавший вместе со мной в выигранной мной бесплатной поездке, заорал, озирая баулы, узнав, что придется из-за нелетной погоды перебираться в другой аэропорт: «И куда это мы с катулями такими?» Может быть, он даже произносил «хатули». Перед глазами маячат затылки. Люди стоят, сгрудившись, но не сроднившись, прямо у железного бортика, и поэтому вылавливание багажа из потока и протаскивание его сквозь чьи-то тела — наше первое достижение в этой стране. С видом победителя на конвейере появляется изумрудная сумка из тонкого как шелк нейлона и красно-синий заплечный рюкзак, шесть лет назад уже увидевший вместе с Лаурой и ее мамой ледники Новой Зеландии и теперь пассивно готовящийся перенести Паулу к моросящей воде Игуасу. Наконец на свободу вырывается и стандартно-никакой чемодан с детской одеждой, потом — коляска в протертом до дыр зеленом чехле, для которой путешествия — привычное дело. Она побывала в Канаде, где Паула, еще в животе мамы, предавалась езде на собаках, а также на острове Пасхи, где однажды на всем острове погас свет и идти пришлось в кромешной темноте мимо кладбища, где путь освещали только могильные огоньки. В ожидании еще нескольких сумок Паулу сажают в уголку на трубу. Она зажата с двух сторон двумя рюкзаками, один из которых, оранжевый «Тимберланд», побывал в апреле в России, а другой хотя и повидал, и полетал, теперь хранит дайперсы со сменным бельем. Несмотря на тесноту, Паула все равно умудряется встать. Она рыжеватая и в широких холщовых штанах выглядит как шолоховский «нахаленок». Когда ее не пускают в свободное плавание, оберегая от чужих невидящих ног, она валится на пол. Главное, чтоб не виском: ничего, если ударится какой-то мягонькой частью; ведь эти падения, если только не головой, — напоказ. Записывать, что происходит на пике этого часа, практически невозможно. Необходимо следить за вещами и за Лаурой-с-Паулой, в ожидании Роберто с остальным багажом. Поднятая на ноги Паула верещит и снова валится на пол. В этот раз ее рыжая голова стукается о серый грязный гранит. За спиной слышно «Senior!». Скорее поднять: главное, чтобы никто не заметил. Никаких уговоров-укоров не нужно. Подняв Паулу, пытаюсь писать. Самолет только что приземлился: так удачно, что аргентинская история начинается ранним утром. Будем надеяться, что с наращиванием каждого часа интенсивность и события будут двигаться вверх. В новой стране все должно быть новое и необычное, но пока под ногами все старое: Лаура в качестве старшей кузины пытается удержать Паулу от побега, та вырывается из ее рук на полу. За спиной опять раздается два раза: «Синьор, синьор!» Оказывается, это говорят мне. Сквозь нас пытается проехать коляска с пожилым человеком. Мы бесчувственно загородили ей путь. На мне брезентовые брюки с накладными карманами, нижняя голубая рубашка со швейцарских молчаливых равнин, а на ней — шерстяная фуфайка и жилет для путешествий, в кармане которого лежат флешки, кредитки и карточка медицинской страховки, блокноты, а также ручки для записей. Но приходится посторониться, чтобы дать дорогу инвалидной коляске, и как раз в этот момент приходит Роберто с остальным багажом.

Девять утра. В девять главенствует буква Д. За дверьми аэропорта — серый всеобъемлющий, обволакивающий все и вся дождь. Впереди идет молодой человек как из рекламного ролика: в пиджаке, белой рубашке, черных узких туфлях. Возможно, это его единственный хороший пиджак, единственные хорошие узкие туфли. Аргентина опять на грани кризиса, и цены не лучше, чем в запредельно недоступной Москве, где кости, которых было больше, чем рыбы, и жирноватый плевок зеленого перчика с гриля обошлись мне в двадцать пять долларов. Зато мой собеседник, строгий критик, но ранимый поэт Денис Ларионов, двухметровый красавец, был на все сто. Загрузив наш багаж в свой мини-вэн, вежливый черноволосый водитель снимает пиджак и аккуратно кладет его в багажник рядом с вещами. Что подтверждает догадку о том, что другого пиджака у него нет. Мы едем в левом, самом крайнем ряду. Сзади из окна мне ничего не видно, и дорога из аэропорта похожа на любую другую дорогу, ведущую из расположенного на выселках аэропорта к более центральным местам. Окно приоткрыто, и на меня попадают капли дождя. Возможно, протекает и крыша, так как капли также падают сверху. Раннее утро, но в машине темно, да и улица хмурится. Лаура и Паула на заднем сиденье тоже хмуро молчат. Проехали будку, где взимается мзда за поездку по этой дороге. Небольшой шлагбаум поднялся и опустился, будто рука. Вот оно, самое начало сказочного путешествия: мокрое, темное, писать очень трудно, так как без света не разобрать строчек и букв. Ничего выдающегося не попадается на глаза, а так хотелось бы. Но вот в окно показался ограничительный знак в сто километров. Почти единственная примечательность этой дорожной езды. Странички в адресной книжке (подаренной кем-то в России и совершенно ненужной, так как друзей в Америке почти не осталось и вписывать сюда некого) крохотные, невместительные и исписываются удивительно быстро. Возможно, книжка кончится раньше, чем путешествие. Девять утра пришлось на букву «А», несмотря на девять, двери, дорогу и дождь (последний бушует не переставая). Десять утра так некстати попали на «Б».

Десять утра. Едем по направлению к нашей гостинице. Она будет готова только к двенадцати. Дождь все идет. Машина останавливается, и мы видим на вершине ступеней искомого Лионеля. Шаг его немного нетверд. В лифт влезаем все вчетвером. Наверху он говорит нам, что на прошлой неделе его привезла в госпиталь «Скорая помощь». Пневмония. Возможно, повлиял дождь. С Лионелем мы должны лететь в дождливое, мокрое Игуасу, к водопадам, хотя он выглядит плоховато. А вдруг с ним опять что-то случится? Такое ощущение, что это его последний день. В комнату входит незапоминающаяся, «никакая» девушка в майке и ситцевых шортах. Наверно, прислуга. Затем в черном плаще входит Ирма, жена Лионеля. Ему уже восемьдесят два, ей около сорока четырех. Раньше она была парикмахершей в Парагвае. Их сын, пятилетний Марито, сейчас находится в школе, где изучает математику и английский язык. Поскольку комната в отеле будет готова только через пару часов, я рада, что могу продолжать писать в свой блокнот.

Входит похожий на чернокудрого ангела пружинистый молодой человек в белых штанах и белой адидасовской куртке. Оказывается, он из больницы. Вокруг шеи обвиваются проводки, казалось бы, от медицинских приборов, но на самом деле это айпэд. Он улыбается всем и сообщает, что его фамилия Коэн. В соответствии с моими скромными познаниями в истории Аргентины, его предки приехали сюда, чтобы поселиться в одной из еврейских колхоз-колоний, спонсированных бароном де Хершем. Он слушает музыку, он слушает сердца шумы. Сначала Лист, Лядов, ария Лепорелло, теперь дошла очередь и до Лионеля. Если следовать установленным мною правилам, записывание надо бы прекратить: уже 10.30 утра. Надо ведь записывать только в начале первого часа, а через полчаса уже начнется другой. Но становится все интересней. Пружинистый ангел внимательно смотрит на Лионеля и просит его дышать глубоко-глубоко. Тот, глядя перед собой, дышит. Так проходит пять-шесть минут. Потом он ложится на бок и принимается кашлять. Молодой ангел с белыми проводками похлопывает его по спине. Лионель встает и принимается кашлять, выплевывая содержимое легких в клетчатый лиловый платок. Когда МЧ уходит, Роберто шепчет автору «К.», что раньше доктора не были уверены, пускать ли Лионеля в поездку к водопадам из-за пневмонии, но сейчас решили дать ему зеленый свет. «Ты знаешь, что этот Коэн, судя по фамилии, скорее всего, прибыл вместе с колонистами Херша?» — вопрошает Роберто, но это заявление не так интересно, потому что уже появлялось в голове автора «К.». Достаточно пролистнуть назад две странички блокнота. Роберто обижается на невнимание и продолжает с укором: «Он полностью прокашлялся при помощи этого метода; дорога открыта!»

11.00. Дома у Лионеля. Оказывается, он перепутал: в Игуасу мы летим во вторник, а не в понедельник. Лионель говорит, что его восьмидесятилетний брат Леонида тоже жалуется на нездоровье. Вдобавок его партнер по бизнесу умер шесть месяцев назад, а сам Леонида был в путешествии в Риме, и там ему стало плохо. И после пары дней в госпитале Леониде пришлось вернуться домой. Там его всегда ждет его бизнес, ведь он владеет несколькими диагностическими центрами в Буэнос-Айресе, где берут кровь на анализ. Это все сейчас с итальянского переводит Роберто. Затем Лионель куда-то звонит, кажется, в турагентство, и ошибочно называет Нору Нормой. Потом он, очевидно, опять ошибается, потому что Роберто шепчет автору «К.»: «Он называет свою жену именем жены своего брата. Его жена — Ирма, жена брата — Норма. Он путает Нору с Нормой, а Ирму с Нормой». Автор «К.» думает: «Господи, какая одновариантность имен. Я бы тоже запуталась», а Лионель в это время уточняет у турагента Норы маршрут в Игуасу.

12.00. Автор «К.» сидит в черном кожаном кресле, наблюдая за тем, что происходит вокруг. Из кухни доносится запах еды.

13.00. Автор «К.» просыпается в черном кожаном кресле.

14.00. Автора «К.» приглашают за стол. Пришедший из школы Марито играет красной машинкой. Лаура с Паулой в соседней комнате смотрят мультфильм. Сосиски и буженина, салат с помидорами, сделанные на гриле овощи, ярко-желтая, чрезмерно здорового вида тыква, служанка, говорящая на гуарани, все это ставит на стол. «Гуарани — один из официальных языков Парагвая», — говорит Лионель. И продолжает, что гуарани позаимствовали слова из испанского, например, слово «сыр», которого из-за отсутствия самого продукта питания у гуарани никогда не было. «Сыр», а также «ботинки» и «лошадь». Что, лошадей тоже не было, думает автор «К.», но разговор за столом уже перешел на Леониду и на его мегеру-жену. Лионель говорит: «Покажи нам барашка». Марито уходит и входит в столовую, прижимая барашка к детскому сердцу. «Смотрите, смотрите, это его самый любимый барашек, — говорит Лионель, — а Норма устроила целый скандал, когда Марито его у нее взял поиграть и потом не отдал. Он спит с ним, кормит его, берет его с собой в путешествия. Барашек ему теперь друг. А Норма недоумевает и спрашивает по телефону: зачем Марито барашка украл? Ну разве так можно?»

15.00. От Лионеля пешком дошли до отеля. В номере Паула попросила бублик и его ест. У Лауры вывалился передний зуб, повис на тонкой ниточке-ткани. Полностью вырвать его она не дает. Очень боится. Бодро хватает прогулочную колясочку Паулы и возит ее по паркету. Автор «К.» срывается и кричит.

16.00. 17.00. 18.00. Записей нет. Вероятно, всех, включая автора «К.», свалил сон.

19.00. Автор «К.», Роберто, Лаура, Паула стоят в лобби отеля. Появляется Лионель. Ниточка, тянущаяся изо рта Лауры, только что порвана, и бедная девочка, из-за таких стремительных и неожиданных свершений во рту, теперь не уверена в завтрашнем дне.

20.00. После долгого блуждания по темным улицам и множественных потенциальных аварий, расползающихся по телу еще не произошедших событий, как рак, автор «К.» и К° взъезжают в гараж. Особняк во всей своей роскоши. Охранники похожи на статуй. Статуи — но без униформ — тоже присутствуют здесь. Блуждания в темноте объясняются тем, что Лионель забыл, где живет его брат. Ища дом Леониды, все порывался пересечь какой-то поребрик. Шины чуть ли не лопались, наехавшее на тротуар днище трещало. Лионель оправдывался: дождь, темно, не видно ни зги. Роберто потом шепнул автору «К.», что скрестил не только пальцы, а все, что у него только было, только бы пронесло.

21.00. Просторный типовой ресторан, находящийся на втором этаже в роскошном, приспособленном для всего доме Леониды. Паула пускает слюну и делает *raspberries*. Лаура с умоляющим выражением на голодном, с тенями, бледном лице говорит «няма-няма» и периодически запихивает палец в свой рот. Леонида вертит в пожилых, пощупавших многих женщин руках бутылку «Мальбека». «Самое знаменитое наше вино». Лионель, чьи руки всегда предпочитали осторожные чеки, расписки и договора вместо разнузданных женщин, пьет воду, остальные — вино, кроме, конечно, детей. Разливается по бокалам аргентинский «Мальбек», раздается над столом итальянский язык. Роберто переводит для автора «К.» на английский: Леонида скоро снова поедет в Европу. Он боится ездить по левой стороне дороги после одного случая, произошедшего пятьдесят лет назад. Он летел на самолете на Ямайку, и рядом с ним был другой пассажир, мотоциклист, рассказывающий Леониде о своем двухколесном коне. Леонида долетел, покинул аэропорт, взял такси и поехал в отель. На дороге было какое-то месиво: машины, мигалки — и... лежащий на дороге мертвый мотоциклист. Он ошибся и поехал по правой полосе, в то время как на Ямайке ездить надо по левой. Роберто говорит, что он был в 2006 году в Новой Зеландии и тоже поехал по неправильной стороне и ничего не случилось. Он жив. А в Испании он, изучая генеалогию, сначала разыскал в книгах, а потом встретил родственников по фамилии Бонанза. Фамилия его мамы — Бонансеа, а этих людей — Бонанза, и когда они встретились в небольшой испанской деревне, почувствовали себя друг другу сродни. «Испания», — вскрикивает Леонида и опрокидывает стакан с остатком «Мальбека». Теперь я понимаю, почему имел дежавю в 1974 году. Мы ехали с женой на поезде, и в окне я увидел мельницу, которая мне показалась знакомой. Колеса стучали. Я все вспоминал. Сказал Норме: «А дальше появится водокачка». Она в тревоге сжала мой локоть. Мы смотрели в окно. Поезд проехал через полустанок, и мы увидели водокачку. Затем я сказал: «А вот там должна быть такая небольшая калитка». И там была эта красная калитка, и флюгер, и знакомый раскидистый дуб. На протяжении семи километров я описывал жене, что появится дальше. Это было в Испании. Ты говоришь, мы все родом из Испании. Я думаю, так все и есть.

22.00. Ужин еще не закончился. К столу подходит мужчина с растягивающим рубашку животом и говорит: «Ола!» До ужина он уже встретился в лифте и назвался албанцем. Во время ужина он долгим взглядом смотрел в нашу сторону из-за соседнего столика, в то время как автор «К.» кормил заскучавшую Паулу улетучивающимся молоком из груди. Живот и Мужик вместе уходят. Леонида говорит: «У него четырнадцать машин, и каждая стоит около триста тысяч долларов. Откуда у этого албанца такое богатство, не знаю. Еще тут занимает два этажа знаменитый футболист Месси». «Месси?» — Лионель недоверчиво спрашивает, и все замолкают.

23.00. После ужина Лионель стоит у балюстрады, и автор «К.», испугавшись, что он вдруг упадет, шепчет Роберто на ухо, чтобы тот за ним присмотрел. Роберто вглядывается в Лионеля и подходит к Леониде. «Посмотри, он в порядке?» Леонида едва успевает подойти к брату, как тому становится плохо. Его долго рвет. Леонида без промедления вызывает врачей. Лионелю уже восемьдесят два, больше всего он хочет полететь в Игуасу. Автор «К.» тоже этого хочет. Если Лионель сейчас умрет, что тогда будет? В каком составе они полетят в Игуасу? Со старым человеком все что угодно может случиться. Или, может быть, все дело в том, что Лионель сделал себе до обеда противодиабетный укол? Больше всего автору «К.» сейчас хочется оказаться у водопадов, подальше от страха смерти и рвоты. Роберто подходит к автору «К.» и говорит, что за услуги Леонида платит две с половиной тысячи долларов в месяц. Лионель, превратившись в пергамент, плоский и бледный, без пульса, без сил садится на стоящий в углу роскошного вестибюля красный диван. Ему уже вызвали «Скорую». Младший брат меряет ему пульс. Приходит мужчина в резиновых, армейского типа ботинках, непростым аппаратом проверяет сердце просто ослабшего старика. Лионеля рвет еще два раза. Автор «К.» думает, что наконец-то удача! Супермомент, черт его побери! Основное событие книги! Столько времени ничего не случалось на пике часа — то еда, то сон в черном кожаном кресле, то пересчитывание, кто сколько съел пирожков, то передвижения из аэропорта в отель, — а теперь сразу и «Скорая», и сердце, и аргентинские нравы. Леонида широким жестом сует деньги армейцу. Сует деньги уборщице. Оглядывается, кому бы еще сунуть деньги, но больше никого не находит. Уборщица затирает следы. Лионеля спускают на первый этаж.

24.00. Потрясенный своей «звездной» записью, автор «К.» едет домой. За рулем машины Лионеля — Роберто, рядом с ним — жена Леониды Норма. Роберто говорит, что он завезет автора «К.» и Лауру с Паулой в отель, чтобы спать, а сам отправится в госпиталь к Лионелю. Норма говорит: «Он думает, что он может лететь в Игуасу в таком возрасте, что с ним все в порядке, но он совсем не может лететь. В любой момент он может скончаться». Автор «К.» думает, что, если Лионель вдруг умрет и они не полетят в Игуасу, оставшись на похороны, ее текст будет не так интересен. Сплошные разговоры родственников на седьмом киселе, албанцы с мутными взглядами и муторными животами и отельная, обеденная, обыденная скукота.

01.00. Автор «К.», уложив Лауру с Паулой, сидит в туалете отеля «Альпино» с компьютером на руках, перенося в нетбук все, что произошло за день, из кожаной, сделанной в России адресной книжки.

02.00. По-прежнему перенося все из кожаной книжки с золотыми уголками в нетбук, сидя у входной двери при слабом свете крохотной ванной.

18 августа

10.00. — Автор «К.» достает одежду из чемодана, чтобы идти завтракать вниз. Завтрак дают только до половины одиннадцатого, а в одиннадцать в отель приедет жена Леониды.

11.00. Автор «К.» сидит в лобби отеля с двумя автокреслами и прогулочной коляской для Паулы. Лаура читает книгу о щенках, которую ей подарила бабуля. На улице перед отелем никого нет. Но Норма ведь сказала вчера: заедем за вами в одиннадцать. Уже одиннадцать двадцать два, и, в соответствии с правилами, записывать на пике этого часа больше не нужно. Но тут четыре элегантные леди преклонных лет, все как на подбор в шляпках, сапогах и длинных плащах, одна за другой входят в вестибюль *Alpino Hotel*. К ним присоединяются еще двое в облаке парфюмерии и лысый мужчина. Элегантные, привлекающие размноженный вчетверо интерес автора «К.» парфюмные леди сидят в глубине холла и смотрят одна на другую, а на стене висит никому не нужный телевизор с мельтешащими футболистами.

12.00. За нами приехал Леонида. Он сказал, что Лионель уже дома. Живой. Иначе история получилась бы непреднамеренно интересной, если бы он умер, и вместо веселого, волшебного водопада мы оказались бы у грустного, грубого гроба. Тогда сразу же скучные поездки туда-сюда с двумя богатыми пожилыми людьми с множественными косметическими операциями на лице превратились бы в не менее скучную, но более драматичную суету с посещением похорон и решением, что делать с сыном Лионеля, маленьким Марио, которого все называют Марито. И что делать с барашком? Роберто и Леонида сидят на переднем сиденье и говорят о здоровье. Роберто сообщает, что Лионель собирался отправиться на собственном авто к Игуасу. Да какое авто, какое ему вообще авто, что за чушь, разводит руками Леонида, хотя на самом деле развести руками ему не дает руль.

13.00. Они высаживаются у японского садика. Леонида куда-то уходит и через пять минут приносит корм для рыб в коричневом бумажном пакетике. Лаура с Паулой, буквально слившись с решеткой, в своих одинаковых красных платьях и шапках с помпонами, кидают зелено-коричневые шарики в воду. Леонида говорит, что этот садик был подарен правительством Японии Аргентине. И неожиданно сообщает: «Это карп там плывет. Карп для японцев священен».

14.00. Ресторан *Sottovoce* на берегу какой-то ужасно знакомой реки. Очевидно, запомнившейся из предыдущей поездки в Буэнос-Айрес четыре года назад. Официанты и хлеб не спешат. Жена Леониды, как всегда, не торопится. Вдруг звонит телефон, и оказывается, что Норма почему-то приехала в совсем другой ресторан, и автор «К.» слышит, как Леонида тихим голосом по телефону ей говорит: *Sottovoce*. Это слово, кстати, в переводе с испанского как раз и значит «Тихий голос». Паула пьет воду из уже загрязненной по ободку «детской» рюмки, затем ее поднимает и громко произносит: «Чин-чин».

Пахнет затхлой водой. Леонида так проникновенно говорит об Италии, что хочется верить, что это не он оставил свою первую жену, певицу в провинциальном шантане, вокаличку с сонмом студентов, когда ей отрезали обе груди из-за рака. Что хочется верить ему, что со своей страстью покупать женщин и не помогать своим сыновьям от первого брака он может что-то любить. Леонида продолжает, что в Италии осталось его юное сердце: ведь он вынужден был ее покинуть, когда ему едва исполнилось двенадцать лет. Он так расстроен, что не сдержал данное отцу слово: не продавать дом. Он просит Роберто поговорить с владельцем этого дома. «Хочу купить». И продолжает, что Лионель в каждую свою поездку в Италию идет в их пенаты и под удивленным взглядом владельца открывает фрамугу, на которой папа отмечал их вечно меняющийся мальчишеский рост. Он спрашивает у автора «К.»: а твое сердце где? Наверно, в России? Автор «К.», переставая записывать, говорит: «И в России, и в Италии, и в Америке. Мое сердце везде. Везде, куда я могу взять с собой русский язык». Леонида возражает, утверждает, что сердце может быть лишь в одном месте. То есть там, где родился. Автор «К.» спорит с ним: «Нет, мое сердце везде». Официант доливает вина. Мимо как бы невзначай проплывает лодка с итальянским названием *Florence*. Лаура, устав от разговоров, залезает под стол.

15.00. Все еще в ресторане. Автор «К.» смотрит на реку. Там стоит так много лодок. Почти у всех — синий верх, белый низ.

16.00. Из ресторана никак не уйти, хотя вино давно выпито. Паула, насосавшись, спит на груди автора «К.» Автора «К.» клонит в сон. Сквозь сон автор «К.» слышит, как Норма рассказывает об их с Леонидой поездке в Испанию и как Леониду вдруг посетило странное дежавю. «Несколько миль он описывал мне все окрестности, за несколько минут до того, как они появлялись», — говорит Норма. «Такое странное дежавю». Автор «К.» понимает, что слышит этот рассказ во второй раз, и поэтому у нее тоже как бы сейчас дежавю. Ведь Леонида уже об этом рассказывал. Подумав так, автор «К.» снова валится в сон.

17.00. Сон в автомобиле, ведомом Леонидой. Сон, чья стрелка неумолимо указывает на кровать.

18.00. Сон в кровати отеля *Alpino Hotel*. Сон, сон сам по себе, на чистой белой кровати; сон, полный снов.

19.00. Сон, чья стрелка уже указывает на пробуждение, на поездку куда-то еще.

20.00. Автор «К.» сталкивает с себя куски толстого ватного сна, натаскивает на себя детали одежды. Руку — в узкий рукав, ногу — в носок, записную книжку — в карман. Уже столько дней автора «К.» записано там, а сама книжка хранится в кармане. В стране под названием Аргентина автор «К.» находится в кармане автора «К.».

21.00. Автор «К.» с антуражем подъезжает к затемненному ресторану. Этот хотя бы без очереди, как тот, предыдущий, в который заехали двадцать минут назад. Лаура с Паулой держат в руках красные пакеты, которые Норма преподнесла им утром с футболками. У Паулы пакет пустой, а у Лауры там лежит желтая книжка про собачек, которую ей подарила бабуля, бутылка с водой и футболка. Раздали меню.

22.00. Приносят еду. Спагетти с грибами и лососем и ригатони для Нормы. Еда просто ужасная. Никто не ест. Паула запускает руку в стакан и моет лицо. Идея о проживании каждой минуты в полную силу пришла к автору «К.» после того, как ей стукнуло сорок. Все-таки не молода, в любой момент все, что угодно, может случиться. Например, Моник Виттиг неожиданно умерла от сердечного приступа. Жак Кокто скончался от разрыва сердца, узнав о неожиданной смерти Эдит Пиаф. Автору «К.» исполнилось сорок в *Пьемонте*, где у нее есть летний дом; она пила вино и думала: этот-то год я проживу в полную силу! А вечером в белоснежной кровати с наволочками начала двадцатого века раскрыла свой «Киндл» и узнала, что Лидия Гинзбург тоже пыталась жить во всю прыть. Но постоянное чувство голода мешало в блокаду. А тут: бальзамический соус, банья кауда, ригатони. В блокаду Лидия Гинзбург ела жмых и варила ремни, в то же самое время творя прекрасные тексты, а тут не ремни, а ригатони с ризотто, а автор «К.» все равно бесплоден как летучая мышь. Кругом — красота, Город Бессмертного, Борхес, холодный ледник Перито Морено и горячие гаучо, а ведь все, что записывает автор «К.» в этой чудной стороне, — это как двухлетняя Паула опускает салфетку в стакан. Вытирает этой сочащейся водой бумажкой грязную моську. Автор «К.» пытается эту расползающуюся белую мокроту отобрать. Паула верещит, вырывает брызжущий мокрый комочек и снова опускает в стакан. Вода льется на стол, ей на грудь, на блокнот с записями автора «К.» Разъедает фразу «жить во всю прыть».

23.00. На переднем сиденье машины — Леонида с Нормой, сзади Роберто с Лаурой на коленях, Паула в своем детском креслице и автор «К.». Леонида сообщает, что за окном — знаменитый аэродром с отборными лошадьми. Паула фехтует ложкой, украденной из ресторана, кричит по-французски «Онгард». Леонида заезжает на улицу с односторонним движением, почти врезается в какой-то навстречу едущий автомобиль, пятится, кричит «мерде». Паула пытается петь.

00.00. Автор «К.» закачивает фотографии в комп. На них японский садик, Леонида, священный карп. Батарейки заканчиваются. Объектив так и остается торчащим, не убирается в тело фотоаппарата. Автор «К.» снимает с него заднюю крышку и долго и бесполезно трет батарейки о шерстяную рубашку. В воздухе висит густая аргентинская ночь.

01.00. Автор «К.» переносит дневные записи из записной кожаной книжки в компьютер. Останавливается на букве «Ц». После этого придется записывать в другой блокнот. Да, идея хорошая. Все другие райтеры могут ее теперь перенять. Поставить таймер и записывать все, что происходит в начале каждого часа. Задача: будь внимательным ко всему, что происходит с тобой. Мы живем в *эпоху тотального электронного эксгибиционизма*, создавая не литературу характеров и ситуаций, а литературу новых методов и идей. Эти мысли пришли к автору «К.» в 01.30, но она все равно решила их записать в параграфе, озаглавленном «01.00».

19 августа

11.00. Леонида в машине спрашивает, не собираемся ли мы в Уругвай. Роберто подкидывает монетку, чтобы решить. Автор «К.» почему-то чувствует, что, конечно, поедут. Монета падает решкой: Уругвай берет верх. «Кстати, смотреть там абсолютно нечего, — замечает Леонида, — не знаю, почему вам так туда захотелось». Роберто парирует: «А Лионель говорил, там все дышит историей». Когда Роберто поднимал с пола монетку, автор «К.» разглядывала молодца в зеленой футболке, на перекрестке подкидывающего на ноге два мяча, а потом кладущего их в рюкзак и достающего кегли. Но Роберто даже и не думает отдать ему эту «монетку судьбы». Из машины, остановившейся на перекрестке, высунулась чья-то рука, и жонглер получил свои деньги. Роберто купил билеты на всех в Уругвай.

12.00. Автор «К.» стоит перед пограничниками, чтобы пройти в Уругвай, верней, очутиться на пристани, откуда отходят баржи в городок в Уругвае под названием Колония. Роберто, автор «К.», Лаура оставляют отпечаток большого пальца в зеленом окошке, двухлетняя Паула тоже тянется за другими, но ее детский палец не нужен. Пройдя по трапу, пассажиры оказываются в вестибюле огромной баржи «Сильвия Ана».

13.00. По-прежнему на барже, за окном — большая река. Паула набегалась по коридорам и теперь сидит на подоконнике, смотрит в окно баржи, похожее на огромную капсулу. Лаура сидит под столом, открыв все три откидных столика, находящихся рядом друг с другом, и объявив получившееся пространство «секретным садиком».

14.00. Паула с Лаурой отнимают друг у друга бутылку с водой. В порту. Роберто поменял деньги. Он показывает всем толстую, рассыпающуюся, мятую пачку банкнот: «Можно подумать, тут целое состояние, а на самом деле всего двадцать баксов».

15.00. В туристском автобусе. Автор «К.» и К° проезжают дворец, где проходили бои быков. «Здание в мурском, арабском, стиле, — объясняет Роберто. — Там проводились корриды». Паула поет, а потом начинает что-то кричать.

16.00. Маленькая колониальная улица. Заведение под названием «Лаура». Потому что это ее имя, Лаура хочет туда зайти. Автор «К.» просит вегетарианский бургер, грибы с булгуром, бургер с морковью и просто овощи. Лаура заказывает пиццу «Маргерита». Роберто заказывает так называемые спагетти палермо: пасту с мятой, помидорами, чесноком. А Маргерита — это владелица ресторана. Автор «К.» говорит дочери: «Опять Маргериту заказала, ты так всю меня съешь».

17.00. Маргерита приносит счет, в котором написано: шестьдесят долларов. Еда задним числом становится очень невкусной. Паула вся обсыпана сыром, у Лауры футболка покрыта красными каплями кетчупа — как будто кровь.

18.00. Булыжная мостовая Колонии. Последний гид ушел в пять, и нам приходится идти одним. Видим карету с надписью *Sacramento*. Приближаемся к месту, обозначенному на карте как «примечательность номер 7». Никто не знает, чем же оно так знаменито. На карте рядом с семеркой написано: «*La Casa de Cayetana aranda. Antiques.*»

19.00. С коляской продвигаемся по направлению к порту. Темно, фонари не горят. Навстречу идет пожилая женщина, в лыжной шапке, в очках, с двумя собачками, в полумраке ничем не отличающимися от теней.

20.00. В ожидании лодки. Наконец она приплывает, и на пристань сходят приехавшие из Уругвая. Ставят сумки на резиновый конвейер, чтобы просветили. Сумки, сумки, кажется, что меркантильные челноки-путешественники забрали с собой весь Уругвай.

21.00. Наконец на борту. Лаура дует в соломинку — маме на руку. Вот холодный воздух, а вот горячий, она говорит. Бутерброд с курицей и зелеными, уже на последнем издыхании листьями съеден. Беременная с примерно пятимесячным животом кидает монеты и пытается захватить железными щипцами шею желтого поросенка в игрушечном автомате. Как будто вытаскивает из чрева застрявшего малыша. Поросенок срывается. Беременная бросает еще три монеты, но безрезультатно. Она улыбается и кидает нам на ходу: «Здесь просто не выиграть». За нами сидит пара, он и она. Он поглаживает ее по плоскому животу. Может быть, там тоже прячется еще не видимый «поросенок»? Затем они держатся за руки. Беременная снова приходит, но желтый поросенок ей так и не дается. Шесть, девять, двенадцать монет.

22.00. Такси. Автор «К.» держит Паулу за ногу, чтобы не вылетела, потому что детского сиденьица у нее нет. Невозможно записывать между Лаурой-с-Паулой и двумя сумками, стоящими, прыгающими, дергающимися на сиденье. Машина подъезжает к отелю. Таксист просит десять долларов. «А на путешествие в Уругвай ушло около пятиста долларов, с ума можно сойти», — сказал Роберто.

23.00. В отеле автор «К.» стирает свою полиэстровую желтую тениску «Редингтон», красное детское платьице «Джимбори», серые колготочки Паулы. Кто-то проскользает под раковиной и обнимает за ногу автора «К.». Это рыжеватая Паула. Лаура тем временем изучает биде.

24.00. Автор «К.» ищет адаптер, чтобы работающий на батарейках лэптоп окончательно не потух.

20 августа

11.00. Автор «К.» вырывается из ванной с криками: «Расческу, расческу». Роберто делает страшные глаза: оказывается, автор «К.» ором мешает телефонному разговору. Лионель принял решение: он полетит в Игуасу. Лаура и Роберто полуодеты. Паула нацепила панамку. Больше на ней ничего нет.

12.00. Дома у Лионеля. Автор «К.» держит подаренную Марито видеокамеру. Растерянная молодая прислуга, в майке, с высокой маленькой грудью, стоит с проводами в руках. Наверное, решила, что провод нужен, чтобы соединить фотоаппарат с электричеством. На лице написана тупость. Роберто достает из рюкзака батарейки и показывает, как подсоединить камеру к видео. На видео появляются только что снятые персонажи: тяжеловатая мать жены Лионеля; прислуга; довольный, немного меланхоличный Марито; Лаура, Паула, набегающая своим веселым полосатым костюмчиком на объектив.

13.00. Автор «К.» дает грудь проголодавшейся Пауле. Тяжеловатая мать жены Лионеля сидит молча, но поднимает мяч, упавший из руки сосредоточившейся на сосании Паулы. Подает. Жена Лионеля, Ирма, подходит и произносит «ням-ням», отвлекая Паулу от соска. Автор «К.» ей улыбается, опасаясь, что Паула от этого чужого энтузиазма перестанет сосать. «Ням-ням», — энергично ворочая челюстями, не перестает гримасничать Ирма. Не знающие английского сидят без единого слова.

14.00. Усевшиеся за стол едят эмпанаду, плоские — с курицей и овальные — пирожки с мясом. Лионель говорит о своем деде Энрико. Как в Мендозе затопило его аптеку, так что он решил перебраться в Кордобу. В 1899 году в Кордобе произошла революция, и его аптеку сожгли. Но правительство ему возместило потери, и он решил заняться виноградарством. Пригласил сына фермера из Италии с условием, что тот на него будет работать и помогать сажать виноград. Но сын фермера так напугался глухих земель и индейцев, что им вдвоем пришлось покинуть эти дикие земли и снова заняться аптекой. Энрико предложили двадцать гектаров земли, чтобы он продолжал работать в аптеке в какой-то бездокторной далекой провинции, но он вылечил руку вождю индейского племени, и тот дал ему двадцать тысяч песо, что в то время были огромные деньги, и опять переехал в Мендозу. Правда, отказался от этих двадцати гектаров через десять лет. К тому времени у него умерли в Италии и мать, и жена, и Энрико выписал в Аргентину из Турина своих двоих сыновей.

15.00. Автор «К.» просыпается в почти горизонтальном черном кожаном кресле. Едем в музей. Лионель говорит, что жена его брата Леониды хотела захватить все его состояние и поэтому препятствовала женитьбе Лионеля на Ирме. Ну вот же он наконец: Музей мадам Фаттабарт! Автор «К.» еле-еле открывает глаза, отрывает от груди Паулу. Опять хочется спать.

16.00. Кафе музея, кофе все не приносят. «Это аргентинская бюрократия», — замечает Роберто. Паула лезет в плошку с бумажными пакетиками с сахаром, их у нее отнимают, она заполошно кричит. Молодой официант, сжалобившись и умилившись, дает ей пакетики с чаем. Играет громкая музыка. Паула перебирает пакетики. На официанте длинный черный передник, как юбка. Паула сошвыривает со стула на пол подушку. Роберто говорит: «Положишь ее обратно на стул — получишь еду». Декорации, пакетики с сахаром, с чаем, подушка на полу, на краю стола, на стуле так быстро сменяются, что автор «К.» даже не успевает рассмотреть проспект коллекции Фаттабарт.

17.00. Музей. Картины Тюрнета. Египтяне, много воды. «Вот это акварель Катаратты, куда мы поедем, — объясняет Роберто, — там будет много воды». В музее почти никого нет. Охранники просят не бегать. Паула истошно кричит, и ее пристегивают ремнями в «прогулке». Она бьется головой о коляску и стену, так как «прогулка» приставлена прямо к стене. Затем все-таки высвобождается из коляски, бежит. Лаура ловит ее. Паула снова кричит. Ведь она хочет ходить, не хочет ехать в коляске! Автор «К.» и К° уходят от нее через весь зал; Паула, испугавшись, бежит вслед за мамой-папой-кузиной.

18.00. Автор «К.» закрывается в туалете. Ах, эти обнаженные натурщицы Родена в музее! Простые карандашные наброски, а надо же, воображение разыгралось. Художнику всего девятнадцать, а он уже рисует обнаженную натуру как мастер. Нет, это уже вспоминается другой, не Роден. Много художников, и все они специализируются на полностью обнаженных. Вот куда уходит все творчество, весь порыв и позыв. Другой, более современный инсталлятор — Антонио Бенни — специализируется на утопленницах в трехмерном объеме. К груди лежащей утопленницы прикреплена кукла-младенец. Приклеена прямо к груди, а внизу стоят трехмерные свечи, детский башмак, гитара, лежат старые шины, а также фото утопленницы, когда она еще не утопла. Обнаженные XIX века, двадцатого века, двадцать первого века. Искусство по нарастающей! О! О! В дверь стучат. Кому-то срочно нужно попасть в туалет.

19.00. В семь тридцать за автором «К.» и K° заедет Леонида, чтобы поехать обедать. Автор «К.» опять сидит в туалете и в тех же четырех стенах, где раньше снималось сексуальное напряжение, описывает, как проходит процесс укладывания рюкзаков.

20.00. Леонида рассказывает, как его стукнули по голове в банке два года назад, когда он выходил оттуда с двумя тысячами долларов. Парень выхватил у него конвертик с деньгами и запрыгнул за спину сообщника на мотоцикл, который сразу тронулся с места. «Кстати, я всем своим женщинам бизнесы сделал, — хвастает Леонида, — одна работает в диагностическом центре, другая продает сумки в своем дизайнерском магазине, а я плачу за аренду площади две с половиной тысячи долларов в месяц, сам же магазин еле-еле скрипит, ну сумку она одну продаст в три месяца, вот и все; жена же владеет парковкой и каждую ночь ездит туда за деньгами». Автор «К.» молча записывает достижения успешного, вечно спешащего аргентинского мачо; автор «К.», несмотря на свои словесные достижения, бедна как церковная мышь.

21.00. В ресторане *La Raya*. Леонида заказывает салат оливье. Паула с грохотом роняет стул. Роберто рассказывает, как в первый раз оказался много лет назад в Южной Америке, когда пациентка его отца оставила любимому доктору все наследство. Паула бегает вокруг стола, пытается стянуть скатерть и кричит «Мама, дай». На коленях у мамы хватает кусочек свеклы и морщится. Хватает кружочек пальмы, съедает. Хватает оливку и откладывает на потом.

22.00. Леонида подвозит к отелю и говорит: «Желаю хорошо провести несколько дней в Игуасу!»

23.00. В туалете отеля автор «К.» переносит записи из бумажного блокнота в компьютер.

21 августа

07.00. Душ до 07.10. Остальные все спят.

08.00. Таксист по фамилии Кукуруза (Маис) говорит «пятьдесят песо», когда на самом деле должно быть всего тридцать пять. Он стучит по счетчику рукой; на стекле — плюшевые кубики и изображение Иисуса Христа. До этого двое отказались вести: слишком много колясок, сумок, детей и вещей. На счетчике 33.60.

09.00. В аэропорту встретили Лионеля в длинных штанах, на которые он наступает. Он еле идет, но жаждет путешествий. Миловидный Марито держит завернутого в футболку барашка. Автобусы подвозят пассажиров к самому трапу, и пассажиры заходят кто в хвост, а кто в нос. Автор «К.» заходит в нос, а места их оказываются у хвоста. Ну что ж, приходится проталкиваться сквозь салон. Лионель ползет еле-еле.

10.00. У Лауры лопается в руках стакан, и она оказывается покрыта яблочным соком с головы и до ног, с голубой блузки до джинсовой юбки. Роберто говорит, что сегодня мы подъедем к водопаду со стороны бразильской границы.

11.00. Самолет опускается вниз. Сплошная зелень вокруг.

12.00. Отель. Жара. Носильщики носят багаж. На террасе — плетеные лежаки.

13.00. Лаура не хочет апельсин, только мандарин. Автор «К.» говорит: «Скушай, пожалуйста, апельсин. Больше ничего нет». «Я мандарин хочу», — орет Лаура. «Хватит уже, хватит надо мной издеваться!» — кричит автор «К.». Лаура тоже кричит.

14.00. На границе с Бразилией проводник Горацио, в зеленых «найках» и спортивных шортах с множеством карманов и кнопок, берет паспорта и уходит в административное здание.

15.00. В национальном парке вымыли из шланга Паулу, в комнате для матери и детей. Затем говорящий по-испански гид подвел группу к карте с нарисованным водопадом.

16.00. Лионелю становится плохо, и один из гидов уводит его к автобусу. Завтра автор «К.» с детьми и Роберто попробуют подплыть на лодке к самому подножию водопада; Лионель бы тоже хотел, но его не пускают доктора и молодая жена.

17.00. Наконец и сам водопад. Лаура прыгает и благодарит за то, что ее туда привезли. Лионель сидит сгорбившись.

18.00. Открываем дверь автобуса, несколько метров, и мы опять в Аргентине.

19.00. Бассейн. Узнав, что он тут есть, Лаура прыгает от удовольствия, но, когда мы приходим туда, оказывается, что он закрыт после семи. Лаура плачет.

20.00. Падаем на кровать.

21.00. Ужин в буфете отеля. Привезенная в «прогулке» спящая Паула открывает один глаз, оглядывает обильный стол и затем снова валится в сон, отворачиваясь от еды.

22.00. Передача по телевизору про гаучо и *San De Muertos*, про то, как местные племена празднуют День Мертвецов. «Почему во всех культурах есть праздник Смерти»? — дивится Роберто. «Они пытаются весельем подавить страх», — отвечает автор «К.» и сама верит в серьезность своего голоса. Пока ей не страшно.

23.00. Пока она просто подсоединяется к Интернету.

24.00. Переносит события дня из блокнота в компьютер; вспоминает, как сегодня, находясь вблизи водопада, думала, что новый «Клок» надо бы снова завести лет через сорок, когда ей исполнится восемьдесят. И сорокалетний и восьмидесятилетний «Клоки» — сравнить.

22 августа

08.00. Чем больше событий происходит, тем меньше времени записывать, и наоборот. Съели завтрак. Лионель за столом с семьей — серьезен и сосредоточен.

09.00. Автобус, Игуасу, приехали в парк. Лионель — в инвалидной коляске. Марито держит в руках подаренную видеокамеру. Роберто шепчет автору «К.», что голова его работает просто прекрасно, а вот тело значительно отстает. Когда они идут через джунгли, Роберто роняет: «Вот здесь мой прадедушка шел и прорубал дорогу мачете».

10.00. На поезде с итальянцем, который в разговоре с Роберто узнает, что в их группе есть русские, парагвайка, итальянцы и аргентинцы. Итальянец говорит что-то по-русски и объясняет, что он когда-то изучал русский в Милане. В туалете написано: «*What count in life is not how many breaths you take, but how many moments take your breath away*». То есть: «Самое важное в жизни — это не сколько раз тебе удалось выдохнуть и вдохнуть, а сколько великолепных моментов захватило дыхание».

11.00. Река. Железный мостик, перекинутый через нее. На мостике встречаются идущие в противоположные стороны, орошенные водопадом или ожиданием водопада толпы туристов.

12.00. Водопад Боссети. Именно его открыл со своим другом прадед Роберто.

13.00. Какая-то забегаловка. Несъедобное мясо.

14.00. Шум деревьев. В джунглях на тракторе кормление грудью.

15.00. Лодка, подплывание к самому основанию водопада, с непромокаемым, с завязанным горлом мешком в руках. Смена одежды Паулы у водопада.

16.00. В автобусе, мокрые, переодетые, готовые ехать.

17.00. Дома. Паула беспокойна, не хочет спать.

18.00. Рядом с бассейном.

19.00. Стирка одежды. Вода из раковины переливается на пол. Развешивание одежды на железной трубке, предназначенной для душевых штор.

20.00. Ресторан. Паула то кричит, то падает в сон. Много дольче де лече.

21.00. Ожидание в коридоре: Паула заходит к Марито в соседнюю комнату с бутылкой, закручивает пробку, выходит опять.

22.00. Автор «К.» узнает, что в феврале одна такая лодка перевернулась, подъехав слишком близко к основанию водопада, и несколько человек, включая прошедшую через Ирак и Афганистан женщину-офицера, погибли. Она как раз с женихом готовилась к свадьбе. Как всегда, трагедия за стеклом. Трагедия за прозрачной шторой воды.

23 августа

09.00. Опять в ресторане. Опять миловидный Марито с не менее миловидным барашком. Лионель рассказывает, что дочь Леониды, которая продает одну дизайнерскую сумку за шесть месяцев и которой отец оплачивает аренду помещения для магазина, подвержена наркомании. Что его сын от первого брака уехал в Японию, стал бодибилдером, но не ест мяса, родил двух японских детей, но не любит растолстевшую после родов «корову-жену» и живет со стриптизершей младше его на двадцать пять лет, делает сайты для бизнесов, пока стриптизерша лазает раздетая по столбам и, по его словам, преуспевает, но попросил у Лионеля, которого не видел больше двадцати лет, миллион долларов, но Лионель, не встречавшийся с сыном более двадцати лет, даже и не думает писать ответ на письмо о деньгах. Автор «К.» замечает, что люди охотнее раскрывают двери перед ребенком с барашком.

10.00. Автор «К.» и Кº пакуют вещи: еще мокрые от стирки — отдельно, сухие и грязные — в другой мешок. Сухие чистые — в третий.

11.00. Перед отлетом — отельный бассейн; беспроводной Интернет, экран в солнечных бликах. Автор «К.» оставляет ноутбук на деревянной скамейке и идет в сад. Там такой ветер. Тропические деревья шумят.

12.00. Лаура и Паула управляются в бассейне с поролоновой палкой. Автор «К.» и Роберто играют в пинг-понг. Шарик падает, укатывается, пробегает несколько луж сразу, оказывается рядом с другой парой, играющей в настольный футбол. Они охотно его поднимают, легко и ласково кидают в воздух по направлению к автору «К.». Автор «К.» все-таки ловит, схватывает, боясь не поймать. Роберто сообщает, что последний раз играл в пинг-понг со своим отцом в Италии двадцать пять лет назад. Отец его год как в земле. Америки он никогда не любил, но живущий в США сын втайне от других положил серебряный американский доллар в карман его последнего пиджака. Теперь эта американская монета лежит в итальянской могиле вместе с отцом.

13.00. Автобус идет в аэропорт. Ирма показывает за окном манговые деревья. Лаура говорит, что ей больше всего понравился этот отель с лежанками, бассейном и тропиками. «Нет, не отель, — уточняет она, — завтрак в отеле и в лодке. — Потом обращается к автору «К.»: — А теперь спроси, что понравилось остальным и обязательно запиши».

14.00. Отдали вещи в багаж, выложив спички с символом недавно посещенного аргентинского ресторана. На сиденье в зале ожидания — оставленные кем-то в баночке с мутным рассолом недоеденные белые палочки пальм. Сердцевинки на стуле, в мутной, совсем не водопадной воде. Оказывается, что в Буэнос-Айресе сейчас забастовка и самолет опоздает на тридцать минут.

15.00. Воротики, «рамки» в аэропорту. В прозрачном колпаке лежат конфискованные у людей ножницы. Множество ножниц: как будто арт-инсталляция. Лаура берет пластмассовое кольцо от бутылки с водой, говорит: «Я профессор Лаура Раццо», прикладывая его к глазу будто лорнет.

16.00. Самолет задерживается. Ну вот наконец-то посадка. С детьми разрешают пройти впереди всех.

17.00. В самолете Паула вцепилась в грудь и так и летит всю дорогу. Остальные члены семьи, пока она спит, съедают все выданные бортпроводницей шоколадные *куки*, чтобы Паула, проснувшись, их не захотела и не измазалась.

18.00. Начинается снижение самолета, у Паулы красная щека (отлежала), она до сих пор спит.

19.00. Самолет приземляется. Лаура запрыгивает на тележку с пластмассовым чемоданом; уже сидящая на чемодане Паула пытается ее оттолкнуть. К ним подходят какие-то местные дети и что-то говорят на испанском.

20.00. Из отеля Роберто звонит Лионелю; Лионель дома, но вместе с ним доктор, опять вызвавший ему «Скорую». Роберто заканчивает разговор с Лионелем и звонит Леониде, оставляя ему сообщение на автоответчике, что брату опять стало плохо и тот едет в госпиталь. В 20.30 Лаура со следящей за этой возней Паулой помогает автору «К.» разобраться с биде. Фонтанчик с силой бьет вверх, орошая веселых детей.

21.00. Голод приводит путешественников в китайский вегетарианский буфет; 58 песо за человека, дети — 24 песо. Паула не протестует против зеленых бобов, а Лаура — против пиццы и помидоров. Паула говорит «чин-чин» и чокается с Роберто, Лаурой, автором «К.». Лаура сообщает, что она уже большая и вместо пластмассового просит стеклянный, «настоящий» стакан. Тогда автор «К.» дает ей свой стеклянный стакан, а себе берет пластмассовый и вновь становится девочкой.

22.00. Автор «К.» находит на книжных полках отеля книжку с названием «Сидячий бык», про индейцев. Остальные куда-то ушли. Автор «К.» сидит с книгой на лестнице, потому что не знает, в какой номер зайти.

23.00. Продолжает просматривать картинки с индейцами, парадными портретами белых завоевателей, лошадьми.

24 августа

10.00. Вода перелилась через край, так как в раковине с незавернутым краном были оставлены вещи для стирки, и они собой заткнули слив. Вода через край стекает в дырки в полу. Это, наверное, главное событие дня. Второе событие: Лионель сказал, что вчера опять был в госпитале с больной ногой. Проблем не нашли, но присоединиться к Роберто и автору «К.» он сегодня не сможет. Леонида обещал позвонить в 10, но не звонит.

11.00. Леонида не звонит. «А ведь мог бы куда-нибудь позвать, но не зовет», — это произносит всегда охочий до бесплатных обедов Роберто. Паула из предоставленного отелем манежика тянется к телефону и снимает телефонную трубку. Роберто чертыхается и говорит: «Ну вот, и трубка была не повешена, может быть, он и звонил». Наконец Роберто не выдерживает и звонит Леониде сам. В предвкушении бесплатного ужина... Но на том конце провода — тишина.

12.00. Автор «К.» и Кⁿ поднимаются к Лионелю. Никто не открывает. Бесполезно стучать. Вахтер говорит, что несколько раз видел «Скорую» у подъезда. «Неужели опять», — говорит Роберто без раздражения. Они стучат, звонят, шумят снова. Дверь открывает прислуга. Оказывается, Лионель с женой были в ванной. Роберто звонит Леониде в надежде на бесплатный обед, пытаясь узнать программу дня. Телефон младшего брата Лионеля молчит. Роберто шепчет автору «К.»: «Не хотелось самим-то платить» — и обменивает доллары на песо. Роберто считает доллары. Лионель считает песо. Обмениваются. Роберто не глядя сует песо в карман. Лионель складывает аккуратной стопочкой доллары, снова считает.

13.00. В магазине под названием «Карфур» — борьба за йогурты и шоколадные штучки. Так холодно, что через парк Лаура и Паула бегут, а не идут. Дует ветер.

14.00. Национальный музей. Картина Дега, на которой изображены танцоры с розами, следующие за нагой девушкой... фамилия то ли девушки, то ли художника неразборчива. Год написания:1898. Годы жизни художника, из блокнота уже непонятно, Дега или не Дега: 1834 — 1917.

14.30. Desperate, horrible, heatbroken, terrified, lost. Связка жалостных прилагательных. Это дети с учительницей учат английский язык. Перед ней плакат со словами, которые они повторяют за ней. Они сидят на полу, в одинаковых блейзерах, сгрудились в кучу. На картине родители держат мертвого на руках. Это очень трагично, и дети понимают, что ни смеяться, ни переговариваться друг с другом нельзя. Автор «К.» подходит и записывает название прежде незнакомой картины. Louis Ernest Barrias. Los primeros funerals. Умерший ребенок такой большой, что, возможно, это даже не ребенок, а чей-то брат.

15.00. У картины Emile Jean Horace Vernet, годы жизни и смерти: 1789—1863. Название: Soldado arabe herido. На лошади скачет солдат. На крупе кровь. То ли лошадь, то ли сам солдат ранен. Лаура, не обращая внимания на сюжет, засовывает палец в рот и показывает, насколько она голодна. Повышает голос, кричит «ням-ням». На нее шикают родители, оглядываются служители музея. Паула тем временем спит.

16.00. Пока Роберто фотографирует дерево с длинными корнями, как ведьмы в Дисни-мультфильме, автор «К.» рассматривает сумки и шахматную доску из кожи на витрине магазина «Гермес». Роберто просит автора «К.» встать рядом с указателем «Адольфо Бьо Касарес» и делает снимок. Автору «К.» кажется, что он произносит «кипарис», но нет, это «Касарес». Это название улицы в Буэнос-Айресе, где жил этот писатель, сравнимый лишь с Борхесом.

17.00. В кафе автор «К.» приобретает банку *dolce de lece*. Паула разливает воду и рассыпает по полу множественные пакетики с сахаром.

18.00. В такси Роберто говорит: «Послушай, как поют тормоза, случись что — а мы не пристегнуты... куда же он подевал все ремни?»

Паула вырывается, из носа у нее что-то торчит, но при попытке это достать она закрывает свой нос руками и верещит.

19.00. Сборы, чтобы отправиться к Лионелю; Паула сама вычищает свой нос.

20.00. Ресторан с пиццей с кучей народа. Автор «К.» проверяет, не оборвана ли пуговица на кофте у Лауры. Пуговицы действительно нет. Автор «К.» спрашивает у Лионеля имя ягненка. Лионель отвечает, что это просто ягненок, и затем добавляет какое-то непонятное испанское слово.

21.00. На столе появляется толстая пицца, толщиной в палец, плотно укутанная слоями жирного сыра. Она вызывает у всех отвращение, но Лионель говорит, что владелец ресторана — крестный отец Марито и поэтому еда будет бесплатна. Брат Лионеля вдруг вспоминает, что в шестидесятых годах богатая перуанка намеревалась «на нем пожениться». «У нее было восемнадцать слуг». — Он говорит горделиво. Паула сосет грудь. Марито с Лаурой прячут по очереди барашка без имени, Марито — под свитером на животе мамы, Лаура — за спиной мамы, кормящей грудью полузаснувшую Паулу.

22.00. В такси почему-то недовольная полусонная Паула кусает Роберто сквозь куртку, головой ударяется в висящие на его шее очки от солнца или от дали, а может быть, и от близи, затем в отчаянии хватает автора «К.» за лицо.

25 августа

10.00. Душ и сборы. Голая Паула съела клубнику и надела панамку.

11.00. Отнесли чемоданы к Лионелю; у Марито в гостях была какая-то девочка, и они стали перекидывать друг другу мяч. Паула схватила еще один мяч и расстроилась, увидев, что он почти сдулся.

12.00. Все еще дома у Лионеля. Паула зачарована любыми мячами, кривит лицо, когда видит бесформенность, желает упругость. Перебирает разноцветные, линялые, полные, полые, с дырками, без. Ей приносят накидку из марли, и она ест из стаканчика йогурт, не выпуская мяча. Одновременно показывает пальцем на верхнюю полку в шкафу, где лежат еще два мяча. Лаура спрашивает имя у девочки, пришедшей в гости к Марито, не разбирает ответа (недоумение на лице), но продолжает играть. Марито гладит барашка. Роберто и Лионель закачивают в компьютер фотографии путешествий.

13.00. На рынке. Стулья, открытки, фарфор, тарелки с щербинками, пластинки в рваных конвертах. Роберто присматривается к набору гирек в деревянной коробке.

14.00. После рынка — мясной ресторан с Лионелем; оказывается, что они уже ели тут в их прошлый приезд пять лет назад. Или просто все мясные рестораны в Аргентине похожи.

15.00. Выясняется, что в интересный детям парк под названием «Техниколор» не успеть. Вместо этого все едут к мороженщику.

16.00. Мороженщику около восьмидесяти, но он выглядит бизнесменом: в свитере с треугольным вырезом, с некоей расслабленностью и складыванием рук на животе — по отношению к гостям, но строгостью — в ответ на вопросы работающих у него официантов, приносящих ложки, воду в стаканах, салфетки, тарелки. Паула скачет по лестнице вверх-вниз, вверх-вниз, а автор «К.» страхует проемы между перил.

17.00. Дома у Лионеля.

18.00. Приезжает брат Лионеля и помогает загрузить Лауру, Паулу, Роберто, автора «К.» и многочисленные сумки в машину. Брат Лионеля говорит, что сердце его жены навсегда осталось в Италии.

19.00. В аэропорту автор «К.» узнает, что все рейсы до Майами отменены (ураган), и лететь надо только на следующий день через Даллас.

20.00. Роберто пытается дозвониться до своих аргентинских кузенов. Наконец трубку берет Лионель, выслушивает то, что сообщает Роберто, и, не вешая трубки, пытается позвонить в телефонную справочную и узнать, где им можно остановиться. Роберто говорит ему, что на линии по-прежнему он, а не отель; Лионель извиняется и вешает трубку. Автор «К.» просит Роберто подержать Паулу, тот сосредоточен на дозвонах в отели. Автор «К.» кричит ему, что он мерзкий гад. Нервы ни к черту.

21.00. Автор «К.» и Роберто решают возвращаться в их старый отель под названием «Альпино». Песо уже все истрачены, наличных нет, только кредитные карточки, мелочь съедена звонками в отели, все время прерывается связь.

22.00. По пути к выходу они замечают киоск гостиницы *Holiday Inn*. Оказывается, этот отель располагается совсем рядом с аэропортом, и таксист с серьгами в ушах их отвозит туда. По пути он говорит, что любит русскую культуру и русских людей.

23.00. Между Роберто и автором «К.» начинается борьба за нетбук, закончившаяся криками, угрозами, проклятиями, всеобщим сном.

26 августа

10.00. В буфете отеля Роберто положил себе бекона. Позвонил Леониде, который обещал очередной бесплатный обед. Телефон Леониды мертв, Роберто грустит.

11.00. Автор «К.», приняв душ, пишет в «Фейсбуке»: «Ураган Исаак не дает мне вылететь из города Адольфо Бйойя Касареса».

12.00. Все пакуются, выходят из отеля *Holiday Inn*. Паула хотела побежать с папой, чтобы помочь, но папа не дал и попытался оттереть ее от двери. Во время этих манипуляций она не удержалась на ногах и ударилась о косяк головой.

13.00. Идем по холодным окрестностям «*Holiday Inn*». Бутылки, мусор, осколки, на одной стене написано *Cristiana Presidente*, на другой *Eternamente Evita*. Роберто объясняет, что это бедный район, в котором жители благодарны Эвите. Здесь написано, что она вечно вписана в их сердца, несмотря на то что сейчас у них президентша другая. Четыре лошади пасутся за проволокой. Рядом — вагончики, в которых, наверно, живут. Лаура с Паулой разглядывают муравьев.

14.00. В ресторане отеля Роберто заказывает ягненка, автор «К.» — салат с анчоусами и равиоли с лососем. Несколько раз к их столику подходит официант и забирает солонку. Солонок явно меньше, чем столиков. Они просят солонку обратно. Официант забирает солонку у соседнего столика. Только он ее им приносит, как по просьбе еще одного столика к ним подходит другой официант и опять забирает солонку. Роберто смеется.

15.00. 315 песо за весь обед. Вышли из ресторана с заснувшей Паулой на руках. В холле отеля на двух компьютерах Роберто и автор «К.» одновременно вылезли в Сеть.

16.00. Покупка в Сети будильника и двух записнушек.

17.00. Собрались, чтобы в 17.15 ехать в аэропорт.

18.00. Вопрос, как лететь. Если полететь на другом рейсе, могут за это дать какой-то купон. В решениях проходит около получаса.

19.00. Таможня. Перед очередью Роберто и автора «К.» сменяются пограничники. Потом приходит женщина и посылает в соседнюю будку.

20.00. Ожидание в аэропорту; наблюдение за тем, как бегущие люди опаздывают на свои самолеты. Лаура говорит: «Запиши, что нам понравилась наша поездка и что папа купил нам воды». Вызывают какие-то испанские имена, целую группу. Высокий очкарик нервно кричит что-то в рацию. Раздаются голоса, кто-то ищет собаку, затерявшуюся в аэропорту. Last call, но люди все еще бегут (самолет улетает в Майами). А самолет в Даллас полетит через ворота под номером три; рейс 966.

21.00. Как только мы проходим в салон самолета, для нас заканчивается Аргентина.

9/11

Поездка в Аргентину забылась, осталась лишь шершавость водопада на соленых от брызг щеках. Память приноровилась к повседневности калифорнийских холмов и коммьюта. Изо дня в день — просиживание в веренице машин, с запахами бензина и горячей от трений с асфальтом резины; дома — кричащие противности дети, а в Интернете — верещащие «Фейсбуком» вереницы людей.

Неожиданно наткнулась на фотографию поэта Аркадия Д.; он показывает пальцем с кольцом на памятную доску с именем Симоны Бовуар на каком-то красном здании, очевидно, в Париже. И вдруг... мир сузился до зрачка. В детстве моей любимой игрушкой был черный сфинктер диафрагмы, смазанной маслом. Движением рычажка уменьшалось кольцо. Тонкие черные лепестки находили друг на друга, смыкались. Позднее узнала, что эта диафрагма от фотоаппарата называлась «ирисовой». Ирисовой от слова «радужная оболочка», *iris*. И вот, прямо сейчас уменьшилось поле зрения, и, как в черную дыру, в сомкнутую диафрагму устремились глаза. Ну вот и Аркадий. Вот он! Он — не в Париже, он здесь.

Он не там, в безбытийном пространстве, он здесь, в веренице людей и машин, смешанный с запахами резины, бензина, горящей летом от неосторожной спички придорожной травы. Он мне рассказывал об этих дымах, встающих в июле и августе над Петербургом, когда уже нечем дышать. Мы провели с ним в Питере несколько дней, пили теплое пиво на косогоре и смотрели на электрички. В аэропорте или аэропорту. На вокзале или за ним, где на троих соображают пять алкашей. В офисе или не в офисе. В этой фетровой перегородке или где-то за ней. На этом экране или где-то позади забора из внешних событий. Здесь — ОН.

Ничего, что обед, что сотрудники шуршат ланчем и пахнут жареной рыбой. Ничего, что я ощущаю свои лежащие на столе руки, свое си-

дящее на стуле тело, слышу свое бьющееся сердце. Ничего, что он — только на фото в осенне-
ровном Париже и в то же время — в больнице
в Санкт-Петербурге, а когда закрываю глаза —
то в Сан-Франциско, прямо передо мной. Все
это было тут и не тут. Перед глазами и где-то за
ними. В этой жизни или где-то за ней. Аркадий...
дыханием приобнял, прикоснулся и пошел непонятно куда. Задержись! Нет, нет, надо идти. Он
был рядом со мной, а я как бы находилась в черном омуте, в черной бездонной воронке. Окутана
черной ватой забвенья, в которой — как драго-
ценный хрупкий механизм — так хорошо работает мозг. Он был предо мной как наяву. Спина
уходила вперед, но за ним идти было нельзя. Эта
наша невстречная встреча случилась 11 сентября
примерно в 14 часов по калифорнийскому времени, когда в Питере уже была ночь.

А 12 сентября уже разнеслась весть.

Весть о том, что его больше нет.

Так вот, если он пришел ко мне уже после
смерти, то, значит, жизнь *там* все-таки есть.

Но если еще до того, как врачи зафиксирова-
ли асфиксию (как тут виновато свистит фиксой,
выбитым зубом, сквозняком в выбитом мячом
стекле, подоконником с опрокинутым фикусом,
горстями высыпавшейся из горшка или кидае-
мой на крышку гроба земли), то это значит, что
он попрощался, что связь через океан есть.

Так есть или нет?

В какую секунду он умер, узнаю у Зины,
а если никто не сможет дать мне ответа, тогда
выясню уже после *своей*.

ЗВЕЗДНАЯ ПЫЛЬ

1

Мое советское детство было невнятным.

Запомнился лишь запах подушки отца, в чью кровать я забиралась, как только он уходил на работу, да серебристая полоска через весь телевизор, неровно дрожащая, будто мерцание с другой планеты, что либо указывало на мою впечатлительность и инородность, либо на то, что телевизор следовало давно поменять.

Впрочем, еще запали в душу Бунин с его барчуковостью и спелыми яблоками, и раздвинутые ноги ничего не подозревающей спящей горничной Тани (над ней склонился вожделеющий барин), которые в моем воображении превосходили надуманное нагромождение барачных блоков и бюрократии, известное как Советский Союз.

Память успела выветрить запах из нескольких сцен: небольшая деревянная будка на даче, стыдливо прикрывающаяся кустами дылдоватой червивой малины, как будто стесняющаяся, что вместо бумаги ей выпало подтираться зеленым листком.

Я иду туда деловой нелетней походкой, закрываю дверь на щеколду и прямо в хлопчатобумажных, подкрашенных синькой трусах сажусь на стульчак, вытаскивая из кармана неотточенный карандаш и с затупленным пластмассовым колпачком бело-синюю ручку.

Ручка оказывается более нежной и более способной к вращению, чем карандаш...

Вторая сцена случается в городе, в коммунальной квартире. Не обращая внимания на подсунутые под дверь просьбы поскорей освободить туалет (одному из соседей надобно поспеть к первой паре; они и есть семейная пара, преподающая в ЛГУ греческий и латынь), я сижу в спущенных белых, с растянутой резинкой трусах на нагретом попой горшке и держу в руках молодежный журнал.

В любимой уборной, где запах устраняется горящими спичками, а за дверьми шкафчика прячется пирамидка брусков детского мыла с порочным младенческим лицом на обертке, я читаю рассказ. Навеки въедается в память не только надрывная накипь героев, но и серо-белая сетчатая, как вуаль, фотография молодой авторессы, студентки мединститута в кожаном командирском плаще, с решительным выражением рук и рекламным блеском курчавых волос. Биография сразу берет леденящими руками за горло: входила в туберкулезные очаги, ухаживала за пресмыкающимися в серпентарии, вылетала на вертолете в забытые Богом аулы — т. е. туда, где даже Бог не откликается на «ау», — и однажды так и провисела, в полном безветрии и беспамятстве, на парашюте, пока в нескольких метрах под ней умирал человек.

Пятнадцать лет спустя, когда растрескавшиеся голубые и желтые линолеумные плитки советской квартиры сменились на ковер американского кондо и возникает вопрос: «Кого? Где? Когда? Кто согласится?» курчавые волосы и убористый шрифт из уборной приходят на ум.

2

Владлена Черкесская! Ее имя всплыло в моей памяти, когда я потеряла работу в американском издательстве, оплачивающую мой потертый ковер, подножный органический корм и убого-богемный комфорт.

В Америке моего полученного в Санкт-Петербурге диплома по русской литературе хватило лишь на должность «манускрипт-хантера» и только на полтора года, за которые мне удалось привести в издательство «Наум энд Баум» четырех авторов русского происхождения, описывающих родину своих родителей с такой точно выверенной долей сарказма, что она оказалась соразмерна и американцам, не потеплевшим к русским после холодной войны, и эмигрантам, старающимся ассимилироваться и поэтому читающим на английском, но идущим не далее того, чтобы читать на английском о стройотрядах и хождении строем в советской стране.

Бешеный успех Светланы, Дэвида, Лары и Велемира. Их фотографии на фоне сугробов и свежих срубов — толстый и глубокий намек на заснеженные русские избы — на страницах обширной «Вашингтон Пост» и в узкоколейных, околевающих на ящиках с луком или россыпи конфеток «Коровка» газетках в захолустных «дели» Сан-Франциско, Балтимора и Бруклина. Мои карманы набиты деньгами и чеками, презервативов по понятной причине там нет, но зато есть наспех вырванный из газеты телефон некоей «Томы из Тихуаны, совсем не тихони»: «Работаю круглосуточно, ин энд аут, на все согласная би». Эти увиденные в объявлениях «ин энд аут» сначала страшно смущали. Под «ин» имеется в виду интеркурс? А что тогда «аут»? Вошел и вынул? Потом оказалось, что «аут» просто значит «на выезд», в квартире клиента, а «ин» — «у себя». Несмотря на то что в аббревиациях я поднаторела, мои два визита к «Тамаре», внешне похожей на работницу овощебазы, а не раздатчицу острых оргазмов, закончились довольно плачевно, о чем здесь не хочу говорить.

Через полтора года, в связи с экономическим кризисом, интерес к русским авторам, пишущим по-английски, резко упал, и издательство сократило бо́льшую часть сотрудников, за исключением тех, кто выискивал и переводил авторов, пишущих на фарси, так как Иран постепенно становился крупнейшим врагом, о котором американцам не терпелось узнать из газет и особенно из любовных романов, повествующих о запретной любви в обществе, где даже появиться в сопровождении «чужого» мужчины на улице считалось грехом.

Как бы мне самой теперь не оказаться на улице, но, увы, вариант мужчины — их тут называют «паточный папа» — в моем случае исключен.

3

Потеряв работу в издательстве и пытаясь найти себе применение в других областях, я заполняю анкету.

Зачем им нужны мои данные, думаю я, если они меня могут «увидеть на расстоянии», сидящую за столом в полотенце на бедрах и кружевном бюстгальтере от «Калиды»?

Фотопортрет десятилетней давности я нашла без проблем (что в двадцать пять, что в тридцать четыре — я не меняюсь), а вот с описанием пришлось повозиться. Рост сто семьдесят пять сантиметров, талия перетекает в узкие бедра, узка длинная шея, но короток путь от разогретого завтрака до вновь разгоревшейся страсти. Филе-миньон и минет. Флюиды и фламанже. Выразителен вырез стопы; выбриты подмышки и кошки; шторы подобраны в тон простыням, вино — в тон разговорам; слова цепляются друг за друга, как пальцы. Пропорции и приличия соблюдены посреди дня, ночью посреди простыней стыда нет. Слова спускаются все ниже и ниже; голос звучит в подкожном регистре. Разговор об искусстве венчается куннилингусом.

Днем манеры приличные, ночью маневры различные. Уорхол и оральные ласки. Джаспер Джонс и бикини, проглядывающие сквозь расстегнутую молнию джинсов. Мане и манящий мускусный запах; Гоген и эрогенные зоны; Гугенхайм и плотно сомкнутые с губами губы; они тугие, но внутри мягки языки. Мои двухцветные, с рыжиной волосы всегда разной длины: иногда мне нравится быть томбоем, гаврошем, остроглазой и острозубой куницей, только и ждущей, в кого бы вцепиться; иногда — «иным» андрогином с текучестью чувств и гибкими «нижинскими» чреслами; иногда — нежной и томной, за кого сражаются похожие на парней сильные женщины с челками, и поэтому мне сложно саму себя уловить.

Приложив чек на семьдесят долларов, я вкладываю в конверт информацию о себе с цифрами «сорок семь» и «тридцать четыре» (34 / 47 — это ее и мой возраст, и в то время как четверка уже преклонила колено графически и сапфически, семерка стоит в полный рост, и ее к преклонению колен на постели все еще надо склонить).

На том же листочке бумаги указываю, что проживающая в Италии новеллистка Владлена Черкесская, о которой мне пока ничего не известно и которая практически ничего не знает ни обо мне, ни о школе паранормальных способностей, станет главным объектом эксперимента под условным названием «Удаленное видение и эротизм».

4

Краткая справка: проект под условным названием «Звездная пыль» спонсировался ЦРУ на протяжении двадцати пяти лет, в течение которых ученые пытались выявить лучший метод ви́дения и передачи информации на расстоянии. Проект был засекречен, и доступ к его архивам открыли только сейчас.

В результате множественных экспериментов лучшие умы поколения, задействованные в «Звездной пыли», выработали протокол, в соответствии с которым можно было существенно уменьшить помехи, препятствующие прохождению информации из пункта А в пункт Б, а именно из головы объекта номер один в голову объекта номер два, находящегося зачастую в другом районе, в соседнем поселке, в посторонней — и зачастую враждебной — стране.

Шла холодная война, и казалось необходимым узнать, над чем же там копошатся советские химики, в субмарины какого типа залезают военные в форме, какие двигатели разрабатываются для новых «МиГов», что происходит с выбросом радиации в далеком русском селе.

Если существование удаленного видения действительно можно было доказать научными способами, а технику этого видения — усовершенствовать научным путем, Америка сразу получила бы фору в любой разведывательной операции, спасении заложников или военном конфликте. Несмотря на то, что ЦРУ закрыло проект в 1995 году по причине слишком низкой статистики (были получены данные, что лишь 10 — 15 % особо одаренных людей могли видеть и передавать информацию на расстоянии), у него остались энтузиасты, без устали продолжавшие исследовать феномен ясновидения и публиковать все новые и новые результаты.

При работавшем на общественных началах Институте паранормальных исследований существовала и Школа удаленного видения (ШУВ), на рекламу которой я набрела в Интернете, не найдя ни одной подходящей позиции в бюро занятости и решив пока «сесть» на пособие, которое в связи с экономическим кризисом мне должны были выплачивать целый год.

Успешно окончившим ШУВ предлагался сертификат и предоставлялась возможность преподавать ясновидение на особо созданных курсах. Участники форума в Интернете писали, что ученики, ставшие преподавателями, получали в этой школе сто долларов в час. Поскольку нестандартность («ненормальность, а не нестандарность», как сказала бы мама) всегда была моим любимым коньком, я решила попробовать себя на поприще паранормальности и послала анкету.

В ответ ШУВ попросила меня самой разработать предварительный тест, при помощи которого они смогут определить, подойду ли я им на роль ученицы. И тут, перебирая наиболее затронувшие меня эпизоды в поисках наиболее полезного и одновременно приятного топика, я вспомнила свою юность с журналом «Юность» в руках и раскованные рассказы Владлены Черкесской.

5

Наши дороги однажды пересеклись.

Около полугода назад, прознав о моей работе в издательстве через Велемира, впоследствии оказавшегося безответно влюбленным «метросексуалом», который боготворил ее тело и тексты, но не мог войти ни в то, ни в другое, в первое по причине своей неожиданно проявившейся к двадцати пяти годам голубизны, а во второе — из-за того, что сам кропал коммерческую, нарочито упрощенную и уплощенную прозу, — Владлена мне написала и попросила отредактировать перевод ее романа «о Девушке и Гондольере» на английский язык.

Я стушевалась. У нее за спиной была груда книг; у нее было имя и тянущийся за ним шлейф бурных романов, некоторые из которых — как сообщил мне рыдающий Велемир, впрочем, сразу же переставший рыдать, когда я показала ему цифры продаж его романа о СССР, которые тогда еще возрастали, — были сапфическими. У меня, кроме большой груди, не было ничего.

Владлена же, когда слов не хватало, высылала собственные фотографии, будто в награду, как будто лицезрение ее царской плоти в полной мере оплатит мой редакторский труд. Затем брала градусом выше: «Ну, нравится? У меня есть и еще, гораздо более смелые... А после шлифовки моего задорного, но с занозами и сучка́ми английского хорошо бы пристроить куда-нибудь перевод».

Однако «Наум и Баум» подобное не публиковали, ведь Владлена Россию терпеть не могла и не всхлипывала ностальгически, как Велемир, вспоминая свое безоблачное советское детство и лишь изредка кусая родину-мать за соски. Для Владлены родиной стала Равенна, и вот о ней и о заливе, о каких-то загадочных фресках и макабрических рукописях, о маслинах и мистическом мареве она и писала. И еще там присутствовал этот загадочный, заставляющий всех обмирать Гондольер...

«Это я отступилась от своих обычных романов, — поясняла Владлена, — и написала нечто в высшей степени эротическое... Любовь моя, отступника прости! — помните осиротевшего без Родины Сирина? В Америке ведь до сих пор покупают «Лолиту» — значит, нарасхват пойдет и мой «Гондольер»!»

Владлена играла со мной; намекала на отношения с какой-то Сибиллой, хотя на все банкеты-приемы, устраивающиеся российскими толстосумами по случаю выдачи премий журналами-«толстяками», являлась то с одним, то с другим — как она называла их — «лесником».

6

Вскоре после того как я отправила заявление в школу «Звездная пыль», мне пришел лаконичный ответ.

«Тезис Вашей дипломной работы *«Ясновидение и сексуальность»* одобрен. Остается разработать детали. Во-первых, решите, какие части тела женщины Вы считаете наиболее эротичными. Во-вторых, найдите передатчика информации. Если Вы еще не знаете, что значит данное слово, распечатайте с Интернета брошюру и прочитайте определение на странице 12. Желаем удачи!»

Я была озадачена: школа не только не отклонила мой тезис (они лишь чуть поменяли слова в предложенном мной названии), но и призывала отнестись к проекту серьезно.

Теперь я действительно хотела ее понять и покорить. Кто же эта властная женщина с влажным взглядом, считающая, что люди должны ей бросаться на помощь по первому зову? Может быть, она просто нуждается в настоящей любви? Ну как же ей объяснить, что помимо нашего положения в обществе (она — великосветская литературная дама, а я — нефактурное, нефаканое молодое ничто) есть что-то еще! Совместное творчество и соблазн, например...

Как часто я пыталась представить Владлену в одиночестве ее тихой квартирки, без строительных лесов ненужных словес и «лесника», чей пенис, вероятно, был так же коряв, как и в прямом смысле топорная рукоятка! Как часто, не найдя в реальной жизни объекта, достойного обожания, я мысленно принималась ее раздевать...

Но хватит, хватит... Школе я написала, что каждый месяц буду представлять им тщательное описание одной из самых эротических частей ее тела, на что школа ответила, что сначала я должна предоставить подробный список этих самых частей.

7

Предоставленный список:

Глаза (пристальный, гадающий «получится — не получится», взгляд глаза в глаза зажигает; эта медленно, до дна нажатая клавиша; этот зов, раздавшийся посреди беготни дня, когда, кроме канцелярских скрепок и скрипучего стула, ничего нет, и вдруг вспоминаешь, что где-то в глубине тебя прячется вязкая, темная, тягучая сущность с влажностью губ).

Ушная раковина (жаждущие губы, как мольбы оракулу, вкладывают туда заклинания, одно тело лежит ничком, другое давит всем весом на его спину, предваряет вторжение более плотного и ощутимого дуновением воздуха, волной колебаний, шепотом шевелений).

Грудь (мягкая, матовая, стеариновая, будто плавленый воск, или твердая, как девственная, только достанная из коробки свеча, иногда вялая, как укатившийся и забытый в тени поребрика мяч, но всегда присутствующая под белой сорочкой вместе с темнеющим кливажем, подразумеваемая под невесомой шелковой блузкой, под обтягивающим черным синтетическим платьем, а если у «женщин в зрелом соку» она чуть повисла, то подразумевается и воображается то молодое и свежее, что находилось там декаду назад).

Поясница (прекрасная тем, что заканчивается внизу округлыми полушариями с двумя ямочками наверху, как на щеках; вздрагивает от прикосновения теплой ладони, гнется как гуттаперча, помогает раскачивать качели, летящие к финишу; позволяет владелице доставать то тут то там, и когда она, сидя сверху, наклоняется и нагибается и, исхитрившись, низко склоняется, то длинные волосы падают на чей-то живот и накрывают его, ходят туда-сюда, как мягкая, делающая свое дело кисточка для бритья).

Ягодицы (у них такой же кливаж, как между грудей, но только сзади; это продуманная природой расщелина между двумя округлыми полушариями, которая приглашает войти).

Пальцы ног и изгиб ступней (хороши для тех, кто знает толк).

Икры (прекрасны тем, что внизу оканчиваются щиколотками, ступнями и пальцами ног, а вверху — ляжками и внутренней стороной ляжек, откуда легко, муравьиной поступью, кончиком пальца, невидимыми абстрактными точками и штришками по плоти можно пробраться наверх).

Внутренняя сторона ляжек (как лифт, помогает подняться).

Бедра, колени (хороши тем, что их можно раздвинуть, погладить и осмотреть).

Руки, пальцы и ногти (замечательны тем, что их можно пожать или к ним прикоснуться, в то время как девушка просто-напросто держит в руках меню или затрапезную ложку, но, будто бы невзначай прикоснувшись к запястью, а потом и к ладони, а затем погладив ее пальцы с едва заметным нажимом, можно намекнуть, что то же самое можно сделать и с другими частями ее пока прикрытого одеждами тела, такими как, например,

Клитор).

(Разумеется, предоставляя список Школе удаленного видения, я убрала все описания, сделанные в качестве черновика для себя).

Передатчик информации в г. Амстердаме: мой знакомый перформансист Улай Л. (неизвестно только еще, как его убедить!).

8

Письмо Владлене

Хочу предложить Вам принять участие в своеобразной литературной игре. Издательство «Фетиш», в котором я подвизаюсь, объявляет конкурс на лучшую историю соблазнения. Победитель получает право издать свою книгу в Америке, и тут как раз будет уместен (и станет известен всему англоязычному миру!) Ваш «Гондольер».

Издательство снабдило меня списком эротических частей тела, но этот список, в соответствии с Вашими наклонностями и накалом страсти, можно расширить (Вы мне немного на эту тему писали, но, кажется, основное осталось «за кадром», хотя не подумайте, что хочу Вас закадрить).

Волосы
Длинные гладкие ноги
Анус
Лодыжки, бедра, колени
Ь (это я встаю на колени перед Вашим талантом)
Ляжки
Эрогенные зоны (какие-нибудь необычные, те, которых нет в списке)
Ногти, пальцы, ладони
Анфас лица, глаза, губы
Ягодицы, поясница
Вульва, лабии, клитор
Раскрытый рот, руки
Уши, шея, язык

Все эти части тела должны быть подробно описаны и присланы на конкурс вместе с историями, которые с ними произошли (фишка в том, что это должна быть нон-фикшн). Помните, как Гумберт Гумберт находил особое удовольствие в вылизывании глазного яблока Долорес Гейз и доставания оттуда неловкого насекомого? Вот такой же высокой эротики жаждет «Фетиш». Одной мне просто не потянуть, и посему у меня возникло предложение обыграть эти истории в четыре руки.

Для любителей эротики тут будут «клубничные» описания, все эти молочные реки грудей и кискины кисельные берега. Для тех, «кто понимает», тут будет задействована двойственность, смесь фикшн с реальностью: с одной стороны, мы предоставим издательству истории соблазнения; с другой стороны, эта наша совместная работа двух литераторш и будет соблазненьем друг друга: флюиды родятся в процессе своеобразного раздевания перед друг другом и полнейшего раскрытия темы и тайн (во имя Литературы, конечно!).

Конкретные описания должны приходить ко мне в ящик первого числа каждого месяца. Будьте настолько откровенны, насколько это возможно. Надеюсь, что Вы нестыдливы. Если будет хорошо получаться, я пробью Вам аванс.

9

Не узнаю, убедило ли Владлену это наспех написанное сообщение, набитое полнейшим враньем, да еще и обещанием денег с бухты-барахты: промашка, которую я осознала, уже нажав на клавишу SEND.

Я преследовала сразу две цели: если бы Владлена согласилась на этот проект, я бы вступила на стезю «удаленного видения», так как, если бы ее описания совпали с моими, это значило бы, что способности у меня действительно есть (школа полностью доверяла будущим ученикам и просто хотела получить две стопки отчетов: «как я вижу ее» и «как она видит себя»). Ну а вторая цель? Глубокое густое желание: еще предстояло узнать, умела ли я на расстоянии видеть — но точно было известно, что я умела на расстоянье любить.

Через несколько дней, буквально летя к Интернету с бьющимся сердцем и с приятно-игольчатым напряжением всего тела, как будто разрядка случится прямо сейчас, я была остановлена непонятным барьером; вот он, роуд-блок на пути моей страсти, не «лежачий полицейский», а метафорический лежащий лесник:

> Раба сценариев невоплощенных
> И мечт, как ощастливить Голливуд,
> Тужу филистеров средь холощённых...
> А дом — горит. Часы — идут...

Что это значит? Она согласилась? Может быть, Голливуд — это я, и она хочет меня осчастливить, ведь я хвасталась знакомством с братом Джонни Деппа, пишущим триллеры? А слово «раба» отсылает к «рабе любви»? Может быть, как раз за этим эпиграфом я наконец увижу описание ее... чего? Чего конкретно? Ну что она может мне описать?

Одним из ее увлечений был театр; она любила примерять на себя разные костюмы и роли,
шапки и шали, манто и маски, ласки и сказки;
то зрелую властность, то полудетское, полунаив-
ное подчинение, таким образом умножая свою
привлекательность в несколько раз: столько в
ней разных ролей и ипостасей, которые можно
пестовать и любить! Пройтись, что ли, по списку
«частей»? В глазах ее я тону; к внутренним сторонам ляжек приникла б лицом и так и оставалась бы в этом теплом и узком ущелье; с грудями
разговаривала бы как с людьми, наравне, смотря
им прямо в «лицо», так что глазки сосков уста-
вились бы на меня и твердели от одного моего
взгляда... Послушай, Владлена, Вдаль-Лена, стань
моей Близко-Леной и покажи наконец то самое
сокровенное, что заставляет тебя растекаться по
стулу и думать о женщинах, вместо того чтобы
отдаваться тисканью и железным тискам (и кри-
воватым брускам) «лесника»!

Но зачем ждать описаний? Она уже обнажа-
ется передо мной: как будто на открытии арт-
галереи приоткрывая картину, снимая с тела
целлофановую пелену, простыню, бархатный
саван и предоставляя его во власть потребителя,
покупателя, теребителя, возжелателя, зрителя.
Она — как Марина, перформансистка, раздева-
ющаяся и сидящая перед зрителями с надписью
над головой *Artist is present*. Каждый может сесть
на табуретку напротив нее прямо в выставочном
зале и, уставясь глаза в глаза, вобрать в себя все,
что ее наполняет. Но она тоже смотрит в ответ,
и поэтому просто «вобрать» не получится —
«вбирая», нужно что-то «отдать».

Интересно, как она опишет себя? «Узко как устрица»? «Солоновато как сулугуни»? «Мохеровый мох между ног»? «Пожар в моем пирожке»? Снаружи дразнящее и зовущее покрыто растительностью, но внутри, если сумеешь пробраться за тугие врата с выданной тебе на пару минут охранной грамотой, оно свято, стерильно. Влага прозрачна и чиста как слеза.

Я бросилась к продолжению письма.

За неимением хризантем и граммофона дарю Вам акростих.

Так, значит, она хочет меня?

Уже был вечер: неплохой повод для того, чтобы раздеться и лечь в постель (размера *California Queen*).

Легла и представила нас двоих вместе... Сильная энергия, как луч света, как гаубица, направляла свой свет и прицел на меня. Под ними — под Ней — я была беззащитна. Если бы В. оказалась сейчас рядом со мной, подойдя ко мне близко-близко, почти вплотную и рукой нажав на клиторную пупочку выключателя, так что мы обе были бы вовлечены в совместную темноту, ноги бы у меня подкосились, и я стала бы в буквальном смысле сползать по стене, утекая от нее, стоящей надо мной в своей вышине, недоступной, но наступающей, чтобы там, в самом низу, в аду, на леденящем полу, как в чаду, вновь объединиться, сплестись руками, ногами, губами, вдыхать воздух, которым живет и дышит она!

Ах, какие флюиды она мне посылала! Неожиданно для самой себя я представила ее оде-

той в кожу, в сложносочиненном черном бюстгальтере с кружевами и с множеством пряжек:
нежная кожа, железо, намекающие одновременно на силу и беспрекословное наслаждение, на
сладость и яд. Она была в сапогах и в каких-то
кожаных гладиаторских ремешках, наперекрест
обвивающих ее чресла, которые одежкой вряд
ли можно было назвать, так как показывалось
больше, чем было прикрыто. На ее межножие,
на ее мускулистые, в тонусе, без единой жиринки и волоса чресла, виднеющиеся сквозь клеточки и ячеечки, образованные этими черными ремешками, я боялась смотреть.

Отдававшая все слова, все, что имела, листу,
удивительно многоречивая и обильная в своих
текстах, сейчас она была бессловесна. Глазами
она дала мне понять, что мне надо лежать. Оста-
ваться такой как есть, без движений. Мои руки
она привязала к металлической спинке кровати такими же кожаными черными ремешками,
имеющими странную надо мной власть: с одной
стороны, они стесняли меня и не давали мне
скрыться; с другой стороны, именно принуждая
и стесняя меня, привязывая меня к этому ложу,
они давали мне шанс полностью раскрыться и
стать самой собой...

Для раскрепощения необходимо было давление.

Я была не в состоянии сопротивляться.

Чтобы получить наслаждение, сначала должно было быть принуждение.

Я как бы хотела сопротивляться и не могла.

Обычно резкая и даже известная в Сан-
Франциско как *dominatrix*, ЕЙ — я не хотела
противиться.

Ее ледяное, зимнее принуждение горячило мою летнюю кровь.

Любая *dominatrix* с кнутом и мечом всегда мечтает, что когда-нибудь придет тот или та, которые сделают ее покорной и кроткой, заставив отбросить в сторону латы и меч.

В. стояла надо мной во весь рост на постели во всем своем черно-белом великолепии и бессловесности; я лежала под ней; эта возникшая из ожидания нега, эта сладкая нуга, это немое кино. Эти ее черные ремешки, пахнувшие новой кожей и ее любимым «Гермесом», это правильных пропорций тело и наше правильное соотношение, она наверху, я внизу, позволяющее мне хорошо разглядеть или представить куда-то исчезнувшую, возможно, тщательно сбритую, но до сих пор представляемую курчавость волос. У нее там везде было гладко. Господи, пусть и тут все пройдет гладко, без сучка без задоринки. Продолжай, продолжай, продолжай...

Ее ноги в кожаных сапогах были расставлены как у победителя, она попросила меня широко раздвинуть мои...

Но нет, до этого она надела бархатную черную повязку мне на глаза. Ощущение доброго, докторского, лечебного бархата на глазах было приятно. Сейчас меня укутают, подоткнут одеяло, выдадут целебный сироп. Да, я привязана, не могу убежать, но зачем опасаться! Она дотронулась до моего лба, как будто действительно озаботилась о здоровье... Как будто проверяла температуру. Да что проверять — я вся горю! Потом взяла в свои руки одну грудь, вторую — будто бы я пришла на осмотр. Я замерла.

Но она вдруг отошла. Такая волнительная, такая волшебная передышка. Шорохи в комнате. Она, кажется, что-то разворачивала или доставала... Может быть, хризантемы? А может быть, она сейчас придет с охапкой цветов, например, маргариток, и будет водить ими по моей коже? Достанет из холодильника лед и языком и губами будет «вести» его по моей груди и лобку?

Вдруг она куда-то ушла... поставила латиноамериканскую музыку?

Я осознала, что была совершенно раздета.

Мое тело и раздвинутые ноги были беззащитны и обнажены; руки чуть затекли, но вместе с неожиданным приливом энергии и возбуждения в уши вдруг вошло аргентинское танго... Да, вошло... Она наконец что-то достала... Бережно свернула и положила на место пакетик... что-то, очевидно, надела... снова приблизилась ко мне... наклонилась... ушла... и вошла...

10

Купчиха за чаем и ее воздыхатели
(рассказ Владлены Черкесской)

На следующий день я все же собралась с силами прочитать полностью ее письмо.

Начиналось оно издалека, экивоками, в основном описыванием того, что видит она за окном, когда сидит «прямо в комнате в кожаных сапогах, которые лень снимать, а подходящего лесника рядом нет».

Так вот откуда взялись привидевшиеся мне сапоги!

А продолжалось описанием ее интересов, как она любит все холодное и сумеречное, «небытие, луну и ледяной отблеск на простыне», в то время как я, родившись летом, наверняка обожаю «траву, свет, солнце, живые цветы, горячую кровь» — в отличие от нее, замороженной, зуб на зуб не попадающей, зябкой, зимней.

«Если хотите мне сделать приятное, — писала Владлена, — пошлите на день рождения меховое манто! Я буду Вашей Венерой с мраморным телом в роскошных собольих мехах. Кому-то же надо меня утеплить!

Кстати, мой первый рассказ, — продолжала она, — так и назывался «Чаепитие по случаю дня рождения», и описана там была моя полная антонимка: я порывистая и нетерпеливая, а героиня — плавная и неторопливая, в свободной марлевой малахайке, летом на даче, недалеко от станции Пери (а это в персидской мифологии значит «прекрасная фея»), потчует таких же дебелых и неторопливых соседей-мужчин. Они сидят вокруг накрытого скатеркой стола в своих белых полотняных костюмах-панамах (слышен запах только что убранного в снопы свежего сена, стрекотанье кобылок и а капелла каких-то маленьких птичек), а она, как купчиха за чаем, раздает им калачи, удивительно похожие на ее сдобные руки.

И все вокруг такое сдобное и округлое, что они, сочась сладостью, не отрывают глаз от нее, а она все продолжает их потчевать густым, но на свет прозрачным вареньем, плюшками, сушками, пирогами, которые сама испекла... И такое благоприятство вокруг разлилось: и осы жужжат, и сено так пряно и усыпляюще пахнет, будто напоминая о том, что им летом набивают подушки, и воздух так приятно перед глазами рябит, что мужчины вконец разленились и им лень друг с другом тягаться, дескать, кто это нашей Сдобушке больше всех люб и милей...

Они просто все вместе, в три пары глаз, на нее смотрят и в паточном воздухе уже как бы откушали самого ее сладкого и пленительного, и попробовали ее осиного, как жало, дрожащего язычка, перебрали один за другим все калачи на печи, повыщипывали аккуратненько из всех мест изюминки, слизали сахарную пудру с раскрасневшихся щечек, прошлись по всем розовеющим и разговеющим, готовым к вкушению частям тела... и все это в прекрасном мареве дачи!

А чтобы Вы вспомнили такое сочное лето, я Вам посылаю стишок: прочтите внимательно, а потом мне напишите, что чувствовали, пока читали — мне это важно:

> Магнолии и туберозы,
> Аспарагусы, березы,
> Рожь, глициния и розы,
> Глориозы и мимозы...
> Амариллис, гладиолус,
> Розмарин, Венерин волос,
> Ирис, лен, пшеничный колос...
> Тамариск и ноготок,
> Астры, остролист, вьюнок!..

Это считалка. На кого выбор падет, тот первый начнет... а уж что начнет, каждый думает в меру своей испорченности (а мы ведь с Вами в меру испорчены, единственный не вставленный в присланный букет цветок маргаритка, не правда ли?). Так, в общем, и надо писать — обиняками, а не с синяками, то есть как Вы, прямо в глаз. Не раздевать и выставлять на посмешище с похабными «частями тела», а наоборот, вуалировать вульву, покрывать перси и пенисы пелериной, убирать вздымающиеся части тела под отглаженные чесучовые брюки и пиджаки.

Но если Вам уж так хочется меня всю охватить, прикрепляю свою старую, специально обновленную для Вас дневниковую запись. Да не про ледащие ляжки, а про то, как везде и всегда бегают за мной «лесники».

Меня как ушатом холодной воды окатило, но я покорно начала читать про «лесника», верного ленинца.

Или, может, владленинца?

11

Похотливый парторг

«После мединститута распределили меня работать в больницу, а там парторгом был один женатый жирноватый хирург, который ко мне воспылал. Пока ходили мимо друг друга по коридорам в белых халатах, ничего у него ко мне не колыхалось, но только я пришла к нему на обследование нескромного толка (такие сложились у меня тогда обстоятельства), он сразу же загорелся.

Не знаю, приходилось ли Вам сидеть враскоряку на этом допотопном, лоснящемся от чужого пота пыточном кресле? Парторг пытался деловой вид сохранить, когда во мне копался, но все инструменты ронял, зеркала, какие-то щипчики, а потом перчатки снял и долго мыл-стерилизовал руки, задумчиво поглядывая на меня, пока я без трусов и юбки его дожидалась. Затем попытался туда залезть уже голой рукой, но я ему напомнила, чему нас в мединституте учили, и он снова надел и снова полез. И смех и грех вспоминать!

Не могу сказать, что его копания меня отвращали; встреть я его где-нибудь на студенческой вечеринке, я бы даже на него обратила внимание, потому что, несмотря на полноватость, ростом он был под потолок, взгляд имел пристальный, а хватку стальную, что хирургу, кстати, очень пристало. С одной стороны, даже излишне брутальный и, чуть что, с нерадивыми подчиненными сразу переходит на рык, а не крик, а с другой стороны, видно, что жизнь очень любит, да и она отвечает все тем же. Покушать умел, и поласкать, и обнять, когда тучи на небе, и правильным вниманием одарить: когда кажется, что он все-все про тебя знает и вот-вот начнет жалеть. Приплюсуй сюда губы чувственные, волос курчавый и немного блатные манеры (мама у него хоть и была учительницей русского языка, но от одесского шика и блатоты, доставшихся от отца-торгаша, так и не смогла отучить). В общем, ему бы Беню Крика играть и девок на Привозе щупать с такою фактурой, как у младшего Виторгана! Но одно дело — встретить такого незнакомца где-нибудь в баре, с этой его вальяжностью и влажным выпуклым взглядом, а другое — на гинекологическом кресле, со всеми моими интимными складками, раскрытыми ему прямо в лицо.

Я попыталась встать, чтобы одеться, а он с поднятыми бровями и без какой-либо там похотливой улыбочки или подмигивания строго мне говорит: «Я разве уже сказал Вам, что закончил? Мне надо проверить, что в Вашей карточке все записано правильно, подождите, сидите» — и дотрагивается до моей коленки рукой. Я сначала так и замерла, как будто меня пригвоздили. То есть он меня как бы не силой, а словом держал. Я будто попала под какой-то его магнетизм, и, если бы он хотел что-то со мной сотворить, как бы прикрываясь своими обязанностями и каким-нибудь «проктологическим протоколом», я наверняка сразу бы не поняла, что он совсем не в ту сторону гнет. Мне повезло, что именно этот момент моей слабости и непонимания он пропустил.

Я наконец пришла в себя и спросила: «Что, мне с раздвинутыми ногами сидеть? Да и холодно тут. Мне надо одеться». А он опять так официально, как на таможне: «Адрес у Вас тут в карточке верный? Что-то циферка расплылась». Тут-то в мою недотяпистую голову и закралось подозрение, на какую таможню-межножью он собирался. И я ему: «Ну так я пошла, до свиданья!» А он склоняется, вглядывается прямо туда и говорит: «Подождите, я еще не поставил диагноз. И адрес мне нужен Ваш правильный. Когда Вы дома бываете? Половую жизнь не ведете? Живете одна?» И неожиданно переходит на ты, шепчет: «Я к тебе скоро в гости приду!»

Я его отталкиваю и дрожащей рукой выворачиваю скомкавшиеся трусики на лицевую сторону, чтобы надеть. А он выпрямляется во весь рост, внимательно меня всю рассматривает этим своим затуманенным взглядом из-под потолка и спрашивает: «Так ты на каком этаже?» А я, босая, натягивая колготки, ему отвечаю: «На самом высоком, половой жизнью живу, да не про тебя! Иди ты, дорогой, к такой-то там матери! Поучи с ней вместе русский язык, чтобы знать, что к коллегам надо обращаться «на Вы»!» Вышла из его кабинета, дверью хлопнула и понадеялась, что на том все закончилось. Но, конечно, ошиблась.

Парторг не остановился на этом, и мне даже казалось, что теперь, когда он проходил мимо меня, халат его колыхался как-то совсем по-иному, как будто под ним скрывался указующий перст. Перст этот указывал на меня, а депеши в это время шли прямо к начальству, и в этих анонимных подметных письмах указывалось, что меня несколько раз видели в церкви: то я подпевала церковному хору, то подходила близко к иконам, как будто молилась, то у батюшки что-то спросила: не иначе, на исповеди выложила ему все грехи.

А в те времена, Маргарита, Вы помните, креститься на людях не рекомендовалось — могли выкинуть из комсомола и санкции наложить. Да что говорить, никто не решался взять в руки

Новый Завет или Пятикнижие хотя бы для изучения арамейского алфавита или чтоб подготовиться к экзамену по древней истории — какое уж тут «в церковь пойти»! Тогда на молебны да на крестные ходы ходили лишь бабки какие-нибудь сморщенно-сумасшедшие да те, кто, по мнению наших партийцев, хотел свергнуть Советскую власть.

Так вот, он, видимо, вбил себе в голову, что одних походов в церковь моих недостаточно, и в партийную организацию поползли доносы о том, что меня видели в хоральной синагоге на Лермонтовском, что я там покупала мацу, а потом, хрустя и зазывно смеясь, сидела на самом верхнем ряду в мини-юбке и ищущим взглядом вперялась в сидящих внизу мужчин, а потом, по окончании службы, поджидала их у самого выхода и раздавала какие-то приглашения. Это какое же воображение надо иметь, чтобы так написать, но паршивец парторг-полукровка не прекращал строчить эти дрянные депеши, и мое дело разрослось как снежный ком.

Под ударами этих «снежков» начальство на несколько лет заморозило любые мои поползновения на карьеру, наложив на подметные письма моего возбужденного возжелателя резолюцию: «Несмотря на свое гордое имя, Владлена верует в Бога, и эти верования обязательно нужно искоренить».

Но у этой истории, Маргарита, есть ее зеркальное отражение, которое можно увидеть в комнате смеха у Господа Бога! Господь наш вседобр, так что сподобилась я дожить до иных времен, когда все стало с ног на голову и было поставлено «на попа» (простите за этот колбасящийся, клоунский каламбур). Попы вдруг оказались в чести, и теперь как раз те, кто не верует в Бога, стали вызывать подозрение со стороны соседей и всяческих институций.

Так вот, встретила я на вручении «Букера-Шмукера» одного критика, который в медицине и медгерменевтике — ни ухом ни рылом, не говоря уже о гинекологии с гносеологией, но тем не менее, как тот парторг, тоже возжелал пробраться сквозь все завлекательные заграждения и заполучить то, о чем в приличном обществе запрещено в присутствии дам говорить. Но мы-то с Вами, Рита, дамы литературные, так что нам можно.

Удивительное дело, внешностью он совсем не смахивал на «парторга», но вел себя очень похоже. Не худой и не толстый, а просто совсем никакой и с такой гуттаперчевой шланговой шеей, как будто все время что-то вынюхивает там наверху рядом с лампой и приклеенной к ней липкой лентой, словившей парочку мух. Вдобавок представьте себе, что этот тип постоянно, как бы в сомнении или терзаниях творчества, похлопывает пыльный ворс на голове, называемый им «только что сделанной стрижкой». Глаза у него только были большие, а все остальное — острый носик на излишне белом лице, пальцы, как ножки опят, мусолящие мокрую от пота сигаретку в руке, — все маломерки. Долдон и дылда такая под два метра ростом, с двумя детьми, что ютились в «хрущевке» на двадцати восьми метрах без какой-либо надежды на изменение обстоятельств — а все туда же!

Он восхищался, что я лечила детишек в богом забытых аулах и наверняка как профессионал знаю, откуда у людей ноги растут, дескать, если бы он тоже знал, он таким бы стал воспевателем женского тела! И мое бы воспел, вот только дайте мне, Владлена Витальевна, посмотреть, что там у Вас под подолом! Я ведь Вас правильно должен слепить! Вы будто сами сошли с анатомического атласа, и при таком совершенстве никакой скальпель ни скульптора, ни хирурга просто не нужен! Вы и спину держите, как балерина! Наверное, с гибкостью можете сесть на шпагат? Ну так что, я сегодня вечерком заскочу к Вам в гостиницу, а то дома у меня такой творческий беспорядок — помедитируем над Вашим медицинским учебником вместе!

Ну какой беспорядок, дома-то у него — падчерок и вторая жена. Я, разумеется, его бортанула и через какое-то время прочла в свежем «Литобозрении» статью про свое творчество: «Не на пользу пошло Владлене Черкесской ее гордое звание эскулапа. Судя по безнравственным эскападам ее персонажей, она даже Бога отвергла».

Не знаю, кого уж он там посчитал богом — неужели себя?»

12

До сих пор не знаю, поняла ли Владлена, что предложением описывать «части тела» я хотела ее соблазнить? И что никакого издательства «Фетиш» и *corny contest*[1] не существовало в при-

---

[1] Сальный конкурс (*англ.*).

роде, да и не стал бы никто в США возиться с переводом ее размашистых, распахнутых, как рубаха на груди, романов на английский язык? И что, несмотря на нашу растянувшуюся на несколько месяцев переписку, она так и осталась для меня непроницаемой тайной? Да и чего я пыталась добиться? Заменить нагретую двумя телами постель на электронную связь, на воображаемое дигитальное дилдо, увенчанное по две стороны номерками IP?

Задумавшись, сидела я перед списком «женских частей». Стыдно писать, но, когда я напрямую спросила ее про «наш эрос-проект», она выслала обратно «емелю», где мои небрежные недочеты были выделены коричневатым, как кровь, запекшимся шрифтом.

«Простите, но я не прощаю несвежих рубашек и небезупречного стиля. А Ваш стиль хромает на обе ноги, так что, прежде чем кинуться сломя голову в Ваш эротический омут, я хотела бы увидеть, что и Вы на это способны — не только в буквальном, физическом, но и буквенном плане. Заметьте, что, акцентируя внимание на Ваших проектах, Вы совершенно проигнорировали мой акростих».

Ну что ж, так и не начавшийся «проект» или «роман» с Владленой закончен. А что же делать со школой «Звездная пыль»? Рядом с нетбуком лежала брошюра под названием *Remote Viewing*, и только я начала ее изучать, как мне захотелось заснуть. Меня постоянно тянуло в постель, когда Интернет качал в меня излишнее количество информации или когда прочитанное на бумажных страницах было сложно переварить. Владлена тоже закачала в меня данные о себе, но мне это завлекательное выдувание пухлыми губами «уйди-уйди» и уклончивость были ни к черту. Она то ли хотела, то ли не хотела меня, но, чтобы мое желание продолжало подпитываться, ему требовались явные толчки твердого «ДА».

Внезапно я подскочила к кровати и бросилась к фото, которое она мне недавно прислала, с подписью «Вот этой пикантнейшей фотосессией мне удалось заполучить нового лесника». Снята она была в полный рост, ее тело хитро обернуто каким-то хитоном, как будто она либо играла в дневнегреческой пьесе, либо только вышла из сауны. Внимание мое привлекла миниатюрная точка. Располагалась она над губой: то ли заеда, то ли природная родинка, а может быть, просто пылинка на моем мониторе, которую надо смахнуть и забыть.

Но эта родинка продолжала возбуждать во мне беспокойство.

Попытавшись избавиться от назойливых мыслей, я снова поспешила в постель, решив разыграть в уме один из эпизодов любимого текста. Там гулаговский доктор приходит ночью в палату к накануне отмеченной им пациентке, чтобы ей овладеть. Как и бунинская дворовая девка, спящая зэчка ни сном ни духом не ведает о его планах: она крепко спит. Вокруг простирается белое безмолвное поле казенных кроватей. Доктор, угадывая под застиранным хлопком сдобное тело, не мешкая откидывает легонькое одеяло, уже предвкушая добычу, уже прижимает ее под себя, уже сдирает трусы и прикрывает ей рот, чтобы она невзначай не издала каких-либо звуков, которые разбудят соседок... как вдруг слышит ухом биение ее сердца...

В этом эпизоде мне нравилось попеременно представлять себя то молодой, ничего не подозревающей зэчкой, то пожилым ловеласом.

К лешему баб!

13

Но дальше, дальше... Возможно, знаток «Колымских рассказов» Варлама Шаламова знает, что там дальше случилось, а внимательный читатель этого текста уже давно понял, к чему я веду. Так вот, позабывший о своем желании врач прилегает ухом к груди понравившейся «пациентки» и слышит странные хрипы, а затем тщательно обследует ее своим стетоскопом, находит серьезный изъян и на следующий день, уже при свете и без какой-либо похоти, начинает лечить (вполне возможно, что за полями рассказа эта вылеченная им пациентка ему отдается, но об этом Шаламов не пишет).

Что касается «родинки»: наконец я нашла в себе силы распечатать ее фотографию в полный рост, ту, где она изображала какую-то мутноватую музу в хитоне, и сквозь этот хитон, полностью не запахнутый, можно было любоваться прямой линией ног.

Какое-то время я и вглядывалась во все ее линии... Паузы ценю больше бездумной погони... ведь именно в передышках таится желание... когда больше возбуждает то, что только случится, а не то, что доступно рукам и рту здесь и сейчас... Все вступающие в интимные отношения выигрывают от ясновидения, потому что возбуждение вызывает представление в уме того, что случится... Что будет, если, уходя с ней с литературного вечера, я как бы случайно коснусь обтянутых волнистых холмов? Что, если как бы невзначай предложив вместе посмотреть видеофильм с парой эротических сцен, я именно во время обнаженного возлежания мужчины на женщине на экране придвинусь к ней на диване поближе? Ах да, ясновидение, проницательность на расстоянии километров... Так вот, к тому, что я уже на протяжении пары параграфов пытаюсь сказать.

Почти сразу же родинка на губе каким-то образом привела меня к ее легким, как будто какая-то горошинка пряталась там. Что-то свербило и не давало покоя... И тогда, решившись, в своем прощальном имейле Владлене в Равенну я сообщила ей, что у нее в легких явно что-то творится. Густой кровавый шрифт и ссылка на инструкции школы «Звездная пыль», которым полагается следовать при диагностике скрытых заболеваний, придали необъяснимой весомости этим словам.

Владлена довольно грубо ответила, что «в мою трясущуюся над каждым прыщичком матушку, Маргарита, давайте не будем играть, да и на роль заботливой медсестры Вы не годитесь», но, как потом стало ясно из записи, вычитанной в ее сетевом дневнике год спустя, к доктору все же сходила, и там у нее обнаружили легочный эмболизм, и она пролежала месяц в больнице, а то, что свое выздоровление она приписала именно мне, я знаю точно, иначе как объяснить пришедший на мой день рождения и отправленный с помощью «Интерфлоры» из далекой Равенны букет хризантем?

МАРИАННА, СЕСТРА...

Марине Палей

Два дара, две данности, нощности, денности... Она далекая и она близкая, имена обеих начинаются с «Мар». Далекая ОНА: меха, мониста и жемчуга, антикварные лавки, презрение к давке; неспешно гоняет чаи, вместо объяснений в любви иносказательные пишет акростихи, барахтается в теплом и тесном болоте приязни с представителями всех времен и народов, невзирая на пол, полоумность, полезность для зашкаливающего сердца, здравого смысла, здоровья; пиявки и *пияницы* раздирают на части королевскую шаль. Бархат, велюр, «я обожаю крупные асимметричные украшения, серебро, сильные отношения...» Ноги — наги.

Близкая ОНА (серьга в одном ухе, джинса, легкая, в сорок лет, седина) вставляет разъем «мама» с жаждущей шеренгой дырочек в штырек «папа» на ноутбуке; проводок от наушников идет из Калифорнии гибкой дугой — к другой, к Далекой в Германию, вонзается в сердце. По этому шлангу прохладная влага из района Залива питает восприимчивый Рейн. Также по проводу устремляются фильмы (Фассбиндер, Феллини), флюиды, неуклюжие попытки фака по телефону, фантазии типа «что будет, когда мы наконец встретимся», приехать к тебе или прилететь, на пять или шесть, спать сбоку или отдельно, а что ты любишь конкретно, я — мягкость и жесткость и смену сезонов, а я — сталь и мех, лед и велюр, а затем рассказываемые прерывающимся высоким голосом нелепые эпизоды из прошлого, уже не имеющие отношения ни к одной, ни к другой. В трех словах: фимейлы, имейлы, фелины. В переводе с английского значит: женщины, своенравные кошки, затягивающая в себя частная, такая частная воронка чувств; электронные мураши!

У Далекой — какие-то уличные музыканты и дрязги, дрянцо, вылезающее от соприкосновения с ней из фальшивых людей, а также драг-квины, диско, женщины-дивы, на поверку оказывающиеся уебашками, не желающими помочь любимой оплатить счета за газ и за свет: «Сволочи, в общем, жгу свечки теперь, жру холодную курицу, жизнь как разбитый кувшин». У Близкой все в стерильном порядке, как в операционной на столике у врача: подборки из Интернета под названием «Как флиртовать в Скайпе, чате и твиттере», «Двенадцать простейших приемов, которые приведут вас к обладанию женщиной», флешки с Фассбиндером и описанья флюидов, возникших во время мощного электронного напряжения (скайп у них просто рвется, постоянно надо подсоединять и подзаряжать, так они друг на друга направлены и настроены, что все сметают вокруг), разложены одна рядом с другой.

Достает.

На одной флешке записано, как Далекая ОНА играла в пьесе по новелле Андре Моруа «Ариадна, сестра...»: «Я была в полной растерянности, даже в тексте не поняла ничего, народ же просто рыдал, а вторую вдову Жерома исполняла свежая выпускница, вот фотография, на которой после премьеры мы очень близко стоим, жаль, в жизни не вышло».

Близкая ОНА читает Андре Моруа, чтобы понять, почему народ рыдал, кто где близко стоял, о чем вообще речь. В новелле некие Надин и Тереза являются любовницами, а затем женами (сначала одна, а потом и другая) некоего слабого, безвольного человека, но сильного, своевольного гения, мыслителя и писателя, которого звали Жером. Жером уходит в небытие, а женщины его остаются: их две, но в конце происходит смещение, одна шлет другой телеграмму, и по приезду Надин к Терезе в Париж они «стали одним».

«Так-так-так, возьмем на заметку», — поднимаются брови у Близкой ОНА (или ОНЫ, ничьей жены, без Родины, без страны, но стремящейся к той, которая проживает так Далеко — ибо у них во всех смыслах общий язык). Легкий щелчок. Нажатие и отжатие. Флешка уходит в глубь соединения «пестик-тычинка», «мама-папа», «килобайтовая кровь и любовь»; сладостная история про вдов Надин и Терезу, с вклеенными туда фотками Далекой и Близкой, превращается в один мегабайт.

Снова щелчок: это выпрыгивает из гнездышка набухшая лирикой флешка.

Далекая ОНА тем временем рыщет по Скайпу, хочет услышать такой близкий голос своей *крали, коханки, калифорнийки*, рыщет-свищет-рыдает.

Близкая ОНА тем временем деловито разбирает их давнюю (далекую) переписку, случившуюся три года назад (когда еще ни фантомных факов, ни флешек, ни сбивающих с ног феминных флюидов, просто собирались вместе работать над короткометражкой про историю женского движенья в России). А там вот что написано: «Смотрели киноленту *Sister My Sister*? Там присутствует нечто особое, некий лесбийский, хотя и плебейский инцест, который в некотором смысле меня привлекает. А что задумала с Вами, про Вас, пока боюсь говорить».

Щелк, щелк, близкая ОНА (по гороскопу Близнец) щелкает по флешке опять, рыщет по Интернету (Скайп выключила, чтобы плачущая всеми водами Рейна Далекая ОНА не беспокоила, факи-шмаки, все эти сентиментальные финтифлюшки потом, сейчас надо думать о текстах, ведь Близкая — блескучий блазный прозаик, не чуждая описаниям секса). Та, другая (Водолей), льет слезы в остывающий чай.

Близкая ОНА (большой рост, рыжая голова) с зевотой смотрит *Sister My Sister*. Напряженье (в фильме) растет, перины под засыпающей Близкой (дома) подмялись. В фильме барахтаются две молодые сестры. Близкая на флешку записывает описание кинокартины, чтобы потом обсудить с Далекой ОНА (маленький рост, стрижка каре, черная голова; накрашены губы, щеки, душа) и осудить за херню, которую она почему-то любит смотреть:

«Преступная страсть. Фильм *Sister My Sister* основан на реальной истории, произошедшей во Франции в 1933 году («3, три, опять удвоения-утроения», — мечтательно щурится Близкая, думая одновременно про циферку и про повелительную форму глагола). Богатая вдова нанимает к себе в служанки сестер; Кристина-сестра ревнует вторую сестру ко всему, что встречается на пути. Различия между классами. Высший и низший. В перерывах — поцелуи в постели. Высшее наслаждение и низкая страсть. То одна, то другая сестра наверху. Загнанные внутрь ярость и гнев. Наглухо закрытая комната. Дымка окутала простыни. Их нагие молодые тела. Убийство властной, не менее прекрасной мадам и ее юной дочурки. Как не повторить во весь голос: ЭТО — ПРЕСТУПНАЯ СВЯЗЬ!»

Близкая ОНА представляет себя в комнате с этими сестрами. Убийство на горизонте будто маяк, куда надо плыть. Скорее, афродизиак.

Обладание только ею, только этой одной, только сестрой. Мадам и ее дочь, нечаянно глянувших в бездну, необходимо убрать. Близкая ОНА наконец проникается; трет и трепещет, затем стирает уже переписанный фильм с флешки, чтобы никто не узнал о страстях. Одна ее бывшая пассия говорила: «Больше всего я боюсь, что, когда я умру, в комоде у меня найдут дилдо — вот сраму-то не оберешься».

Мертвые сраму не имут!

Все хорошо, страсти обузданы, по проводу до сих пор идут фантомные маки и факи, но тут Далекая ОНА, заскучав от мышиного монашества и монотонности, не приемлемых Водолеями, неожиданно порождает фантазию, что надо ехать и интервьюировать *Pussy Riot* про их тяжелую женскую жизнь, куда-то в Тверь, в ИТК. Вот воистину: гора родила!..

Дорывается наконец-то до Скайпа и вместе со слезоточивостью от того, что Близкая ОНА так далеко, выкладывает содержание новой идеи (кстати, Далекая ОНА — по профессии режиссер, но только не собственной жизни; Близкая ОНА — микропрозаик, до большой прозы и большой любви не дотянула еще, именно что, со своими флешками, сочиняет фитюльки — флешфикшн).

Голос Далекой дрожит, Близкая молча роется в коллекции флешек; ничего не найдя, вслух зачитывает из «Википедии» подходящее: «Неизвестно, имелась ли сексуальная связь у американского писателя-гея Трумана Капоте с героем, изображенным в его книге «В холодной крови», однако он в течение четырех лет навещал в тюрьме убийцу по имени Перри Смит и вел с ним интенсивную переписку».

«Нет, ты, черт возьми, никуда не поедешь!» — Близкая ОНА во весь голос кричит.

«Нет, я поеду, ведь я им нужна — и вообще, если не я, то кто про них напишет, кто снимет фильм в этой затхлой, занюханной, в этой Богом забытой стране!»

«Да ты просто втрескалась в эту Надежду! Думаешь, если она выступала за права ЛГБТ, так сразу на тебя западет? А у нее муж! У нее дочка! У нее глаза как два озерца! Хороша, да не про тебя! Срочно забудь, ведь от приключения до заключения — всего один шаг!»

«Да она ближе мне, — Далекая говорит Близкой, — чем ты в сраном своем США!»

Шмяк, трубка повешена, Близкая трясется над флешками, не в том смысле, что трясется, чтоб ничего не пропало, а как раз рыдает. А Далекая раскладывает, тасует, как пасьянс, вопросы на карточках, обращенные к Н. Толоконниковой. На карточках потому, что любит Набокова и ему подражает. На привлекательное лицо Нади Т. пытается не смотреть. Главное — права человека, забудем о личных чувствах и дрожи в душе!

Далекая ОНА едет в Тверь, в ИТК, Близкая ОНА не хочет ставить в отношениях ТЧК.

Продолжает складировать найденных в Сети «младенцев» в килобайты-кунсткамеры, заспиртовывать в банки и в байты. Очевидно, для будущих прозопроектов. И главное, все про сестер. Ведь та, далекая МАР, давно ей совсем как сестра. Но вместе — Мар + Мар — какая-то ерунда получается, будто мурлыканье. Марьяжат друг друга, мурыжат, мяукают, точат когти, раны и шерсть на друге друге вылизывают — а слиться не могут. Ну настоящие кошки!

«Не мурлыканье: *murder*». — Близкую осеняет.

И на флешку складывает историю про девушку неземной красоты, двадцати двух лет от роду, которая поехала в тюрьму в бразильском городке Терезина, чтобы выйти замуж за убийцу своей сестры-близнеца. Сестру-двойняшку укокошили двойным выстрелом: профессиональная модель, прелестница, умница, она была найдена в каком-то лесу. Лежащей обнаженной в снегу. *Сколь не ищи, второй такой не найдешь.*

Близкая ОНА глядит в глаза своей МАР. Кладет ее снимок, тот, на котором она в костюме Терезы из пьесы Андре Моруа, с пухлотой еще не оформленных губ, с таким особым размывчивым овалом лица, рядом с собой на постель. Обнимает листок. Мнет его своим телом, краска смазывается, на руке — типографская сажа. Целует этот маленький *черный атом*, дорогой *уголек*. В порыве страсти кричит — «Тереза, Тереза!». Изгибается, держит сердце в руках. В золотой клетке ребер бьется встревоженный соловей. На рулоне бумаги распечатывает полную версию новеллы Андре Моруа и на нее наклеивает увеличенную фотографию — в полный рост — своей Мар. Спит только с ней.

Далекая ОНА («Тереза!») в это время — с Надеждой.

Однако случается странное удвоение, и получается, что, поехав к одной, Далекая оказалась с Другой.

Уже выходя от Надежды «Пусси Райт» с ответами на вопросы про права человека, права ЛГБТ и вообще все эти дела, увидела бабу-охранницу, растеряла карточки Сирина, сразу запала, осела, тут же вместе в обнимочку, нога за ногу куда-то поволоклись, водка, селедка, наливка, молодка; пахнет паленым, грубые руки измяли бархат, помацали прозрачный кристалл на царственной шее, щедро обслюнявили щеки, загрязнили белые кружева.

Охреневшая охранница НАДЬКА с золотым зубом, с лифчиком, который сидит на ней как на корове седло, а чашечки окостенели будто доспехи, начинает рвать и метать: Далекую не выпускает, просит ее досмотреть, допросить, дотеребить; начальству шлет рапорт, что Далекая нарушила правила навещания арестанток, а сама просто хочет подмять ее под себя. Просто хочет ее. По-простому! Хочет! Подмять! Товаркам-кобелкам хвалится, тешится тем, что ее тешила «дамочка из высочайших слоев, у ней три красных диплома, четыре фильма с Ленфильма, пять лет в Германии шпрехает с гретхенами и культурно кушает гренки, а вот мне — ДАЛА!».

В общем, странная связь и смещение, непонятные дорожные перемещения, одно заменилось другим, и кривое железнодорожное зеркало наконец выказало свой скошенный желтый клык. Ласка превратилась в Аскал. То, что началось с красивой любви и зеркального удвоения-отражения и приятного, на расстоянии, притяжения, растопталось в пыль сапогами охранницы в ИТК.

Но пока — не ТЧК!

Близкая ОНА пугается игры слов: *twins* и *twist*, то есть «болезненный» и «близнецы». Это так написано в одной статье про чудовищную свадьбу в Бразилии: «*twisted twin sister*». Собирает деньги на взятку охраннице в тьмутараканскую Тверь, чтобы вызволить Далекую, до сих пор пленящую Пленницу. Охранница наконец образумливается, опускает уд, отпускает удила, и Далекая ОНА снова реет королевой в бархате в Кёльне; поездку в Тверь и фингал под глазом скрывает. А *иногда так долго молчит, что кажется, что ее нет.* Про кровоточащую красную рану лучше не говорить. Продолжаются ее чаепития, чаты и безостановочный гон по кругу диаметром в три сантиметра. Жизнь подается вовне через зеленый глазок в мониторе лэптопа; тут же экран, с которого говорят, говорят, говорят мужские и женские голоса, куда периодически всовываются чьи-то нечесаные нечеткие лица (и хорошо, если ЛИЦА!).

Отношения с Близкой ОНА прекращает. «Что ты там блеешь в своем обсосанном офисном США, ты жизни не видела, ты бы посмотрела, как Надя живет! Там роба, а не какая-то Робски; ватник на теле вместо твоих ватных санфранцисских туманов; там пот и кровь, а не твои пошлые потуги на койке под балдахином! У тебя уже давно эрозия матки, а не эротика! А там жЫзнь есть и пьет!»

И прибавляет этакий матерок и словечки, которым явно обучилась у своей «Нади» в Твери.

«Тварь, Тверь, — думает Близкая. — А ведь недавно еще боролась за чистоту русского языка и, когда я спросила ее: что, проблемы со Скайпом? — выложила на меня все четыре тома Владимира Даля с истошными криками: «Я как Набоков, ты помнишь, он «Толковый словарь» купил с лотка и читал? Так вот, не проблемы у нас с тобой, а препятствия, препоны, помехи, барьеры и заграждения, трения и твои наваждения, простирающийся сразу на два континента раздрай и раздор!»

Близкая размышляет: «Какая Надя? «Пусси Райт», Охранница (которую опять же по странному, совсем ненабоковскому натужному совпадению тоже Надей зовут) или Надин?»

Рыщет в Скайпе, ищет свою Далекую, ставшую такой Близкой, свищет Сестру. Ариадна, Сестра! Джоанна, Сестра! Марианна, Сестра!

МАРР-МАРР-МАРР! — откликается на эти клики ворона. Ах, как больно, как жалко, как жутко. Бутылочка с таблетками от бессонницы, черствая булка, вон балка, чтобы повеситься, а вот и балкон.

Далекая ОНА затаилась. Близкая ОНА собирается в И-Тэ-Ка.

Далекая Сестра уже была в И-Тэ-Ка.

Но еще — не Тэ-Чэ-Ка!

Близкая Сестра действительно хочет отправиться в Тверь, в ИТК, чтобы взглянуть в глаза бой-бабище в говнодавах, которой ни дилда, ни Запредельной Дали не надо.

Она — Бабариха! Она бандерша и Кабаниха! Руки — лопаты! Сигарета победно сидит в кривящемся рту! Ножищи в сапожищах сорок второго размера! Бикса, шмара, шмаляра, сучара! В постели пуговок не расстегивает, тела нагого с красной растянутой обветренной кожей не кажет, стыдится; попробуешь ее рассмотреть, разглядеть, гаркнет как на поверке, а сама ватника даже в комнате не снимает, и давит, и давит, и раздевает... на душу, на грудь!

Норовит и поддеть «дамочку из высоких слоев», и даже пнуть!

(Чтобы потом ее ТАМ втихомолку лизнуть!)

Но Близкая ни о каком облизывании просто думать не хочет: ей плохо.

Подкатила липкая тошнота.

Склонилась у раковины, уставилась в зеркало.

Неясно, что с ней такое сейчас. То ли собирается в глаза Охраннице посмотреть, что последними видели груди Далекой-Желанной, то ли в ней копится, накаляется, набирается, подбирается к горлу что-то еще.

То, что маяк; то, что самый настоященский афродизиак!

То, где от мурлыканья — до кровавого *murder* — всего один шаг!

«*Обладание только ею, только этой одной, только сестрой. Она мне и муж и жена; нужна мне только ОДНА*».

Близкая все пытается взять толк, про что же был фильм *Sister My Sister*. Читает про процесс над сестрами Папен в «Энциклопедии нашумевших убийств»:

«Все заседание длилось четыре часа. Осужденных уводят. За ними закрывается дверца зала суда. Сестры уносят свою тайну с собой. Почему они ПРЕступили? Почему совершили такое чудовищное злодеяние — вырвали глаза у своих жертв? Что могли видеть эти глаза, какое запретное зрелище открылося им?»

МАРИАННА, СЕСТРА...

ЧТО МОГЛИ ВИДЕТЬ ЭТИ ГЛАЗА?..

Готовясь к поездке в Россию, Близкая скидывает на флешку комментарий психолога про двух бразильских близняшек-сестер:

«Это один из тех странных примеров, когда выживший член семьи (в данном случае — сестренка-близнец) испытывает необъяснимое притяжение к убийце, потому что убийца был последним, кто видел их близкого человека живым. Сестра-близнец хочет соединиться с погибшей сестрой, пытается найти хоть какую-то связь, желает до нее достучаться, старается стать ближе к любимой сестре, но единственная связь

с погибшей — это убийца, и поэтому единственный шанс соединиться с убитой сестрой — выйти замуж за ее палача».

(Телеграмма в Тверь, в ИТК) 03.III.13.

НАДЕЖДА ВОПРОС СЛИШКОМ ВАЖЕН
ОБСУЖДЕНИЯ ПИСЬМАХ ТЧК ВЫЕЗЖАЮ
ТВЕРЬ ЧЕТЫРНАДЦАТИЧАСОВЫМ 23 СКОРО
БУДУ У ВАС

А вот теперь — ТЧК.

ВЫСОКИЙ СТАТУС
И ТАКАЯ ЖЕ СТРАСТЬ

1

Она ходила сутулясь, чуть приволакивая ногу в мокасине, из тех, что надевают на сельское барбекю — обыденно, негламурно, — и R., сидящая за столом, размышляла: «Зато, если будет моей, никто не позарится» — и украдкой кидала на нее взгляд.

А высокая, вышестоящая Déннис возникала у R. за спиной и щелкала «мыльницей» скоропостижные, как мыльные пузыри, репортажи для библиотечного стенда, которые уже на следующий день никому не будут нужны, выходила из зала (взгляд R. летел за ней раздразненным, неотвязным шмелем), где шла пресная презентация, и направлялась в другой.

R. — для которой посмотреть в глаза привлекательной женщине почти значило с ней объединиться физически, так споро протекала химическая реакция «взгляд — теплый трепет — нежное жжение» — только радовалась, когда Деннис обращалась к организационным моментам, предоставляя R. шанс рассматривать ее исподтишка. У нее была освежающая, осветляющая лицо спортивная стрижка и выдающиеся вперед зубы, и, хоть она и смахивала немного на зайца, R., не смущаясь, предполагала, что чем больше маленьких недостатков, тем интимней и сокровенней достоинства, которые R. смогла в ней разглядеть.

R., только устроившаяся в библиотеку статусного Стратфордского колледжа, занимала там самую нижнюю, ничтожную должность стажера, в то время как Деннис, директорша библиотеки, стояла на самом верху. Ездя в Стратфорд дважды в неделю, R. дважды в неделю, будто гадалку, пытала платяной шкаф: желтое или зеленое, то или это, джемпер или пиджак? — и вчера выбрала серо-черную кофту с яркими, будто выстреливающими лепестки, шокирующих шелковых оттенков, цветами, вышитыми на спине.

Грудь у R., напротив, была серая, скучная. Эту грудь лицезрели усевшийся рядом мелкий черноволосенький мексиканец, у которого точечная небритость смешалась с угрями, и распущенноволосая полная девушка в размахайке изумрудного цвета, из тех, кого сестра R. называла «русалками из местной канализации»; она же доказывала, что «у американских Гулливерш ноги просто огромные, они меньше сорокового размера не носят, да и все шлепают не в туфлях на каблуках, как следящие за собой россиянки, а в пробковых сандалиях «Беркенсток».

R., ухмыльнувшись, заглянула под стол: 1:0 в пользу сестры.

Серую скучную грудь R. лицезрели собравшиеся на презентацию рядовые работники библиотеки — а вышестоящая Деннис (фамилия ее как раз была Флауэрс), деловито щелкавшая собравшихся со спины, видела вышитые, выстреливающие шелковым разноцветием лепестки. Ломаные, экспрессивные стебли. Узкую черную спину, на которой вдруг выступила яркая, свежая страсть.

Тем временем трапезоидная тетка на подиуме объясняла, как распределить день, чтобы осталось время и на духовные интересы, и на семью, и под ее руководством библиотекари, бубня под нос, рисовали кружок:

«А теперь отметьте, на что уходит бо́льшее количество времени, чтобы сравнить, совпадает ли это с тем, чего мы на самом деле хотим».

R. закрашивала три четверти круга, отмечая, что именно столько уходит на ее интересы (переводы маорийской поэзии и беллетризованные посты в сетевом дневнике) и те же три четверти на малыша (ибо малыш, воспитываясь матерью-одиночкой, из манежа неизменно наблюдал мать, обложившуюся за компьютером словарями), и с гордостью думала, что объектом ее притяжения стала самая вышестоящая женщина («И вот ее-то мы и хотим!»).

2

Заехав к бэбиситтерше, R. едет домой и, поместив ребенка в манеж, погружается в Сеть. Взгляд ее застывает на заголовке: «Недавно вступившая в должность ректорша Стратфорда спрыгнула с сорок пятого этажа».

Под фотографией, изображающей широкоскулую решительную даму в очках с брошью на красном жакете и с иссекшейся, истекшей завивкой, R., с захолонувшим сердцем, находит статью, в которой приводится список бонусов, которые ректорша запросила, вступив в новую должность: 1) вольер с выгоном для собак стоимостью в зарплату нянечки в детском саду; 2) специальную морозилку, где температура не поднимается выше нуля; 3) ковровое покрытие, на котором не остается пятен от сигарет или кофе; 4) усилители для домашнего медиацентра и, самое главное, зарплату в сто пятьдесят две тысячи долларов для гражданской жены.

Все это — говорится в статье — ей предоставили, но студенты, возмущенные тем, что даже «четвероногим лесбийским питомцам теперь положены льготы, в то время как стоимость обученья растет», устроили возле ее дома пикет.

Журналист, называя погибшую из-за излишеств в быту «шамаханской царицей», иронизировал, что ректорша и перед смертью не смогла пройти мимо роскоши, спрыгнув с нуворишского небоскреба во Фриско, где «рента доходит до ста тысяч долларов в год».

«Во время отпуска, финансируемого из карманов налогоплательщиков, живущая на широкую ногу новая ректорша выбрала для прыжка самое высокое, оснащенное всеми удобствами и, очевидно, соответствующее ее статусу здание, куда заявилась, чтобы помириться с партнершей, но не застала никого дома, вышла на крышу и прыгнула вниз».

Найдя другие заметки на ту же тему, R. замечает, что внимание прессы сосредоточилось на «лесбийской клике» и собачьем вольере, и только один репортер упомянул о научных достижениях ректорши, занимавшейся теорией струн, ее признании в среде академиков и международных призах.

R. содрогается. Понятие «высокий статус», не выходившее из головы, когда она мечтала о связи с директоршей Деннис в свете истории с прыгнувшей с высотного дома ректоршей-лесбиянкой, приобретает трагически иронический смысл.

3

Перед тем как отправиться на библиотечную практику, R. навещает проживающую вблизи кампуса Лину.

У той рыжий крашеный ежик волос напоминает ворс ковра; на ней — по-тургеневски романтичная блузка, которую болонка с тургеневским именем Ася то запачкает чем-то красным, то даже порвет, и поэтому, когда R. собирается уходить (шарообразный муж Лины тут же откатывается на второй план, туда, где шлепанцы, транквилизаторы и телевизор), она всегда с нетерпением ждет, когда Лина скажет: «Ну вот, опять блузка запачкана», — и начнет раздеваться.

Отводя глаза, не смотря, но кожей все-таки чувствуя на расстоянии ее грудь и ощущая шарящий холодок на спине (ведь необязательно видеть, достаточно *представлять*), R. стоит, привалившись к косяку, в Лининой комнате, больше всего желая сползти по стене и там, внизу, на полу, ее ждать — а Лина ищет новую блузку.

R. спрашивает:

— Зачем? Ты ж на улицу на минуту... только до остановки меня проводить...

— А вдруг я встречу настоящего принца... — отвечает Лина, и они обе понимающе улыбаются. Лина — вероятно, собственным мыслям, а R. — тому, что упоминание «принца» значит, что кроме мужа рядом с Линой возможен кто-то еще.

Может быть, если ждать и вот так вот стоять, случится чудо, и этим «кто-то еще» станет R.?

Через несколько улиц от дома Лины располагается Стратфордская библиотека с вышестоящей Деннис, похожей на зайца.

А вот тут рядом — Лина, которая специально к приходу R. приготовила куриный паштет.

С которой можно пить чай.

С которой можно обсуждать всякую ерунду.

Например, рассказывать ей о трудностях вскармливания: сын ночью проснулся и в темноте никак не мог найти грудь.

R. спросила смеясь: «Почему у женщин нет на сосках светлячков, чтобы ребенок их в темноте находил? Светящиеся соски — представляешь?»

И им обеим стало приятно. R. — потому что они говорили с Линой на такую «женскую тему», а для R. в женском соске и груди таилась эротика, несмотря на молоко. Почему же стало приятно Лине — пока неясно.

И ничего не мог испортить Линин супруг с безволосыми худыми ногами, кое-как засунутыми в сандалии из секонд-хенда. Лежащий во дворике на раскладушке, запачканном голубиным белым пометом, пока они с Линой сидели на солнце.

Который, ругая Америку с раскладушки, рассказывал, как его племянник, семилетний Семен, в ответ на вопрос «Ну что вы в школе проходили сегодня?», принялся рекламировать: «Если ты гей — это о'кей!»

И этот супруг недоумевал, почему надо учить в школе пословицы, а не правописание или арифметику, и не переставал задавать свой вопрос и подкидывать его, будто голубя, в воздух, в неожиданно наступившую тишину.

А R. знала одно: если он ее застанет с Линой — убьет.

«А что же Деннис? — через полгода записывала R. в сетевом дневнике. — Недавно я узнала две вещи: во-первых, партнерша покончившей с собой ректорши пытается отсудить у родителей самоубийцы три миллиона, заявляя, что львиная доля страховочных выплат принадлежит ей как гражданской жене, а во-вторых, мое стажерство в библиотеке заканчивается, и на постоянную работу меня не берут.

Мне уже пришла бумага за подписью Деннис.

Вышестоящей Деннис, которая когда-то казалась мне — когда я была подчиненной, а она не подозревающей о моей страсти начальницей — такой сексапильной.

Так что же Деннис, что же похожая на зайца Деннис в сельских мокасинах?

Даже ночью, когда лежа в кровати, я перебираю в уме — перебираю на пальцах — всех привлекательных женщин, я ее не вспоминаю.

Я забыла ее.

Мне стало неприятно думать о ней».

ГРУЗОВИК

У нас с супругом все хорошо: отправились ему грузовик покупать. А она такая с косичками, в комбинезоне, за тридцать — а все как ребенок, стопочкой складывала яркие носочки в шкафу. И вот мы вернулись домой (а у нее тоже был черный, как вороново крыло, грузовик, она его «рейвеном» называла, когда за мной заезжала), и я, воспоминаниями нагрузившись, грузовиком распалившись, предприняла поиск в Сети — и тут из Всемирной Вебной Вагины выскочил ее брат.

Он — те же ямочки на щеках, кудряши — живет с пианистом, который, кроме выпечки и выкаблучиваний, ничему не обучен (обуза) — сам же брат (биржевой маклер, банкир), судя по отрадным отзывам в прессе, сумел убедить всех, что он эстрадный актер. И я так расстроилась тут — ведь она с детства старалась подражать Брюсу, но у того уже и пентхаус, и сольный перформанс, а у нее ничего нет.

А она заботилась обо мне, выжимала машинкой свежие соки, сооружала пенные ванны — а потом на заправке напоказ обнимала под ядовитыми взорами отравленных бензиновыми парами парней... Из-за такой бесшабашности мы часто ругались, а затем, загнав себя словами в тупик, уткнувшись под мышку нежданно оборвавшейся улице (вечернее марево будто слабый раствор марганцовки), принимались мириться: она, склонясь в кабине ко мне на плечо, под рокот мотора роптала на мать, что шваркала школьницу дочь о приборный щиток и обзывала уродкой... а я вспоминала, как забивалась под батарею, когда моя с вешалкой по квартире гналась.

До сих пор самой себе страшно признаться, что она смахивала на мою норовистую, неровную мать. Та часами, бывало, строит неприступные мины — и вдруг как накинется и взахлеб, взбалмошно примется целовать. Или трясет меня, будто яблоню, а потом, образумившись и обнаружив на затряхнутой шее царапину, начинает просить прощенья, рыдать... А когда мать скверно относится к дочери, та все огребенные огорчения, повзрослев, переносит на свою дочь. Мы с Анной перенесли все друг на дружку, и этот порочный круг никак не прервать.

Однажды после ссоры она явилась ко мне, а я, устав от такой ухабистой, тряской любви, не мешкая, захлопнула дверь, но она все равно ворвалась, разнесла все вокруг и обивку кушетки и тюль порвала. Ближе к ночи с цветами и шоколадкой вернулась ко мне зашивать. А в это время отец с работы пришел, а мы — в затемненной комнатке-живопырке, на старой кровати, и как раз тут под нами проломилась доска. Утром встаем — отца след простыл, а на плите в кастрюльке стынут сосиски. Ее передернуло: «На что намекает... смотри, как раз две — для меня и для тебя!»

Но я вот еще что хотела тебе рассказать... о том, что бабуля сказала перед тем, как умерла. Выбравшись на балкон и перегнувшись через перила (будто намереваясь кинуться вниз), она начинала кричать: «Люди добрые, помогите!» — или, отвязавшись от кресла и выметнувшись за порог, просила у соседа «хотя бы горбушку — дочка с внучкой обобрали меня...» Когда на бабулю психоз находил, мать с ней сидела, хотя с малолетства таила обиду — ведь бабуля натягивала мокрые простыни ей на лицо, а потом и вообще в детдом отдала.

А перед смертью психоз весь сошел, и бабуля тихо-мирно так говорит: «Я завтра помру». Мать же в ответ: «Мам, не болтай ерунды». А бабуля мяса жадно куснула и продолжает: «Ну что скажу про свою жизнь? И хорошее было там, и плохое, всякое было — но грешить не на что, все это мое».

Между нами тоже всякое было... мы вот с Анной встречались пять лет, успели на «Рейвене» пару-тройку штатов объездить — а теперь ездим с супругом... Но к чему же веду: мы грузовик у семейной пары купили... две интеллигентные женщины, Оля и Лена... муж-то не понял, почему я с незнакомками вдруг душа в душу, а нам друг про друга сразу стало все ясно, с первого взгляда... И так разбередили меня, что все местоимения сразу смешались: ее грузовик, наш грузовик, ваш грузовик... главное ведь, чтобы человек с тобой был хороший, а Миша он или Маша — разницы никакой нет.

ЧЕТЫРЕ РУКИ

Мать: Невысокая, черноголовая галка, приветливо раскрывает рот, руки, двери, рояль. С ходу садится и с ходу же начинает играть. Браво, Нонна, муж говорит. Действительно, что-то бравурное. На стене бра и поделки из подарков природы: может скупить все на свете, но не гнушается изделий собственных рук. Беззазорный задор: «Знаете, что я играю?» Колючий укор: «Да вы что, совсем не малышовый Шаинский — это Шопен!»

На прощание дарит ракушку: абалон. Тянется к люльке, принесенной гостями, где посапывает пока безымянное существо: «А я своим говорю, старайтесь, старайтесь, а они не торопятся меня бабушкой сделать. А я бы все дни с нею возилась! Старайтесь!» Якобы шутливый кивок в сторону слабого сына, специалиста по софту, его сильной мускулистой жены.

Отец: Тоже был пианистом высшего класса, но испортил руки рыбалкой, спину — радикулитом, радость от музыки — пьянством. Сутками напролет возится с лодкой, которую назвал в честь черноголовой супруги. Невысок, недалек, смахивает на кривоногого казака, по всему дому развешаны фотографии: он и сом. Он довольный, усатый, сом тоже с усищами, но уже мертв. Отец жив, но безволен, как педаль под пятой у жены. На прощанье хмыкает что-то, шпаклюя, мухлюя, поправляя уключины, сидя на дне.

Сын: В детстве был солистом, выходил на сцену с оркестром (зал покашливал, родители замирали), потом, оставив смычок, осуществлял смычку с итальянским народом: мыл машины, предлагал прохожим значки и замызганных кукол-матрешек, когда через Италию поехали в США, — теперь боится всего: одиночества, холостячества (матери всегда было так много, что теперь пустоту необходимо заполнить спутницей жизни), материнского гнева, равнодушья отца.

Жена сына: Свадьбу сыграли на лодке, но не на «Ноннушке», а на другой, блестящей, большой, куда вместилась вся белая шваль[1]. Братание высокоумных советских евреев со спесивым американским солдатиком (два раза уходил в самоволку) и секретуткой (брат и кузина жены). У молодой жены три пары родителей и все реднеки[2]: ее отец (бугристая голова, сапоги-говнодавы) последовательно разводился, и каждая новая женщина превращалась в жену-мачеху-мать.

Через пять лет после свадьбы: съемная квартира, спасенные из приюта собаки (кусались, после нескольких уроков смирения — пятьде-

---

[1] Б е л а я ш в а л ь (от *англ.* white trash, дословно переводящегося как «белый мусор») — белые бедняки.

[2] Р е д н е к (*англ.* redneck) — дословно переводится как «человек с красной шеей» от солнца и работы на воздухе; недалекий сельский простолюдин.

сят баксов за час — пришлось усыпить), снег и лыжи в Сьерре-Неваде, лень и солнце в Израиле, поездки в Индию, в Японию, в Катманду. Наконец свой собственный дом, в котором все время почему-то капает кран. Сын отчитывается перед матерью: купил дом, но трубу еще не успел залатать.

Мать с нетерпением ждет внука. Несколько попыток оказываются безуспешными, но на четвертый раз наконец вырастает живот и продолжает безмятежно расти. На шестом месяце.

Жена объявляет, что она лесбиянка.

Мать говорит, что с такой невесткой не будет иметь ничего общего.

Отец, со своим сомнамбулическим, фотографическим сомом, не находит что сделать и что сказать, кроме того, как повторять слова матери и продолжать плавать на названном ее именем судне.

Сын в полном шоке. Что делать? Надо срочно чинить кран и продавать дом. Надо незамедлительно искать другую жену (ведь один он не может прожить, а до женитьбы какие только девушки не перебывали в постели: студентки с маловразумительных факультетов, студеные стервы, прыщавые обыкновешки с салициловой кислотой).

Жена: Хотела выйти замуж, чтобы стать такой же как все, «чтобы у меня тоже была настоящая свадьба, чтобы были гости, было красиво», поэтому пыталась подавить все чувства к женскому полу, но, как оказалось, ничего не смогла.

Сын в шоке.

Мать и Отец в полном отказе: она нам не невестка, ее дочь нам не внучка, и ты, если будешь себя так вести и ее навещать, нам не сын.

Сын о своей еще неродившейся дочери: не такой жизни я хотел для себя, для нее.

Жена: У меня и в мыслях ничего не было, ведь под сердцем уже была Соня, но увидела Ее (мы еще со школы знакомы) и сразу все поняла.

Сын: Мы с бывшей женой пошли попить кофе, и я вдруг удивился: совсем чужой человек, как я с ней столько лет уживался? И от этой мысли мне стало полегче, а тут как раз Соня стала стучаться... как будто дожидалась моего прилета из Колорадо (ведь теперь мы в разных штатах живем).

В тот день ничего не случилось, а на следующее утро мне в гостиницу позвонили, и я сразу приехал, а там уже бывшая жена в ванне рожает, чтобы все натурально, без анестетики, по задумке природы... Я ее за одну руку держал, а сожительница ее — за другую. И появилась на свет моя Соня с крохотным носиком и ноготками, разительно похожая на меня...

Мать и Отец: Для нас она не существует. Нет у нас никакой внучки. Нет у нас никакой бывшей невестки. Их просто нет.

Подходят к роялю и играют в четыре руки.

ПЕСНИ БЕЗ СЛОВ

Дом был поделен на две части. Наверху располагался пожилой риелтор, карикатурный перепрода́вец домов и его не вникающая ни в дела, ни в деньги жена, а внизу — общавшийся с крысами моложавый профессор. С голубями тот столкнулся впервые и поэтому летал в другой город к коллеге, с которым у них был совместный проект, с удовольствием: новшество. Подымался он рано и тут же вставал на беговую дорожку, по которой поджаро спешил в никуда, в то время как напротив него раздавался телевизионный бубнеж.

Только профессор вселился в этот подвальный отсек, где на веревках сушились его штаны прочной охотничьей фирмы в количестве десяти штук, а в гостиной водились таймер, три тонометра и четверо напольных весов (можно было подумать, что в профессоре бились три сердца), как тут же поссорился с домовладельцами и затем десять лет сряду слал чеки почтой, вместо того чтобы отдавать квартплату в руки риелтора, а когда тот умер — его несговорчивой, прежде говорливой вдове.

В один мягкий, желтый, как апельсиновый джем, солнечный день к профессору заглянули мужчина и женщина и уже приготовились состроить сладкие лица, поедая его кислый десерт, как услышали льющиеся с потолка дивные звуки. После того как толстовато-уютный гость закрыл глаза со словами: «Я так и сидел бы тут совершенно пьяный, так и сидел», профессор, убирая остатки ликера, поведал: «Моя лендледи закончила Джулиард», а обычно резкая гостья, метнув на него взгляд (семь лет назад этот оглядчивый ухажер, смотря с ней комедию в кинотеатре, фиксировал свое настроение по десятибалльной шкале, причем жалкую троечку она, обидевшись, приняла на свой счет), решила на этот раз промолчать.

В течение получаса все трое плавали в счастье без слов, а затем, только музыка прервалась, ринулись в Интернет, пытаясь найти хоть какую-то информацию о божественной пианистке, но выскакивали сведения вроде «Садовски: мафиози в Нью-Йорке», «Семья Садовских перед войной покидает Варшаву», а затем «Миссис Садовски дает сто долларов на поправку No on Y». Разведав, что поправка касалась отношений квартиросъемщиков и домовладельцев, причем миссис Садовски выступала против предоставления первым дополнительных прав, профессор воскликнул: «Это точно она!»

Мелодии возобновились, и сдобный мужчина заметил: «Миссис Садовски, наверное, утром встает, надевает старомодные, хотя и новые башмаки и короткую, хотя и благопристойную юбку из тех, что мирволят старушкам и, поскольку после смерти мужа у нее ничего не осталось, отрешившись от ненужных реалий и скользя по рельсам нотных линеек, начинает играть — какая патетичная, отстраненная жизнь!» А профессор, общавшийся больше с ведущими новостей, которым он измерял лица, чем с живыми людьми, предполагая, что определенного размера лица на телеэкране вылечивают все виды депрессий, пораженно сказал: «Да вы мне на нее открыли глаза», в то время как женщина по имени Лора, рожденная под знаком привычной профессору Крысы, нервно окинула ищущим взглядом профессорский стол, но сигарет не нашла.

Сначала ей показалось, что престарелая пианистка просто готовится к выступлению и жизнь ее занята́ и сложна, однако никак нельзя было объяснить, почему в комнате вдруг прозвучала «Песня венецианского гондольера», именно та самая, которую Лора неделю назад разучила, желая обрадовать своего родившегося в Венеции уютного толстяка...

Попрощавшись с профессором, она думала так: «Может быть, кто-то там наверху осведомлен о том, какие струны моей души можно задеть, а это обычно происходит тогда, когда совпадения падают в лунку и кажется, что за стенами колышется и волнуется совсем другой мир, иногда забрасывающий метеориты в мой уголок, и тогда я понимаю, что даже встреча с утомительно-уютным мужчиной, в котором я утопаю, была неспроста; нужно только понять, что *они* под этой мелодией и под этим солнечным днем имеют в виду, что я должна сделать, что разгадать», и как раз в этот момент старушка в клетчатой юбке и новых, со старомодной иголочки, башмаках посмотрела в окно и увидела, что посетители ее квартиранта, с приходом которых она раскрыла мендельсоновские «Песни без слов», удаляются по аккуратной дорожке, и после того, как они отошли на расстояние, откуда рояля, как она знала, было не слышно, она закрыла ноты и перестала играть.

СОВЕТСКИЙ СОЮЗ

Сальво настоял на их походе к раввину. И вот они сидели перед главой провинциальной, прогрессивной реформаторской синагоги, смущаясь, смелея, а безбородый, бодрый раввин, не понимая, чего от него хотят эти разные люди, после каждой их фразы вставлял «мазл тов». «Мазл тов» на то, что поженились два года назад. «Мазл тов» на решение поселиться в свободной стране. «Мазл тов» на то, что пришли.

Сицилиец Сальво, после двух лет простодушного проживанья в Америке (дерюжные джинсы и шляпа, карикатурно оттеняющая его лепной крупный нос) ставший похожим на преувеличенный портрет американского мачо, обняв себя (руки крестом), говорил, что пирамиды посредников между человеком и Богом не нужно; что конфессий много, а вера одна; что не одобряет взглядов Католической церкви на секс. «Мазл тов», — повторил, улыбаясь нейтрально, недоумевая, раввин.

И тут уже Ирина вступила, нацеливаясь дужкой очков себе в глаз, перенадевая их на оправой отмеченную, оттиснутую перемычку, переживая внутри, а внешне пережевывая резину выжатых слов: «Я атеист, я атеист, я атеист». А Сальво, освоясь, продолжал пояснять, что на родине опирался на плечи соседей, чувствовал локоть друзей... а в Америке никак не может влиться в общий поток, начать потакать местным обычаям (то есть жить в душевном отдаленье от всех), а радушный раввин, разбивая разноголосицу, обещал: «У нас вы обретете общину».

Сальво же не прекращал рассуждать: «Религия — это язык, и каждый изъясняется на своем, но все хотят одного... а тут я могу общаться с вами и с Богом на равных...», а раввин, слушая его, уже спешил обратиться к Ирине, советуя купить менору и свечи, чтобы принести их в следующий раз.

А Ирина собиралась сказать: «Я не уверена, стоит ли мне вообще сюда приходить, меня сюда привел муж, я не знаю, кто я. У отца моего, выросшего в безблагодатной, безбожной стране, при слове «еврей» на лице появляется беспокойство; мой дед практикует иврит, изучая надписи на могильных камнях...» Но только она попыталась выразить свои мутные, запотевшие, как очки, ощущенья, как раввин уже перескочил на больную старуху, к которой по долгу службы ходил:

«В американском журнале увидела рецепт пончиков к Хануке и зарыдала. Бормочет и плачет: у нас в Советском Союзе ничего этого не было, кефир, растительное масло, мука́... нам все про себя приходилось скрывать».

А Сальво успокоившимся, угасающим на хвостиках предложений голосом продолжал говорить: «мне хоть куда бы приткнуться... вне храма я чувствую себя как сирота...» И, пока раввин рассказывал им о развлеченьях, о чаепитьях, о яслях для чада, о танцах, о том, что здесь их всегда будут ждать, Ирина неожиданно вспомнила, как много лет назад, в Советском Союзе, кузен-подросток от нее отказался (полукровка Ирина записалась в паспорте русской):

«Ты больше мне не родня».

Между тем раввин на вопрос «Кто же я?» отвечал:

«Твое тело, коктейль из разных кровей, эти белые и красные кровяные тельца не имеют значенья. Важно то, что ты сама думаешь про себя».

Узнав, что, несмотря на ее половинчатость, на невозможность оторваться полностью от земли, на змеиный язык, на метания между Богом и чертом, на меланхоличного еврея-отца и обнесенную разумом, обзывающую ее жидовским отродьем русскую мать, ей никто не запрещает сюда приходить, она напряглась... Ведь оказалось, что память по-прежнему хранит все эпизоды (когда волновалась, заслышав музыку клезмеров, когда выводила еврейские буквы, когда в электричке били отца), и что целостность не зависит от генов, и что после того, как раввин, поддев, выволок на поверхность давние, неподавленные обиды и страхи, загромождавшие зрелость и зеркальность души, она наконец поняла, что жизнь была полна немого, неопознанного, неслышного горя, каких-то тревожных, тяжелых, отваживающих от веры вещей, которые до этого, да и сейчас, когда что-то новое входило в нее, нельзя было безболезненно, без помощи посторонних назвать.

ВОСПОМИНАНИЯ О СССР:
семь маленьких текстов

«Медвежонок»
(велосипед)

Советская промышленность часто сосредотачивалась на двух-трех моделях товара. Если это была кукла, то она либо ходила и говорила (и считалась непозволительной роскошью для обыкновенного служащего), либо только пищала (для чего у нее под платьем помещалось устройство, которое так интересно было вынимать и переворачивать, продуцируя писк), либо лодырничала, полеживая в собственной ванночке и прозываясь «голыш». В международных целях еще производилась кукла «Негритенок» с непропорционально большой головой, но особой популярностью почему-то не пользовалась. В Америке я встретила женщину из Молдавии, которая сообщила, что «Негритенка» в детстве она звала «Мумбой-Юмбой», а ныне всех встреченных афроамериканцев — «чернышами», непредусмотренно ласково. Марок велосипедов для детей тоже существовало немного: «Ласточка», «Школьник», «Орленок». Многим запал в душу «Медвежонок» для дошколенков, с дутыми шинами, переводной картинкой, изображающей циркового медвежонка, на вилке и двумя съемными, «страховочными» колесами размером с хоккейную шайбу. Папа вывозил меня на «Медвежонке» на стадион, располагавшийся через дорогу от нашего девятиэтажного дома. Когда на стадионе проводились футбольные матчи, я усаживалась на подоконник и следила за передвижениями игроков, сквозь двойные рамы вслушиваясь в ропот трибун и расшифровывая свистки арбитров. Рядом с теннисным кортом на стадионе я находила забытые мячики. Из белых они превращались в серые и мокрые после дождя, ворс вытирался. Теперь и в Америке дожидаюсь, когда теннисисты увлекутся игрой, и я смогу подобрать какого-нибудь укатившегося ворсистого «блудного сына». Летом «Медвежонка» взяли на дачу, уже без «детских» колес. Я ехала на нем вперед по дорожке, а легконогий папа в своей любимой рубашке небесного цвета бежал за мной. Я следила за ложившимся мне под колеса асфальтом, и неожиданно этот асфальт без предупреждения, в одно мгновенье, сменялся травой. Вот сейчас попробую снова увидеть: сгущается вечер, по параллельному с велосипедной дорожкой Ленинградскому шоссе мчатся машины, а мы тут с папой, отделенные от шоссе небольшим перелеском и этой самой травой. Все вроде в порядке, седло и руль подогнаны папой по росту, но верный «Медвежонок» уходит влево, и я, съехав с дорожки, опять оказываюсь вместе с ним на траве. Папа подбегает и нас поднимает. Снова в седло! Прокрутив педали, мне удается проехать вперед, а потом все начинается снова: быстро-быстро убегающий из-под дутых медвежонкиных шин асфальт, а затем ощущение какой-то непоправимости и что вот сейчас я где-то не там окажусь, куда-то не туда заеду или заверну, и потом это падение на траву, и папа, ко мне подбегающий со снисходительной лаской: «Жива?» — или: «Эх ты!» Отряхивающий с меня траву и землю. Теперь он сам лежит в земле, над ним прорастает трава, а куда делся тот «Медвежонок», мне, сменившей страну проживания, неизвестно (сестра вот подсказывает, что при пожаре сгорел, уцелели только два страховочных колеса).

Рогатка

При скудости игрушечного ассортимента особой популярностью пользовались самоделки. Например, из пустой катушки от ниток, обмылка, резинки и стержня мастерилось самоходное устройство, напоминавшее пушку, а из вымоченных в йоде или зеленке капельниц — чертик. Рогатки в магазинах не продавались, их надо было делать самим. Подыскивалось деревце с подходящей развилиной, и все, что надо, у него обрезалось отцом. Отец же сдирал кору, и рогатка становилась белой и гладкой. Если его вовремя попросить, то он оставлял кору на рукоятке, а остальное зашкуривал, и рогатка получалась двухцветной. В противном случае он снимал кору со всего тела. Тогда рукоятка обматывалась изолентой. Изолента в советские времена была красного, синего и черного цветов. Черная рукоятка смотрелась лучше всего и для красоты украшалась поверху полосками другого цвета. Изоленту опять же надо было просить у отца. Резинку на рогатку — у матери. Зато пульки («шпонки») уже изготовлялись без вмешательства взрослых. Мальчишки умели стрелять камнями или стеклянными шариками (девочек рогатки не привлекали, я была исключением), но я предпочитала мягкую проволоку, согнутую в виде буквы U. Если попросить отца, то он мог в очередной раз подсказать, как разрезать ее на кусочки при помощи пассатижей или плоскогубцев и какая вообще разница между этими инструментами. Но нельзя же за всем обращаться к отцу! А ведь он умел все: он сделал мне и куклу «Бандита» из поленьев, уже готовившихся отправиться в топку, и кинжалы из штакетника, на которых мы рубились с двоюродным братом Мишкой, который потом вырос, уехал в Америку и стал там крупье, и книжные полки. Отец также мог отлить из свинца на заводе приятно тяжелую биту и превратить новые солдатские пуговицы в бывалые игральные «ушки». Именно поэтому хотя бы одну вещь для рогатки — эти самые пульки — я мастерила сама, сгибая и разгибая проволоку несколько раз и таким образом разымая ее на кусочки. Стрелять ими, правда, было не в кого. Если во взрослых — они заругаются, а в птиц было никак не попасть. Сейчас я взяла бы эту рогатку из прошлого и стрельнула бы в мать, потому что та совсем не любила и не ценила отца.

Бобины

Бобины — так назывались прозрачные пластмассовые катушки с намотанной на них темно-коричневой пленкой. Часто на нашем магнитофоне-приставке хрипел переписанный у одноклассницы Владимир Высоцкий со своим «Дурачиной-простофилей» или «Лукоморья больше нет», пока пленка не заедала и не рвалась и потом пылилась целыми днями в таком пучково-порванном состоянии. Неказистые картонные коробки от пленок терялись, надписывать катушки с лейблом «Свема» или «Тасма» было, в сущности, негде, и поэтому после нескольких таких прослушиваний гора безымянных записей на анонимных катушках росла. Тонкие серпантинные ленточки метались змейками по моей детской комнате, мило уставленной карликовыми стульями и столом, расписанными «под хохлому». Отец, входя в детскую, пинал ногами разбросанные по полу «Ленинские искры» и «Смену», огрызки, линейки с выжженными на них словами, циркуль с погнутой ножкой, разломанные шариковые авторучки за тридцать пять копеек, бобины. «Сейчас все вылетит в окно, если не уберешь! Вместе с «Нотой» твоей!» Магнитофон «Нота» (он также назывался «бобинник») стоял рядом с кроватью на тумбочке, и тут же располагался такой же отделанный под дерево проигрыватель — показатели благополучности советской семьи. «Не уберешь — все испарится!» — в ярости продолжал пинать валяющиеся на полу магнитные пленки отец. Несмотря на вспыльчивость, он был волшебник. Он вдруг сам испарился, когда жить, окруженному консервными банками и дешевым брюзжаньем жены, стало невмоготу. Ушел из дома в темень и не вернулся. Вылетел в форточку автобуса 27 на улице Мишн. Изловчился и испарился. Никто не видел, как он умирал. Теперь он где-то там, далеко, где еще есть хохлома и детская комната, где мобильники не ловят сигналов, одновременно старый и молодой, изо всей силы пинает неподдающиеся, легкие, струящиеся магнитные пленки.

Вынос с завода

Муж сестры трудился на «Красном треугольнике» в Ленинграде, где среди прочего производили ядовито-яркие, малиновые резиновые стельки. Эти стельки умыкались с завода и использовались для окрашивания пасхальных яиц. Мой отец работал инженером-чертежником на «Гипроникеле», а при этом НИИ был завод. Часто он приходил с работы с тяжеленной сумкой через плечо, из которой высовывался рулон ватмана или миллиметровки (ей потом вместо обоев оклеили дачу). Сумка пахла маслом с завода, махоркой, а зимой просто морозом. Там лежали детали, завернутые в старые чертежи. Осенью отец ездил в лес на болото за брусникой, за клюквой. На заводе ему изготовили металлический ковш с ручкой, открывающимся зевом и зубьями, который собирал ягоды, их не давя. Дизайн этого чудо-ковша придумал он сам. До болота он добирался на поезде и потом на дрезине. Одна часть дрезины хранилась на балконе у нас, а другую взял его товарищ Пайгалик (он тоже рано умер, ну совсем как отец). Дрезину сделали на заводе рабочие. Как отцу удалось пройти мимо вахтера с этой громадиной — непонятно. И как он расплачивался с рабочими, он не объяснял. Недавно в Музее Гуггенхайма в Бильбао я видела инсталляцию: разрозненный, разнокалиберный металлический хлам, подобранный скульптором на свалках Нью-Йорка. Если собрать в кучу все штуковины, вынесенные отцом за тридцать лет работы в НИИ, получится здоровенное сооружение, своеобразный памятник неутомимому «несуну». Но в какую кучу сложить все задачи по математике и по физике, которые он поздно вечером, отстояв сначала за кульманом, а потом еще на полставки оттирая кафель в уборной, решал за меня?

Прослушка

Стоило в телефонной трубке появиться помехам или щелчкам, как говорящий настораживался, быстро прощался с человеком на другом конце провода и, убедившись, что трубка уже лежит на рычажках, сообщал членам семьи: «Там явно кто-то сидел и подслушивал. Я даже слышал дыхание. Но мы специально болтали о ерунде!» Чтобы не вызвать к себе подозрения со стороны КГБ, предписывалось избегать общения с иностранцами и по телефону, и лично. Когда отец после долгого отсутствия навестил Питер в 2003 году, его лучший институтский друг Ю. Р.

отказался с ним встретиться, через жену объяснив: «Работаю в «ящике» — могут решить, что я секреты тебе в Америку передаю». Отец ничего не сказал, но очень обиделся. Похоже, и после распада СССР ничего не изменилось, и многие люди до сих пор уверены, что за ними следят. А в советские времена мы с сестрой твердо знали: прослушивают всех, у кого есть заграничные родственники. Когда к нам приходили из Сан-Франциско вскрытые конверты с письмами от троюродной тети, становилось понятно, что не только прослушивают, но еще и прочитывают. Отец, когда заходили разговоры о «дыхании в трубке», кратко заявлял: «Надо ехать, и все». И он уехал — сначала туда, где русское, такое знакомое всем слово «прослушка» произносится как английское *wiretapping*, а потом совсем далеко, где телефоны невидимы или их не существует и, скорей всего, даже нет языка. Прослушка осталась.

Постсоветское

Что считать мерилом «распада»? Когда в артериях возникают тревожные бляшки или когда сердце перестает биться? Когда в анализах зашкаливает показатель или когда уже кидают комки земли на крышку какого-то ненастоящего, будто картонного гроба? «Комки»[1] и «ларьки» — вот, наверное, когда распался Советский Союз. Или до конца не распался? В начале де-

---

[1] К о м к и (*разг.*) — так одно время назывались сокращенно коммерческие магазины.

вяностых появились дорогущие заграничные «Марсы» и «Милкивеи», недоступные, как полет на Луну или Марс. Сигареты стали продавать в розницу (а в советское время считалось, что любой гражданин может позволить себе целую пачку). Выстроились перед станциями метро тетки с бело-зелеными пачками «Кронверка» (мои первые «отечественные» сигареты). Зашумели «наперсточники», а средства массовой информации закишели объявлениями и сюжетами об энергетике и снятии сглаза. Отец курил папиросы без фильтра: «Беломорканал» ленинградской фабрики им. Урицкого, «Астру», овальный «Рейс». В советские времена в магазинах продавалось только отечественное и болгарское курево. После развала Союза в ларьках появились многажды перепробованные мной *Salem* и *Magna*, *Congress* и *Bond* (с гордой надписью по-английски — «американская смесь»). Кроме наплыва иностранных товаров мало что изменилось. В 1994 году меня шмонали при выезде в США и понесли на «профессиональную экспертизу» золотистого слоника на цепочке из совсем не драгоценной латуни, из тех, что выигрывают в Луна-парке, требуя разрешение на вывоз антикварных вещей. И после официального развала СССР в печатную продукцию уезжающим приходилось ставить штампы Публички[1] — такие меры предосторожности применялись, чтобы отъезжавшие не вывезли какой-нибудь раритет (кстати, на таможне никто даже не заглянул в мой новенький «Англо-

---

[1] П у б л и ч к а (*разг.*) — Государственная публичная библиотека.

русский словарь» на предмет обнаружения этого самого штампа). Вглядываясь в постсоветское со своих затуманенных сан-францисских холмов, ищу новое, свежее. Но нет, все то же. Названия журналов: «Дружба народов», «Знамя», «Звезда»; писатели-премианты — либо бывшие фронтовики, как в Советском Союзе (только названия войн меняются, раньше — ВОВ[1], теперь «грузинский конфликт»), либо большевики (только ныне — с приставкой «национал»). Отец, помня разруху и голодуху, отправился из Сан-Франциско в Санкт-Петербург с чемоданами. Регистрируясь на рейс, показал пальцем: «Этот шерстяной, этот коттоновый, а это льняной». Рассортировал одежду для родственников в соответствии с материалом, предполагая, что в России, как до этого в СССР, есть дефицит. Дефицит качественных и доступных «простому люду» товаров. И действительно, не только не появилось новых отечественных наименований, но и многие производившиеся в Советском Союзе товары ушли. Хамство осталось. Вспоминается рассказ одной эмигрантки, уже в XXI веке зашедшей в Гостинку[2] и умоляющей продавщицу показать ей «хоть что-то родное», сделанное в любимой стране. Ответ продавщицы: «От турецкого и китайского еще никто не умер!» Но эмигранты до сих пор тянутся ко всему из России, продолжая закупать так запомнившиеся с советских времен рижские шпроты, дальневосточную морскую ка-

---

[1] В О В (*аббр.*) — Великая Отечественная война.

[2] Г о с т и н к а (*разг.*) — универмаг «Гостиный Двор» в Санкт-Петербурге.

пусту, кильки в томате. Вместе с кильками выписывают себе из России Пугачеву, Кобзона, Хазанова и другую попсу советских лет. Помню, как отец отбивался от билетов на кошек Куклачева (рекламировавшегося как «знаменитый советский клоун и артист Союзгосцирка») и как потом засыпал и кротко храпел в кресле в одном ряду с внуками, не заботясь о том, что происходит на сцене. Это был последний наш культпоход, ведь его уже нет, как нет и его потрепанных папиросами легких. А эмигранты продолжают устраивать гастроли советских «легенд». Но вот, кажется, привезли что-то новое, чего не было в моем детстве. «Московский цирк лилипутов» с костюмированным представлением для детей. На рекламке — бодрые карлики. Мать настоятельно просит пойти. Отцу повезло — он теперь всегда спит.

Вытеснение

Понятие, обозначающее предметы и ситуации, которые вытесняются и заменяются во взрослом возрасте чем-то противоположно иным, в процессе борьбы с воспоминаниями советского детства. К примеру: ввиду недостатка продуктов питания в СССР, по утрам перед школой мне предлагались исключительно каши. Самой противной была пшенка с комками, вызывающими рвотный рефлекс. Во взрослом возрасте каши успешно вытеснились бобами адзуки и эдамаме, азиатским бок-чоем, японскими суши, а водка — китайским рисовым вином или подогретым саке. Помню листочки, на которых мать рассчитывала семейный бюджет: если купить «морковь, 3 шт. — 2 коп.», то на яблоки уже не останется. За неимением лучшего места листочки эти вкладывались в лежащую на кухне книгу «О вкусной и здоровой пище» с предисловием наркома пищевой промышленности А. Микояна. Выросши, «вкусную и здоровую пищу» готовлю практически наобум, следя за тем, чтобы она не напоминала блюд советской эпохи: горячо ненавидимый мной холодный студень или суп из неэпилированного голубого цыпленка, которого следовало предварительно опалить над плитой. «Сама жри эти какашки!» — Разглядев сомнительные темные катышки, отец резко отодвинул тарелку, бережно поставленную перед ним старшей дочкой-подростком. Как раз в тот день она была окрылена своим уменьем готовить, трагически не подозревая о том, что в СССР цыплят продавали со всеми потрохами, включая и экскременты. Дочь напомнила отцу об этом задевшем ее инциденте тридцать лет спустя, в день его юбилея, как бы с легкой иронией, но на самом деле сохранив обиду до проступившей в ее волосах седины. А отец ровно через месяц после этого напоминания умер. Про суп он так ничего и не сказал, просто молчал. Сестра покупает теперь только куриную грудку. Но достаточно о еде. Помимо общепита, я с недоверием отношусь ко всяким «общественным акциям». «У тебя аллергия,» — говорила мне мать, узнав о предстоящем сборе макулатуры или собирании выключателей, для того чтобы помочь заводу выполнить норму. Работая медсестрой, она без труда добывала нужные справки. Когда все дружно шли на школьный субботник, я оставалась дома, читая Бунина и воображая, что во мне течет дворянская кровь. Это ощущение «принадлежности к иному роду» позволяло мне отстраненно следить за массовыми сборами школьных принадлежностей для какой-нибудь братской страны, в которой только что произошла революция, и пропускать мимо ушей пленарные заседания Политбюро любого созыва. А вот среди эмигрантов в Америке популярны президентские выборы. Видимо, таким образом эмигранты «вытесняют» воспоминания о своей бывшей стране проживания, где выборы были лишь видимостью. В течение нескольких выборных сезонов отец с матерью, не владея в совершенстве английским, просили подсказать им, за кого же нужно голосовать в этот раз. Внимательно выслушав разъяснения политических платформ кандидатов и рекомендации с перечислением наиболее желанных кандидатур, родители отметали все советы взрослых детей и голосовали ровно наоборот. Так сильно было в них чувство протеста.

ВОЕННО-ВОЗДУШНЫЕ СИЛЫ

Наташе Сивак

Гул в голове. Тошнило, когда он заходил туда, где было много людей. Они сливались друг с другом. Закидывал голову вверх; долго, долго рассматривал лампу; снова гул в голове. Похожие на мальчиков девушки с крутыми бедрами, в коже. Женщина в одежде монтажника, в каске, залихватски нахлобученной на рыжие волосы, танцуя, чуть спускала вниз брезентовую робу с плеча. Напряженными глазами он рассматривал всех, выходил из клуба на веранду, под дождь. Он знал, что пульсирующая публика его не замечает, не видит. От этого становилось легко, и только голова кружилась от людей, от еще незнакомого места. Толпа будто переходила за ним, пихала его в зад своей похотливостью и хамоватым хмельком, но он прямо в воздухе исчезал, испарялся в иное пространство. Останавливал посреди пустынного поля школьный автобус: не знал, куда ехать. Дети думали, что так и надо. Может быть, шофер в серой старомодной кепке просто устал. Когда «наваливалось», он мог смотреть только вперед, на нахлестывающий зернистый асфальт. Педаль западала. Боковое зренье пугало. На спину давил загустевший, плотный слой криков детей. На перекрестках иногда останавливался, был не уверен, куда повернуть — а вдруг выскочит на встречную полосу? Засахарившиеся крики детей, назойливая корка экземы на лбу, предусмотрительно прикрытая козырьком. Передвигался только по карте; без нее в растерянности заглушал натужно дребезжащий мотор. Иногда «накатывало» не на работе — когда вез наивно-нагловатых детей, — а когда приближался к месту, где лежал «В-17», и тогда, испугавшись, он возвращался назад.

Внутрь него был опрокинут серый осенний пейзаж, в котором время захолонуло, застыло, а скорость автобуса не совпадала с тем, что сжималось и билось внутри. От этого сбоя — от аритмии мира, от тахикардии дороги, от тарахтящей полой железки — он хотел укрыться в привычной постели и, проскакивая морглявый трехглазник, игнорируя призывающие остановиться округлые гематомы «стопов» в подбрюшье дороги, мчался домой; валился, наконец, на кровать. Сторонился прежде не изведанных мест, отшатывался от знакомых и незнакомых людей. Если его замечали — терялся, невидящим взглядом смотрел сквозь себя, замечать его было не нужно: проходите-проходите, я с вами, но меня с самим собой нет. Меня зовут Альфред. В крови моей ирландско-немецкая смесь. Там кровь десяти мертвых людей. Я собираю их воедино. По воскресеньям я хожу в диско и смотрю на лица живых. «В-17», самолет ВВС США, разбился в Белфасте в 1944 году. Я водитель автобуса, мне тридцать один. Меня зовут сержант Альфред.

То есть я хотел сказать, что меня зовут сержант Дандон. Я призванный в 1943 году Дандон из городка Остин в Техасе. В 44-м наш самолет был направлен в Белфаст на перезаправку горючим. Пилот заблудился в тумане, и самолет рухнул в горы, укокошив всех десятерых на борту.

Как Альфред, ныне живущий полунемец-полуирландец, полуисторик и полуистерик на грани нервного срыва (ах как хочется на горной дороге, ведя автобус, полный дерзких детей, потянуть штурвал на себя!), я нахожусь сейчас в процессе развода, а как Дандон я обручился в 1939 году с американкой по имени Руфь. Со мной было девять людей. Все они вместе с крушением самолета погибли, навечно повисли на скалах: Джек, Джон, Джо, Дэвид, Деннис, Роберт, Винсент Марчелло, Дэйл, Джордж.

По вечерам я волонтирю в местном музее, где ищу то, что ускользнуло от меня на земле. Те ошметки, что иногда находят в горах — все, что осталось от десяти погибших людей, — я привязываю к сведениям из бумажных и электронных архивов. Когда я гляжу на эти файлы и папки подолгу, время останавливается в моих руках, размывает меня. Иногда в забытье я печатаю одну и ту же букву бессчетное количество раз. Палец цепляется за нестойкую закорючку, меня это неимоверно тревожит, но я продолжаю печатать один и тот же неверный значок. Наконец вслепую, не глядя на клавиши, нахожу именно то, что мне нужно. Потом, сам того не желая, теряю необходимый мне файл. Я вношу в эти версии дополнения, и иногда по недоразумению новый вариант — то, что я узнал о десяти мертвых, нет, *от* десяти мертвых людей — записывается поверх того, что был в самом начале. Что обнаружили на первом этапе раскопок, что появилось позднее, точно теперь сказать не могу.

И вот я разбираюсь с этими версиями и поедаю салат, принесенный из дома в пластмассовой плошке. Диски с файлами тоже из дешевой пластмассы. Иногда похожую на игральный кубик клавишу заедает, и я вижу, как воздушные буквы сыплются на экран. Это как два зеркала, о которых я прочел у писателя-серба: одно отражает с запозданием то, что происходит сейчас. У хазарской царевны на глазах были буквы. Посмотревшись в зеркала, она умерла. Зеркала отразили ее смерть целых два раза: одно своевременно, а другое — с запозданием в десять минут. Вот уже четыре часа я пытаюсь скопировать похоронку, пришедшую на сержанта, но никак не могу...

Как сержант Дандон я был верен жене. Но вот в одном маленьком городке я встретил другую. Муж ее, как впоследствии Дандон, погиб (выпрыгнул с парашютом и уцелел, но в лесу, чтоб не попасть в плен, застрелился из пистолета). Я глядел на нее, я смотрел на нее, высокую, тонкую, на мальчика яростного, злого похожую, и был так полон собой! Через стол сидела она, в невесомой блузке с цветами, и я не понимал, как с ней говорить — я умел разговаривать с небом, с мотором, с напевом второго пилота, я мог только летать, я понятия не имел, как разговаривать с женщиной! Помню: сидели мы с ней на диване, потом на кухне, снова на кухне, диване, сидели, стояли, она много смеялась, и я вдруг увидел у нее на груди матерчатый красный крест. Больше я Руфь свою не хотел. Эта Соня, сестра милосердия, была ростом с меня, у нее были голубые глаза, и рядом с ней я чувствовал себя настоящим. Настоящим Альфредом или Дандоном... всеми такими реальными, погибшими десятью... Рядом с этой девушкой, женщиной, Сонечкой, я становился свой сам себе и после встреч с ней уже не хотел посвящать жизнь возне в грязной, забивающей все дыры земле и откапыванию фюзеляжных останков. Я хотел сидеть рядом с ней, и родить ей ребенка, и сделать так, чтобы наш сын об этой войне, об этой трагедии, о самолете ничего не узнал. Или чтобы он вырос и стал одним из команды, ходил в школу, учился и одна его часть была здесь, а другая — там, в мертвой долине, со свистом ветра и огоньком в помертвевших, потускневших глазах.

Я полюбил Дандона сразу же, как увидел его в книге «Герои войны». Он, как и Соня, был светлоглазый, с тонким острым носом, прямой. Мне показалось, что я искал его всю свою жизнь. Я понял, зачем я в этих обломках фюзеляжа копался. И вот однажды я подобрал пассажиров на темной одинокой дороге, на пути из Белфаста, и либо в 1994-м, либо в 1944-м (время смешалось) ко мне в салон в запыленной форме села вся эта команда: и сержант Дандон, и автомеханик, и второй пилот, и радист. *Они все.* Их одежда висела клочками, были стоптаны каблуки, покрыты ржавым налетом белые подворотнички, порваны сапоги: они долго-долго шли по горам и молчали. Они осторожно присели на дерматиновые сиденья автобуса и не понимали, что делать, где неожиданно очутились, что им сказать. Они стеснялись меня и грубо кашляли в кулаки, не зная, как объяснить мне свое появление. Они шли долго-долго, а сначала в самолете летели, затем падали вниз, все вниз, а потом брели по горам, по долинам, глядели на звезды, вышли через поле к обочине и наткнулись на школьный автобус. Я открыл двери — и они, зашедшие сюда из иного мира, вошли. Ехали и молчали. Они воевали так долго, что теперь даже не знали, что делать, ведь школьный автобус для них представлял мирную жизнь. Я знал, что сержант Дандон боялся увидеть жену, свою Руфь. Я знал, что он ей изменял или, может быть, только еще хотел изменить. В папках в архиве лежат его письма к сестре милосердия из Белграда по имени Соня. В автобусе он сжимал шершавыми руками винтовку и сурово молчал. Я знал, что думал каждый из них, каждый из этого все выдюжившего десятка людей, все их мысли — через файлы, архивы, через их души — шли сквозь меня, ведь кровь всех десяти погибших парней текла в моих жилах. Стояли во мне словно зарево. От жара корчился фюзеляж.

Я знаю, Дандон принес бы Соне цветок. Эдельвейс с далекой горы, куда он взошел ранним утром, как мальчик из сказки. Сержант Дандон каждое утро видел больших черных птиц — вибрирующих, как самолеты, крыльями задевающих землю. Сержанту мерещился снег. Он шел через поле, раздирал, распихивал гигантских пернатых руками, мерной уверенной поступью, он нес нежный цветок. Он знал, что его любовь так хрупка и безответна, что Соня никогда не прильнет к его запыленной ветрами и смертью груди. Он просто знал — как будто ветер принес эту весть из далеких видений, — что должен принести ей цветок.

Утром Соня грустна. Ее голос глубок, она что-то говорит мне по телефону, а я никак не могу к ней прорваться сквозь толщу помех. Она звонит, чтобы сказать на своем ломком и непонятном наречии, что я снова должен ей позвонить. Я представляю ее быстрые сборы, ее написанные кириллицей стихи на столе, ее комбинашку, висящую на крючке. Она почти никогда не летала, не была стюардессой. Она стала частью меня, и десять летчиков сторонятся и деликатно покашливают, охраняя меня от невзгод, освобождая ей место. Они видели женщин в сарафанах в полях. Они видели мирно собирающих хлопок женщин, застывших от шума моторов, от крика. Потом неожиданно понимали, что женщинам стало мягко лежать, когда самолет улетал, в их красивых нарядах, на ставшей красной от пуль запыленной земле. Вот и все, что эти молодые парни знают о женщинах, и поэтому к Соне относятся с недоверием. Сержант Дандон жует и что-то прячет в карман. Жует и плачет: он счастлив.

Когда я ехал к Соне сквозь рощи и перелески, я думал, что каждый раз она открывает мне что-то новое о десяти умерших воинах, а если наденет лиловое платье, то, наверно, будет грустна. Во время наших встреч нужно было так много рассказать о себе, что я забывал смотреть на нее ищущим взглядом и желать ее грудь. Она почти никогда не смущалась. Смотрела чисто, открыто. И вдруг меня обняла. Просто так, ни с того ни с сего. Вздрогнув, я отстранился. Мне было с ней хорошо. Расставшись с ней, я вдруг понимал, как все плохо, не спал. Иногда мне чудилось, что все же я ее не люблю, но тогда было неясно: почему же когда с ней — хорошо, а без нее — я рыдал. Что-то в ней было такое. Мы вдруг оба выпалили с ней в разговоре, что в жизни любовь не нужна. Она говорила: у меня это все было, все было уже... Зачем мне это снова, сейчас? И я глупо поддакивал, ведь мне и без любви с ней было сладко, понятно. И вдруг она объявила, что собирается поехать в Остин, в Техас. Брови мои медленно поползли вверх. Она сказала, что хочет написать статью о первых поселенцах Техаса. Знала ли она, что город Остин — место рождения Дандона?..

Когда Дандон был молод, сразу после их скорой свадьбы, он, идя с Руфью в их новый, только что отстроенный дом, опрокинул случайно кадку с водой. Он пах полевыми цветами, тонок и худ. Он взял ее за руку, они шли по жирной земле, он в темноте показывал ей землю, угодья, она проходила хозяйкой. Вернувшись в дом, он указал ей на печь. На уже приготовленную военную форму. На приказ, посылающий его в пекло войны. От его молчанья и слов она засыпала. Он смотрел на ее малиновый рот, его русая голова на затылке светилась, прилег рядом с ней, склонив ее на постель, он не хотел нарушать ее целость, но потом движения, ритм его увлекли, и они стали одним. С Соней до этого не дошло. Когда она его обняла, он не решился. А когда на расстоянии принял решение ей обладать, сразу погиб. Его самолет упал над Белфастом в сорок четвертом году.

Девять других мужчин, услад милых женщин, упали с ним вместе. Эти мужчины по утрам брились: некоторые сбривали усы, остальные — щетину, — опоясывали себя ремнями из кожи, их толстые шерстяные рубашки сидели на них как с иголочки; они, эти мужчины, боялись мало чего: мышей, девушек с ночными глазами, пилки дров поутру, — их переполняла бравада; они носили желтоватой белизны ночное белье и почти никогда не брили подмышки, и их щиколотки без брюк были слишком тонки, они любили прочные жестяные коробки, в которые можно класть сигареты, похрустывание кобуры, храп лошадей, яркие крупные звезды, упругость груди, мягких кос, расплетенных с закатом, прочную грубую пищу, все крепкое, прочное, ладное, некоторые из них даже любили читать. Они любили возиться с рубанком, посвистывать, осаживать кусачих собак, качать люльку с дитею. Их пальцы были изъедены скипидаром, маслом, смолою. Они любили разводить меха баяна, гармони, смолить днища лодок, любить.

Мне казалось, что я сам создал Соню, ведь она представлялась моей живущей мечтой, с блондинистой челкой, как отбеленный, расплывчатый негатив самой себя и меня. Она зарабатывала деньги страннейшими способами, сочиняя и истолковывая сны для какой-то газеты, писала стихи. Ее стих был упруг, там было что-то о соборах, молитвах, о женщинах, источающих страсть, о Магдалине, позолоченных окладах икон. Она привязывалась к женщинам достаточно быстро, но друзьями с ними, кажется, быть не могла. Я стал ее другом и знал, что она воспринимала совершенно естественно то, что я не желал ее грудь, нас соединяло что-то другое; мы оба знали, что там, в поднебесье, пилоты не спят.

Ну вот, достаю из ящика по пути в местный музей письмо от нее. Соня пишет размашистым почерком. В верхний правый угол она приклеила светло-синюю бабочку. Для простора бумаги прыгает через одну-две строки. Горяча на словах, щедра на похвалы. Шорох бумаги, испещренной чернилами, сообщает мне о доверии, о доброте, об узнавании друг друга все больше и больше. Я знаю, Дандон с Соней был груб. Удивленно вздымая брови, он читал ее письма, его кремовая рубашка удивительно ему шла. Его серые глаза щурились, он стряхивал соринку с листка, аккуратно, бережно, расточительно складывал листок пополам, вчетверо, вдвое, и клал его в мусор. Перед глазами его стояла светящаяся кофточка Сони. Дандону нравилось Соню мучить, смотреть, как она смущена, наблюдать, как она плачет, Дандону присуща была гадливость по отношению к женщинам. Он себя ненавидел за то, что хотел Соню, а не свою Руфь.

Серебристая Соня, наполовину сербка, наполовину хорватка, плохо понимала английский язык. Я не знал, что ей сказать. Если слово идет от души, даже темное, невнятное, глубинно и глухо звучащее слово — *оно священно*. Священными были мысли и чувства мои по отношению к ней. Она меня не понимала словами. Глубинами душ наших мы были созвучны. Несмотря на то что она была человек другой культуры, эпохи, страны. Она так легка. Летит, переступая ногами, парит в облаках. Сближаясь с ней, я ее больше и больше люблю.

Когда смотрю на нее, когда ее вспоминаю, я думаю не о ней, а о том, что сделало меня чувствительным к жизни — то какая-то напевная колыбельная из детства всплывает в памяти, то вспоминаю, как изрисовал школьную парту или как прятал деньги от мамы... Вместе с Соней ко мне пришли острота и трепет, набухание век, дрожанье души. Когда она мне посылает стихи, я чувствую, будто для меня раскрывается резная калитка гостеприимного дома и этюд Рахманинова звучит в груди.

Завтра, завтра с ней снова увижусь. Что толку?.. Хочу, чтобы она постоянно находилась рядом со мной. Буду смотреть в ее глаза, ужасаться. И думать: зачем же все это, если я не могу остаться с ней навсегда. Любая минута, проведенная с ней, — это потеря, потому что напоена вечностью и напоминает о страсти. Потому что эта минута говорит мне, что я никогда не смогу Сонину душу иметь при себе. И поэтому я стал ее избегать, стал с ней дерзок и груб, угловат, я стал мучить ее. Читал ее письма и складывал их вчетверо, вшестеро, кидал со злостью в ведро, как сержант Дандон. Посылал ей записки: «Соня, Вы должны более придирчиво выбирать туалет», целый день не звонил. Соня понять ничего не могла.

Потом опять мы с ней стали близки. Как-то она меня обняла на прощанье. Я был ее выше, но получилось, что она ко мне склонилась, обмякла на мне, закрыла даже глаза. Я так удивился — она была будто совсем без костей, до откровения, до кровоточащей нежности. Я отстранился, пошел, потом обернулся: она так и застыла на месте, смотря на меня. А потом, неделей позднее, увидел, как разбитная подруга вдруг ее обняла по-хозяйски... И я хотел сказать ей, окрикнуть: «Соня, ты же говорила мне, что у тебя нет женщин-друзей?» Легкая ее рука лежала в чужой тяжелой женской руке, и я смотрел им в спины обеим, а они уходили вдаль от меня, и ей уже обладала эта властная большая рука... Но ведь это было неправдой: Соня принадлежала мне и только мне, и еще она принадлежала десяти мертвым мужчинам, разбившимся в Белфасте на бомбардировщике «В-17» в 1944 году.

И конечно, когда я обнаружил, когда я вырыл в горах это кольцо, об этом, как всегда обо всех местных событиях, раструбили газеты: «Ирландец Альфред Ланкастер в Белфасте, простой водитель автобуса, обнаружил кольцо, кольцо, принадлежавшее легендарному летчику Дандону, на котором было написано: «Руфь, Табернакль», вместе с датой их свадьбы». Еще в газете было пропечатано вот что: «Вдова Дандона, пожилая ветхая Руфь, жива до сих пор — и каждый день вспоминает своего бравого молодого сержанта, мечтая, что после смерти опять встретится с ним». Конечно, журналист, написавший это, так и не посетил наш музей и не порылся в архивах. А если и посетил, то рука у него просто не поднялась написать: «Вдова Дандона, медленная, сентиментальная, тугоухая, распадающаяся ежесекундно на еле тлеющие полуклеточки и полуклочки, с целой коллекцией поддерживающих ее палок, даже понятия не имеет, что муж собирался ей изменить».

Ведь для нее, после новостей о пропавшем в 1944-м и нашедшемся в 1994-м кольце, этот кружочек металла — единственное утешение, золотая капелька счастья: получить частицу прошлого через пятьдесят, таких пустых и пропащих без него, лет; это лишний повод опять начать разглядывать старые, тронутые склеротической желтизной и временем фотографии, где они с Дандоном женятся в церкви. С ней, как только до нее дошли сведения о вырытом, вырванном из земли забвения счастье, заговорили и зашептали, как осенние листья, ушедшие годы! Но она ведь так и не знает, что Дандон не был ей верен...

А что же я? С какой целью раскапываю чужое отстраненное прошлое? Порой мне кажется, что, если бы я превратился в американского солдата-конфедерата и ходил в выцветшей шинели по городу, представляя, что кругом так и продолжается битва и не прекращается война Севера с Югом, никто бы и внимания не обратил. А сколько таких людей вокруг нас, которые живут в другом времени, спокойно, размеренно, отдавая *другой эпохе* всю свою свободу души? Но никто не замечает меня, обыкновенного, разведенного водителя школьного «баса», который копается в чужих черепках и уцелевших остатках непонятных, но прошедших времен, и никто не знает того, что мне досконально известно: когда все останки мертвых людей соберутся в одно в моей всеобъятной душе; так вот, когда там окажутся все жизни этих десяти погибших военных, когда все десять хмурых мертвых парней, взявшись за руки, встанут в одно плотное большое кольцо, когда я буду знать все, все, что когда-то, пятьдесят лет назад, происходило в их жизни и что они испытывали в свой последний момент в кренящемся, падающем бомбардировщике «В-17», тогда и только тогда я наконец приду к умиротворенной умирающей Руфь, и продлю и вынесу жизнь сержанта за скобки архивов, и отдам ей оттертую от грязи *золотую реликвию свадьбы,* и объясню наконец все, что случилось в сорок четвертом году, все без утайки, все, что я узнал, говоря с ветром в горах, роясь в земле и во время разговоров в автобусе, когда они неловко ерзали на дерматиновых школьных сиденьях, и тогда, когда ей станет известна вся правда, мой странный чудовищный план воплотится, и Соня станет моею.

LINEA NIGRA

1

Кальций и калькуляции, манипуляции с менструацией. Цикл и цифры. Зародыш. Заметки в календаре.

Рассчитав дни овуляции и возможные даты рождения, я отложила в сторону нагревшийся градусник, а затем укрепилась в фертильности и надежде при помощи натурального сока и фолиевой кислоты. Прошло несколько отмеченных приподнятыми настроением и температурой дней (ты уже была зачата), когда я узнала, что у твоего прадедушки рак.

Ему только-только набежало девяносто четыре: лежа в больничной кровати, он беспрерывно звал свою *идише маммеле*, у которой был на дошедшем до меня снимке мудрый взгляд и светлые волосы и такая же светлая фамилия Лайтман. Ей посчастливилось преждевременно умереть от болезни до того, как немцы заняли Минск.

Прадед же пережил все: парады и правителей-параноиков, гимны и гуттаперчевых дикторов с советского радио, великодержавную ложь. Он все это переждал и пережил и затем, следуя за своими авантюрными, адюльтерными сыновьями, у каждого из которых было по две спутницы жизни (одна дома, и другая — на стороне, из тех, для кого придумали «деловые» поездки), перебрался на постоянное жительство в Сан-Франциско.

Невзирая на свойственный ему скептицизм, в Калифорнии он близко к сердцу принял капитализм и капитулировал перед раком желудка.

Во всяком случае, так нам казалось.

Этого упертого, крепкого старика, казалось, нельзя было сразить сторонними силами (ни голодом, ни Гитлером, ни оголтелым водителем, наехавшим на него, уже восьмидесятипятилетнего, направляющегося к любовнице с рюкзаком за плечами, в дождливую сан-францисскую ночь). Со своей направленной вовне, прочной, как защитное заграждение, волей он мог быть уничтожен лишь собственными силами — домодельными клетками.

И как только я уверилась в том, что ты будешь жить, я предсказала его неизбежную, скорую смерть. Если кому-то надо было родиться, другой должен был умереть.

Первые шевеления плода, ощущение стремительно развивающегося организма — и в то же самое время агония, еле слышный шепот умирающих губ.

Такова — я ошибочно думала — жизнь.

2

И эти бабочки... твой отец-итальянец узнал от меня прежде неизвестное ему англоязычное выражение «бабочки в животе», хрупкое чешуекрылое чувство, неожиданно задевшее нас.

Кажущийся удивительно серьезным в своем строгом бизнес-костюме (который, как я узнала позднее, он доставал из минималистского шкафа лишь в исключительных случаях, предпочитая футболки любимых рок-групп), он прохаживался вместе со мной по замусоренному периметру заброшенной автостоянки и отпивал дымящийся кофе, купленный на вынос в столовке, где состоялась наша первая встреча. Бумажный стаканчик с кофе как будто его защищал, чтобы было за что схватиться, дабы не упасть. Схватывать на лету то, что должно было случиться. Если бы на дворе стоял девятнадцатый век, который он, обожая историю, знал «от корки до корки», то вместо стакана он с тем же рвением и одновременно растерянностью сжимал бы рукоятку рапиры.

Казалось, ничто не могло подкосить этого тридцатисемилетнего кряжистого здоровяка с ковбойско-приключенческой жилкой, которая последовательно отправляла его на все шесть континентов, но его колени вдруг подогнулись и сердце превысило скорость, когда мы повстречались. Со своими круглыми, мощными, тем не менее совсем не мягкотелыми икрами и внушительной, непропорционально большой головой он смахивал на младенца гигантских размеров.

Да, он был похож на младенца. И когда будущий новорожденный шевелится в матке, ощущения, которые при этом испытывает его мать, порой называют «бабочками в животе». Нежные постукивания тонких, но прочных и твердых крыльев по мягким стенам утробы.

Неудивительно, что это повествование начинается с калькуляций, ведь существует арифметика жизни, как в расплывшемся, разъевшемся теле подразумевается — изначальной идеей — стройный скелет: к концу одиннадцатой недели ты доросла до трех инчей, в семнадцать недель — до шести, а шевеления должны были появиться, в соответствии с «Книгой о здоровом зародыше», лишь когда тебе бы стукнуло восемнадцать. Но поступь моего сердца неожиданно сбилась (один, два удара и затем перестук), и, оркестрированная этим молчанием, неожиданно началась твоя партия: я почувствовала в себе движения, когда на сцену взошел Ицхак Перельман.

Мы не могли даже представить себе, что человек, исполняющий такую величественную, мощную музыку, может быть настолько физически слаб. И тем не менее не было никакого контраста между его щедрой одаренностью и ущербной тщедушностью (страдая полиомиелитом, он преодолевал пространство сцены при помощи костылей).

Наоборот, сверкающее совершенство его стальных «ног» как будто придало ему вес.

Ты не подавала никаких признаков жизни, когда Перельман, нарочито не обращающий внимания на внутренне ахнувшую, потрясенную публику, как ни в чем не бывало продолжал продвигаться к своему месту на сцене. Но когда его виолончель откликнулась на прикосновенье смычка, меня объяло бабочкино, чешуекрылое чувство.

Бабочки... бабочки, впервые давшие знать о себе в день первой встречи, опять прилетели, по прошествии трех лет нашего брака, когда ты решила напомнить нам о чуде любви.

3

Linea nigra — это темная линия, шероховатая дорожка из бархатных пятен, пигмент, появляющийся на беременном животе. Пока эта линия незаметна (у небеременных она белого цвета), ее называют *linea alba* — белая линия, спрятанный от глаза штришок.

Пока зародышу несколько дней, его будущее как бы намечено при помощи невидимой авторучки. Но, по мере того как он растет, эта скрытая линия — постепенно проступающее присутствие зажатого в матке, зачатого человечка — темнеет и разрастается в ширину. Кудрявая, зеленая виноградная ветвь на прикроватном мониторе в больнице означает биение сердца; *linea nigra*, черная линия — очевидный материнский триумф.

Скрещение линий на могилах, пунктирные линии и стрелки кроваво-красного цвета на карте (многие солдаты погибнут) показывают продвижение войск. Твой прадед ходил с разрывной пулей в правом плече, раззадоривающей любопытство всех его внуков. На даче он поливал красную клубнику и зеленые со втянутыми щеками, тощие огурцы, а мы, воображая его в зеленой фуражке с красной звездой и плащ-палатке, видели вместо шланга в его мускулистых руках автомат.

Плоть становится плоской до того, как отдаться земле. Глаза превращаются в проваленные, бледные, наполненные водою озера; кожа приникает к костям. Зарывается тело в песок, телесные ткани поддаются тлену и исчезают, и остается лишь черточка, простая, как Зен, по бокам которой на неприкрашенном бедном граните дежурят запыленные закорючки: 1913—2007.

Предполагая, что прадед умрет до того, как ты родишься (очевидный приход и расход, как на донельзя переполненном складе), мы заблаговременно вывели его за пределы своего милосердия. Он же по-прежнему заводил разговоры про американскую медицину или медаль, врученную ему в честь шестидесятилетия победы над фашистской Германией, и озабочивался собственной жизнью, которая, несмотря на рак, продолжалась — но однажды его младший сын сказал, когда положительная медсестра-полиглот, приветствующая нас на нескольких языках (которые, по ее мнению, соответствовали странам, в которых мы родились), поинтересовалась у прадеда, не хочет ли он посмотреть какую-нибудь телепередачу: «Он уже смотрит свои передачи». Как будто существовали фантазийно-фантомные передачи специально для тех, кто черту уже пересек.

Какой же ты видишь ее, когда оказываешься на другой стороне? Является ли эта транспортировка в иной мир действительно необратимой и вечной, как линия, проведенная несмываемым карандашом?

Но для тебя жизнь лишь начинается, и у этой линии до сих пор темный, бархатный цвет.

Помню, как вскоре после того, как ты родилась, мы возили тебя в миниатюрной коляске, и очень пожилой человек, рассматривающий тебя по дороге из супермаркета в смерть, вдруг поинтересовался: «Сколько ей?»

«Всего один месяц», — переполненные счастьем и гордостью, ответили мы, и он воскликнул в ответ без видимой зависти: «О, ей предстоит такой долгий путь!»

4

Невозможно поверить, что только недавно казавшееся отсутствующим и бессловесным вдруг начинает себя проявлять. Ночью, сидя перед магическим кристаллом экрана, я кладу правую руку на средоточие мира (на пластмассовый горбик теплой, податливой мыши) и тасую языки и событья, забавляюсь ожерельем из линков, перепрыгивая с экономического спада в скуповатой Суматре к резне в сангинном солнечном Сумгаите, а с неожиданно найденных произведений искусства, похищенных наци, к набоковскому Берлину двадцатых годов. Моя левая рука, нет-нет да и дотрагивающаяся до выпирающего живота, чувствует шевеления, которых не наблюдалось еще неделю назад.

Все это время ты была там, но никому не было до тебя дела, пока ты держалась, как за соломинку, за пуповину.

Это напоминает планеты, которые, по утверждению светил астрономии, существуют на свете, но никто простым глазом их не видал и тем более их не посещал.

Как из пустоты возникла полнокровная новая жизнь?

Или, как сказал бы обучающий твоего отца искусству икебаны учитель на своем сломанном, как стебель, английском: «Как из не-сущного появилась эта сногсшибательная, захватывающая дыхание сущность?»

Мир выглядит отстраненным и растасканным на куски. Его поверхностность, обращенная ко мне невыразительным, скучным лицом, кажется лишенной событий. Теле- и радиопередачи рутинно касаются незнакомцев, а в моей жизни — сплошная нейтральная полоса, сплоховавшая режиссура, даже бешеная собака случайностей усыплена, никаких новостей.

Но теперь мне становится ясно, что казавшееся отсутствующим и безучастным на протяжении почти пяти месяцев (ни толчков, ни толики шевелений), на самом деле скрывалось и до наступления подходящего часа никак не выдавало себя. Может быть, то, что люди считают отсутствием чуда, просто не находит нужным обнаружить себя?

В Калифорнии, возвращаясь домой после обломовского просиживания штанов в комфортабельном офисе компьютерной фирмы, я практически не поднимала своей головы, ибо редкие, алюминиевого колера звезды, прячущиеся за нашим домашней выделки смогом, так и не смогли привлечь мой интерес — но на Гавайях, уже с зародышем, а не с зарплатой (офис закрыли, и я стала безработной как птица), я забралась на гору Мауна Кеа и там, на дивном диком морозе, с чашкой бесплатного чая из обсерватории Близнецов, упрятанная в синтепоновый кокон, стоящая под склеротическим небом, покрытым серебряной сетью крохотных капилляров — несчетное, немереное количество недостижимых планет — я поняла, что на свете много вещей, не видимых нам.

Не бывает сплошной пустоты — потому что всегда что-то скрыто от глаз.

5

Есть ли связь между плодом дерева и ребенком?

Или я сама стала плодоносящим деревом?

Читаю в журнале для будущих матерей: «Твой зародыш может быть размером с виноградину, а матка — с грейпфрут».

6

Профессорского вида медсестра в ученых очках деликатно растерла лиловую желейную массу по моему полукруглому животу и прикрепила к нему, при помощи присоски и проводка, металлический прямоугольный прибор.

Следя за ней, я широко раскрыла глаза.

Как будто оберегая беззаботного пузожителя, она отвела прибор в сторону и держала его на отвесе.

Мои уши боялись пропустить малейший шорох и писк.

Послышался рассеянный, неоформленный шум, и я застыла в ожидании большего. Через какое-то время неуверенный ритм проявился, и я услышала четкое, ясное биение, как будто доносящийся издалека стук копыт.

Теперь у меня было два сердца.

7

Твоя прабабушка, не сидевшая ни секунды на месте, обладала неустойчивой психикой, но и жила она в неустойчивые, нестабильные времена.

Когда началась война с финнами, она только что обосновалась в Петсамо, на финской границе; когда немцы были на подступах к Ленинграду, она как раз переезжала из Луги на Староневский и собиралась рожать.

И пока фашисты сужали кольцо блокады, ленинградцы затягивали потуже ремни. А потом они принимались варить эти ремни и есть их вместе с обнаруженным за обоями крахмальным клеем.

В Ленинграде жизнь высохла, сузилась до размеров высушенного абрикоса, неожиданно обнаруженного на мерзлой кухне умирающим от голода школьником, похожим на старичка. Сегодня этот сухофрукт и клочок весенней травы украсят его школьный обед.

Лютой зимой вместо выбитых стекол в окне были тряпки, а сигналы тревоги звучали каждые двадцать минут. Процветали разбой и убийства. Скелет — анемичный пацан, замотавшийся в белую простыню для пущего страха, — мог напрыгнуть на прохожего в темном дворе, повалить в сугроб и забрать хлебные карточки. Это была верная смерть.

Твою беременную прабабушку эвакуировали по Дороге жизни из осажденного города, но когда война кончилась, она — аккомпанирующая себе на гитаре и умеющая по-цыгански раскидывать карты (да она и была, наверно, со своими смолянистыми волосами, темными глазами и темным прошлым, цыганкой) — отдала дочку в детдом.

Там моя мать в полной мере узнала, что значит голод.

Когда моему отцу исполнился год, он вместе с другими эвакуируемыми выехал из Белоруссии. Его оставшиеся там родственники, которые то ли не нашли в себе сил, то ли не обладали даром Сибиллы, чтобы предсказать, что случится, и посему не сдвинулись с места, были собраны в молящуюся безмолвную группу и отведены к краю рва. Нафтола, престарелый прадед отца, гробовщик в прошлом, когда-то, в соответствии со своей профессией, тщательно вымерявший размеры ямы под гроб, тоже шел в этой толпе, вероятно, совсем не заботясь о том, что нет ни гробов, ни раввинов и ямы вырыты не по правилам, наспех. В какие-то считаные часы все были расстреляны и засыпаны комками земли.

Когда мой отец повзрослел, на ежегодных семейных сборищах он принимался вслух вспоминать о том, как всегда хотел есть.

Как в эвакуации в Новосибирске, в оголтелые, голодные годы войны, у них была курочка Клуша и поросенок по имени Боря и как бедные Клуша и Боря были принесены в жертву желудку.

Когда я прихожу в квартиру родителей, похожую на постоянно пополняемый продовольственный склад, я спотыкаюсь о пакеты, консервные банки, бутыли, мешки.

Я сбиваюсь со счета, в замешательстве разглядывая пластмассовые контейнеры с приготовленной ими едой.

Кольраби, козлиное молоко, орехи с тертой морковью, котлеты, разящие чесноком, добела вымытая черника в коробочках, которые мне нужно вернуть им после того, как поглощу все подношения — чтобы они наполнили снова.

И они сами полнятся гордостью, зная, что через меня обеспечивают плод витаминами и таким образом вносят свой вклад.

8

Моя ледяная свекровь сидит в своей стерильной квартире в северном, холодном городе Турине, радуясь тому, что ее внук простудился.

«Я так счастлива, что он заболел, — говорит она в телефонную трубку, — ведь теперь он не пойдет в детский сад и останется дома со мной. Наконец-то я буду хоть кому-то нужна».

Мой сдавший, от старости как-то посеревший, поблекший отец стоит передо мной в своей субсидированной государственной студии в Сан-Франциско и демонстрирует детскую переноску. Она пахнет дешевой комиссионкой, плесенью, хозяйственным мылом. Стоя передо мной, он, путаясь в лямках, показывает, как ее надевать, а моя мать в это время кричит, что он полный осел. «Ты и со своими детьми не умел обращаться, какие уж тебе внуки!»

Затем он протягивает мне ужасный старомодный горшок из отлакированного временем, с какими-то малопривлекательными подтеками дерева. Не приходится сомневаться, что данная емкость — курсируя между комиссионкой и квартирами в рабочих районах — служила верой и правдой нескольким неродственным между собой малышам. Моя грубовато красивая мать с резкими, как у индейца, чертами лица, несмотря на артрит и аритмию, артистично усаживается на прилагающийся к горшку стульчак и, имитируя дефекацию, начинает кряхтеть.

«Он стоил пять долларов в гараже-сейле, но продавец неправильно дал сдачу, и получилось, что мы даже подзаработали денег». — Она говорит.

«На эту сдачу мы могли купить еще один детский горшок со стульчаком, там был такой хороший, новый, с наклейкой... но твоя сестра нам не дала!»

И она начинает рассказывать мне о сестре, которая после выкидыша воспринимает все слишком серьезно и которая, осознав, что продавец ошибся в расчетах, воскликнула: «Это же для ребенка, это плохой знак, так делать нельзя!» — и поспешила обратно с деньгами в руках.

Во время физических изменений — в моем беременном теле, в несрабатывающем, неплодородящем теле сестры, в стареющих телах матери и отца, одержимо собирающих «приданое» еще не родившейся внучке, — появляется особая уязвимость и жалкость. Не привыкнув к новому весу, я падаю в ванне... роняю злые слезы, пытаясь нагнуться и, не повредив барабан живота, завязать башмаки... медленно, со всяческими ухищрениями опускаюсь на край кровати, стараясь не тревожить живущего во мне невидимого, но уже движущегося человека...

Я угнетена собственной неспособностью совершать простейшие вещи, в то время как сложнейший процесс создания нового существа происходит во мне.

Беременная, я ощущаю себя хрупкой и уязвимой, а мои родители, от старости и стараний сами ставшие неловкими и уязвимыми, пытаются меня от всего сберечь.

Как будто ощущаемые мной толчки младенца дают их жизни новый толчок.

9

Я выхожу из акушерского кабинета и таращусь на проходящих мимо подростков, определяя, насколько отличаюсь от них.

Элизабет, будешь ли ты похожа на этих обсуждающих выбор губной помады деловитых девчонок, когда подрастешь? Или на тех дерущихся помятых мальчишек, уже позабывших про откатившийся в сторону мяч?

Возможно, что в будущем ты будешь точь-в-точь как они (сходство с другими), но пока я встревожена тем, что сейчас ты так далека от меня (отсутствие сходства со мной).

Но как я могу стать к тебе ближе? Ведь пока я даже не могу положить суеверный сувенир под подушку (к примеру, браслет, который тебе, как окольцованной птице, выдадут в родильной палате, или первую распашонку), или обнять и поцеловать тебя на долгую, зимнюю ночь!

Более того, от меня даже не требуется следовать какому-то определенному правилу, чтобы произвести плаценту и делить растущие клетки, направляя их к твоим почкам, ступням, глазам. Все это уже расписано как по нотам кем-то другим, и я чувствую себя не при деле.

И поэтому, чтобы узнать, как в будущем стать тебе близкой — к той тебе, что находится сейчас внутри меня, — я обращаюсь вовне.

Я разглядываю спущенные штаны рэперов и натянутые до ушей мини-юбки юных девиц и чувствую, что между мной и ними нет ничего общего.

С грустью осознавая это, я представляю, что, когда ты родишься, не будет ничего общего между мной и тобой.

10

Процветающая, с идиш на Интернет переучившаяся советская переселенка, бывшая голоштанка, а ныне жительница белоштакетного нью-йоркского пригорода, как бы между делом сказала мне, что после рождения дочери моя жизнь станет абсолютно иной.

Подразумевая, что тюки изгаженных подгузников встанут на моем трудовом материнском пути, не давая мне сочинять праздную прозу, а детский навязчивый лепет и плач отдалят меня от любимых романных шедевров, которые я перечитываю перед сном (это занятие позволяет мне переживать бурю страстей, преспокойно устроившись в постельном штиле)...

Подразумевая, что уголовно-ненаказуемое кормление грудью и само наличие в моем доме ребенка обернутся пожизненным сроком, так что, заключенная в домашней тюрьме, я больше не смогу посещать вечеринки и быть собой, ибо моя жизнь необратимо изменится... после рождения дочери все станет кардинально другим!

Я буду прикреплена соском к тебе и не смогу сдвинуться с места, а ты, в свою очередь, будешь будто щенок, не желающий оставить в покое перчатку или сдувшийся мячик, упрямо упираясь мохнатыми лапами и рыча, когда хозяин пытается забрать у него измусоленный жалкий предмет (и этим предметом станет моя истерзанная, саднящая грудь)...

Занятая тобой, я не смогу поглядывать в окно телевизора или экран безучастного к печалям матери мира...

Боковое зрение (природа, явления кулинарии, яства культуры) тоже будет потеряно, ибо я буду смотреть лишь на тебя...

Бейсбольное кепи — неизменный головной убор, который носят курсирующие на наполненных детьми микроавтобусах между стадионом и школой мамаши — навеки прилипнет к моей голове...

Это будет своеобразный Внезапный Смертный Детский Синдром, который поглотит не младенца, как это обычно бывает, а меня после родов, так что у меня больше не будет собственной жизни, кроме как в услужении у растущего человека...

Никаких ярких и яростных книг, чьи события я люблю примерять на себя...

Никаких дальних стран, встающих, как в вырубной детской книжке, из этих томов, чью траву я приминаю ногами, как пожухлые листья, когда наконец ставлю ногу, преодолев море страниц, на прежде недоступный мне континент...

Никаких концертов блюзменов на открытом воздухе с летними пьяницами, выстраивающимися в кренящиеся веселые очереди перед зелеными мобильными туалетами, а потом моющими руки, выдаивающими последние капли из пластмассовых кранов, слушая грустные ритмичные песни, полные красок и слез...

Никакого успеха от моих литературно-муравейных потуг, от моих биполярных, пограничного состояния книг, которые дадут мне достаточно средств, чтобы посетить прежде недоступные континенты — которые, в свою очередь, принесут мне новые идеи для очередных книг...

Никакого блюза, а лишь детская блевотина и блеяние — так сказала моя знакомая из Нью-Йорка, вещая из кондового чрева своего кондоминиума, где она живет с мужем и сыном в спокойном спальном районе с исключительно белыми, добела белыми соседями, понятия не имеющими, что такое солнце и блюз...

ЕЕ жизнь не изменится никогда.

11

Как будто поплавок неожиданно вздрагивает и уходит под воду, и что-то во мне — возможно, рыболовный крючок? — мгновенно проглочено сильной, настойчивой рыбиной...

Как будто головастик пытается всплыть, чтобы глотнуть свежего воздуха, и бьет по воде хвостиком, булькает, бултыхается и затем поднимается мелкими рывками наверх...

Как будто берешь в руки полированный, запятнанный солнцем каштан (вроде тех, что до времени хранятся в кармане, пока владелец еще надеется обрести счастливый кратковременный миг) и встряхиваешь его перед собой, чтобы услышать, как что-то внутри постукивает и перекатывается...

Все швыряется в бурлящий котел лингвистического варева: замершее, замерзшее озеро, оживающее от прикосновения солнечных теплых лучей; сверчок, ощупывающий окружающие его предметы осторожными усиками; пульсирующее под ладонью круглое, твердое осиное гнездо...

Но это всего лишь маленький ожидаемый человек, беспокойно движущийся внутри меня.

12

По ночам я не могу спать.

В популярных, готовящих к родам пособиях пишут, что, когда мать не спит, зародыш чаще всего мирно сопит, а когда мать сама засыпает, зародыш ее без присмотра начинает икать и пихаться.

У нас вовсе не так. У нас все синхронно.

Ты без устали плаваешь, почти что валя меня с ночных ног, — плещется в матке вода.

До того как зачать тебя, я подвергла сегрегации свою темную душу, изолировав ее от светлого мира; дни проходили в прострации и прокрастинации. В одиночестве я сражалась с двойным дном дня, штурмуя обыденность, заслоняющую собой глубину.

Видела ли ты, как мать с дочерью, обняв друг друга за плечи, уединяются за закрытыми дверьми, чтобы поделиться секретом?

Со дня твоего зачатия прошло уже несколько месяцев, но, поскольку ты еще не явилась на свет, я пока что одна — а внутри меня другая я, и это добавляет одиночеству особенный привкус.

13

Просыпаюсь в волнении: куда подевались все эти ерзания и босые пинки как в карате?

Существуешь шизофренически, как будто это в порядке вещей — чувствовать в своем цельном теле кого-то еще; параноидально вслушиваешься во внутренний голос и, не улавливая бульканья и постукивания, начинаешь паниковать...

Считается, что душевнобольной вылечен, когда он с чьей-либо помощью убеждается в том, что абсолютно один; когда он перестает гоняться за полулегальными призраками; когда он становится настолько бесчувственным и толстокожим, что больше не обращает внимания на сопутствующие ему голоса и не верит больше в маленьких существ, живущих у него в голове...

Зато многие сочувственно выслушивают будущую молодую мамашу, утверждающую, что она наконец «услышала» утробный глас своего малыша; мамашу, которая, еще будучи на сносях, представляет своего младенца здоровенным лбом в стильном костюме, приносящим цветы и раскрашивающим во все цвета радости ее старческую монотонную жизнь.

Слышащий голоса человек подозревает, что становится сумасшедшим.

Женщина, угадывающая внутри себя отдельную жизнь, приходит в восторг.

И в ее случае это вовсе не фантом, а фетус.

14

Мужчина, изображенный на веб-странице в меховой дохе, с придыханием сообщает, что знает все мои тайны... Этот любитель авиации и Овидия — далеко не первая мужская особь, уведомляющая меня о том, что женщина на сносях замкнута на себе и аутична: она игнорирует все вокруг, все людские сборища и формальности и сосредотачивается на себе.

Мужчины делятся мыслями о материнстве. Представляя себе губы, разборчиво шепчущие нежности животу размером с кита.

Я — рыгаю, ругаю своего мужа и передвигаюсь медленно и тяжело, словно у меня на плечах коромысло.

Для меня английское lightening, или летящесть, обозначает всего-навсего «облегчение» или, говоря иными словами, момент, когда ребенок должен «упасть»: это обычно происходит, когда он, опускаясь головой вперед, начинает упираться в дно матки.

Сегодня мой доктор со стальными нервами и в стерильных перчатках (лучший акушер в клинике, как мне сказали) пошутил, что я ношу в себе будущую баскетболистку — она такая длинная, что он уже чувствует под кончиками своих пальцев (пальпируя меня) ее вихры.

Он предполагает, что Лиз уже «опустилась» и готова к новому миру, к новой утробе.

«Раскрытие уже большое?» — интересуюсь я.

Он отвечает: «Два пальца».

Существует замшелый миф о том, что беременность — это нечто непостижимое и потаенное, но этот миф был придуман теми, кто никогда не рожал. Я же знаю, что это рутина: определяя жизнеспособность плода, считать шевеления; измерять высоту матки; принимать определенную витаминную дозу; рассчитывать дни зачатия и, когда ты становишься слишком «стара», после тридцати пяти лет, учитывать степень риска.

Как видно из вышестоящих перечислений, материнство — это всего лишь математика, цифры, сухой обезличенный счет.

15

Сидя на корточках, твой отец глядит снизу вверх на мой голый живот и говорит, что этот мраморный шар, этот шевелящийся пригорок напоминает ему об инстинктах и каменном веке.

Он говорит, что, когда нам нужно произвести примитивные, чуть ли не наивные калькуляции, мы покупаем навороченный мощный компьютер.

Когда мы хотим пообщаться, мы не беремся за руки, а выбираем почтовую программу для лэптопа и подсоединяем электрические провода.

Когда нам нужно лечение, мы даже не начинаем молиться, ибо свято веруем в медицинские средства.

Но этот непомерный живот — как напоминание о том, что мы единая плоть. Что в нас есть что-то практически первобытное, разительно отличающееся от разветвлений электрических схем...

Что-то, несмотря на наши плохие оценки по биологии и богословию, зарождается в нас и продолжает свой рост.

«Послушай, он говорит, разве не чудо? Ведь клетки делятся независимо от нашей веры в высшее существо, а зародыш растет и созревает несмотря на то, что мы морально еще не созрели, чтобы растить нового человека».

И пока он взбирается на лестницу этой высокопарности, я нервно рыщу по Интернету и, наткнувшись на перечень всего того, что может случиться с младенцем, тут же падаю в обморочный колодец кошмара:

1) вываливающаяся пуповина;
2) недостаточное количество амниотической жидкости;
3) угнетенное состоянье зародыша;
4) сросшиеся ноги, как у русалки;
5) спина фибида;
6) двухголовые монстры;

7) замедленное сердцебиение, порванный амниотический сак.

Мы оба, сами не подозревая того, говорим абсолютно об одном и том же: о неслаженных, немыслимо сложных силах природы.

16

Без малейшего усилия оно зачалось и поначалу не было значимо.

Что-то происходило и росло само по себе, ничем не выдавая своего присутствия в начальные несколько дней или даже недель.

Несмотря на легкость начала, тело сопротивлялось: две ночи подряд я каталась по холодному ковру, как по горящим углям, а боль, как лисица, прогрызала мою поясницу — зародыш прорывал ход в устилавшие матку мягкие ткани.

Во всем этом не было никакой воли, никакого решения — всего лишь пассивное подчинение шансу, рулетке гонад и зигот...

Но когда комок клеток подрос, вместе с ним выросла жалость.

Крики, предостерегающие мужнины локти от соприкосновений с выпирающим животом.

Жалость к внутреннему, жалость к семени, к косточке, помещенной туда невидимой, но разумной силой.

Жалость и ненависть.

Когда я себя ненавидела, я ненавидела зародыш вместе с собой, потому что он делил со мной мои нерасцвеченные событиями и радостью будни и дневную депрессию. И презирала его только тогда, когда считала частью себя.

Когда же я думала, что он существует отдельно от меня — уникальный, неповторимый человеческий экземпляр, тогда мои ожидания были даже завышены: может быть, во мне зреет какой-нибудь гений!

И содрогалась, читая душераздирающую историю о сумасшедшей, которая мечтала о ребенке так сильно, что убила молодую женщину на сносях и вырезала из нее девятимесячный, уже готовый к выходу на свет плод... Как будто аппендикс.

По хайвею я ползла как черепаха; я отодвигала от себя руль вместе с воздушной подушкой, чтобы она, взорвавшись, не принесла нам вреда; я подкладывала под себя свернутые рулонами одеяла, чтобы усесться повыше и защитить зародыш, если автомобиль вмажется нам в лоб или в бок.

Что-то, что появилось там совершенно случайно (эта смешная рулетка, эта ежемесячная двадцатипроцентная вероятность, повисающая над каждой женщиной от восемнадцати до тридцати пяти лет, когда она совершает физический акт), теперь стало моим осознанным выбором.

Теперь я отчаянно признавала его.

17

В ожидании рождения ребенка мать ограничивает ежедневную деятельность: никакого поднятия тяжестей или случайного секса, никаких ныряний на головокружительную бескислородную глубину с дыхательным аппаратом, неограниченного потребленья вина с сырыми морепродуктами или потенциально летальных полетов на вертолете с целью обзора низлежащих равнин.

Никакого взваливания непомерной мировой ноши на вымученно отогнутые назад плечи; никакой добавочной грусти, сбивающей с толку ее центр тяжести (ей хватает работы по балансированию тяжелого живота).

Беря будущее младенца в свои беспокойные руки, она потребляет огромное количество органической пищи, свято веруя в то, что эти усилия обеспечат ребенку высокий коэффициент интеллектуальности и способность играть в футбол на разреженном воздухе на самых высоких горах. Чтобы он преуспевал на протяжении семидесяти или даже восьмидесяти пяти лет, в течение двухсотвосьмидесяти дней все должно быть спокойно.

Так жертвующие собой родители предполагают, что они должны сузить свои горизонты, чтобы расширить жизненные ожидания малыша.

18

Ребенок — вечное напоминание об опасностях.

Из общеобразовательной школы я вынесла набитую знаниями по биологии сумку: майозис, митозис, двойной хеликс или, может быть, Феликс, деление клеток. То, что ожидает мою дочку внутри, пока она сосредоточенно воспроизводит свое ДНК, отличается от наружных, поджидающих меня бед.

Я вижу себя прогуливающейся с коляской по серым, оттененным бедностью асфальтовым улицам. Что, если какой-нибудь скудно одетый белый бродяга (или чертовски привлекательный черный со сверкающими белками глаз) приставит нож к моему горлу? При одной только мысли об этом — дрожу.

Недавно в Китае, недалеко от остракированных на периферию останков Великой Китайской стены, мы на какое-то время отпустили шофера (сконфуженный нашим желанием побыть в одиночестве, он продолжал медленно катиться за нами, как катится ручеек воды по песку, в своем подбитом, с ржавым подглазьем «Пежо») и пошли налегке по безлюдной, безлошадной дороге. Порой какая-нибудь развалюха, перевозящая заряженные убойной силищей камни (один упал, подпрыгнул высоко, будто мяч, и приземлился у наших ног), или запряженная лошадьми тележка с людьми, полными неизведанных планов и направлений, проезжала мимо, и мы, уступая дорогу, окунали обувь в придорожную пыль.

Здания в той нехоженной туристами, необихоженной местности напоминали стариков, которые, выйдя на пенсию, тут же подали новое заявление на работу — чтобы не остаться без дела. Нам с дороги было видно, как висели на невидимых веревках спортивные костюмы, пеленки, рейтузы, как расхаживали с видом борцов-победителей мужчины в футболках и помятых штанах.

Странная, непрямо направленная сила судьбы сначала привела меня в Казахстан и затем в перенаселенный Китай. Сила эта была имперсонирована прикованной к креслу церебральным параличом, будто цепями, маленькой женщиной, которая не могла передвигаться сама, но подарила мне самолетные крылья. Галина, чье почти несуществующее, почти бестелесное тело было компенсировано непомерно большими очками и глубоким умом, выхлопотала для меня грант на приобретение билета, и я приземлилась сначала в Алма-Ате, а затем в земном пекле Пекина.

Мой самолет мог упасть в Астане, в Пекине, в Алма-Ате.

Вернувшись домой и продолжая озирая жизнь Казахстана, проявляющуюся в постоянно наметаемом ветром Интернета песке новостей, я прочла, что ответственный за полеты молодой инженер приблизился вплотную к самолетному двигателю и был всосан внутрь чудовищной силой. В Пекине люди носили маски, пряча лица от птичьего гриппа, а пиявки пускали в местные деревенские воды свой яд. Там мы боялись не человеческих животных инстинктов, а обыкновенных животных (попробуй китаец тронуть туриста, его тут же к стенке!).

Прогуливаясь по Запретному Городу с большим желтым зонтом, чья деревянная ножка была татуирована фразой «Эта защита от Солнца дарована простому народу его президентом», мы ежесекундно находились в опасности (которая не столько присутствовала, сколько подразумевалась): обжечь кожу солнцем и подхватить меланому, быть покусанным нахальными насекомыми или быть сраженным соскочившим с проносившейся мимо фуры здоровенным бу-

лыжником, который, искорежив бампер машины, в которой мы ехали, наконец нашел покой
посредине дороги.

И как насчет тебя, Лиз? Многие мои проек-
ты (рассказы, любовь к ирландскому бармену
или сеттеру, вложение денег в воздушный замок ценных бумаг) оказывались ущербными вы-
кидышами, что, если бы это случилось с тобой?
Представляешь, что было бы, если сперматозоид
с букетом цветов ждал на одной стороне улицы,
а яйцеклетка в бархатном платье нервно пере-
ступала с ноги на ногу на другой, как на каком-
нибудь первом свидании, которое из-за проблем
с навигацией и чтением карты так и не состоялось, и ты бы не родилась? А вдруг одна из хро-
мосом не смогла бы вырастить себе достойную
пару... что, если моей парой не был бы твой
отец?

Если бы шейка матки не обладала достаточ-
ной «компетентностью» (так врачи говорят),
если бы у меня была опасная опухоль или моя
плацента была слишком старой или слишком
тонкой, как весенний ледок... Сколько раз в туалетной кабинке я параноидально вглядывалась
в унитаз, почему-то решив, что с потугами ты
вдруг можешь негигиенично появиться на свет;
как в душе я уставлялась в клокочущие мутные
воды, пытаясь увидеть, не упала ли ты.

В любой момент зародыш может встретить
свою грустную, внезапную смерть, ведь его под-
жидают те же проблемы, что будут стоять над
душой и когда он подрастет: плохое питание, не-
состыковки во времени и пространстве, непред-
виденные обстоятельства, недостаток надежды.

19

Законы геометрии не писаны для моей Лиз: из округлой формы («Да ты выглядишь будто пушечное ядро проглотила», — кричит мне прохожий), из затвердевшего кокосового ореха, в который превратился мой прежде плоский живот, она выстраивает прямоугольник, одновременно выказывая все четыре угловатые конечности.

Что это: кулачок, пятка, твердая голова или мягкие ягодицы?

Мой живот теперь растягивается в любую сторону — во время визита к врачу, когда я с трудом укладываю на лежак свое тело, которым почти не могу управлять (это все равно что сложный механизм с внезапно отказавшими кнопками), Лиз быстро перемещается вправо, упираясь там в купол матки, просматриваемая будто силуэт рыбы в толще воды.

Мне кажется, что она беззастенчиво выставляет себя на всеобщее обозрение. Как будто под пытливым взглядом врача это не плод, но один из моих органов — почка, кишки, желудок — вдруг увеличивается в размере и показывает бесстыдно угловатые, твердые формы сквозь мою кожу...

Мне так неловко!

Когда ей было всего четыре месяца, она «убежала» от грубого доктора-афроамериканца, который напугал ее, прикрепляя специальный механизм к моему животу. Он прикладывал прямоугольную коробочку то туда, то сюда (я испугалась, не услышав биения ее сердца — жива ли?) — и каждый раз она убегала. Она двигалась внутри меня, как будто пытаясь избежать бесцеремонных невежливых действий, и я, наконец вздохнувшая спокойно после того, как почувствовала ее передвижения внутри себя, с удовольствием наблюдала недоумение и затем раздражение на его лице.

Когда я поворачиваюсь на левую сторону, вся левая сторона матки значительно утяжеляется, как будто бильярдный шар неторопливо катится в лузу, на левой стороне моего живота вырастает бугор.

Ей неудобно.

Когда я поворачиваюсь на правый бок, я чувствую что-то странное слева: ведь как раз в тот момент, когда она находит для себя удобное положение, когда она уже не ожидает никаких изменений, уютная капсула моей утробы ее предает.

Снова ее беспокоят без какой-либо ясной причины. И снова она должна в очередной раз сдвинуться с места.

Лиз может достичь определенного удобства, если будет следовать мне: когда я поворачиваюсь на левый бок, она тоже должна устроиться слева; когда я поворачиваюсь на правый бок, ей нужно умудриться перейти на правую сторону, в противном случае придется болтаться на стенке матки, как кошка, удерживающаяся всеми четырьмя лапами на накрененном столе.

«Внешняя» жизнь Лиз еще не началась, но она уже должна уметь приспособиться к матери. Или, может быть, мне просто нужно — не авторитетом, так килограммами — ее подавить?

Но нет, мы должны прислушиваться к желаньям друг друга. Когда я поворачиваюсь, не предупреждая ее, я чувствую кошачьи когти — Лиз пытается остаться в предыдущей позиции, и ее конечности причиняют мне боль.

Мне нужно двигаться медленно и осторожно, используя всю мою интуицию, изменяя положение сантиметр за сантиметром, намек за намеком, как будто инструктируя и оповещая ее о том, что случится.

Эта тактика продолжится и после рождения Лиз.

20

Ощущение новизны — такой чистый воздух! — когда, напоминая себе путешественника, покидаю дом с собранной в госпиталь брюхатой, как беременная женщина, сумкой.

Ворота автоматически открываются. Ни скрежета, ни скрипа. Бесшумно. Такая вокруг тишина!

Семь утра. Мир осведомлен.

У меня появлялось подобное чувство, когда я покидала поднадоевшие жилищные блоки, отправляясь в Патагонию или в Перу: что-то должно случиться, но ты не знаешь, чего ожидать.

Самолеты с близлежащего аэропорта прошивают воздух над самым заливом, барахтаются в отражающей их водной глади и только усиливают чувство трансформации или, может, транзита. Черные ворота и голубой залив передо мной остаются такими же, но они уже претерпели тайные изменения. Как в детстве в конце лета, когда мы покидаем холодную дачу, чтобы вновь поселиться на теплых югах ленинградской квартиры... даже линолеум в городском жилище казался странным и незнакомым, особенно по сравнению с щелястыми полами в одной из дачных комнат, которую прозвали «беседкой» из-за светлости и округлости стен.

Квартира, оставленная на собственное попечение на все три летних месяца, должна была переучиваться привечать поселенцев. После долгого расставания она выглядит неузнаваемой (краны бурчат сердито, стоит к ним прикоснуться), а неиспользованный, незаполненный воздух еще не смешался с нашим дыханием... В действительности не происходит никаких изменений, однако мы обладаем способностью воспринимать вещи, как будто увидели их в первый раз.

И тут, в этом трансформированном мире, чье внимание приковано к моему животу, появляется ОНА — у нее шелковая нежная кожа и курносый, такой же, как у ее прабабушки, нос... Прижимая к себе эти ручки-ножки, обнимая тромбоциты и лимфу, я неожиданно ощущаю симпатию к увялым, сморщенным женщинам, которые когда-то были такими же новорожденными, как моя Лиз.

Вскоре после рождения дочери я читаю в газете (практически превратившейся из-за умирающего улья постоянных читателей в полицейскую сводку) о женщине, которая потеряла мужа на Корейской войне. Двадцатилетние девки, костлявые члены кровожадной банды

«Суреньос» (излюбленной униформой банди-ток были голубые рубашки баскетболисток, а их противники выбрали в качестве «своего цвета» темно-красные тенниски), подружились с оди-нокой старухой и даже въехали к ней на квар-тиру, которую вскоре превратили в наркотиче-ский штаб.

Славная, сладкая бабушка стала источать горький запах; ее горшок не выносили годами; простыни не менялись, а на матрасе образовы-вались зловещие пролежни. Периодически она звонила в полицейский участок, но каждый раз память ее подводила, и она забывала, зачем изна-чально взяла в руки трубку. Поэтому она набира-ла три цифры, здоровалась и затем запиналась, не в состоянии отвязаться от начальных слов приветствия и их повторяя, устраняя надежду на осмысленный разговор.

Прошло несколько месяцев, прежде чем мер-завки, дурящие хронически больную старуху, были схвачены за руку. В суде стало известно, что гангстерши съедали скромную, но сытную пищу, приносимую в судках бедной вдове, и даже выговаривали социальным работникам, что еда была недостаточно вкусной. И без того хруп-кая пожилая женщина так похудела, что с тру-дом могла двигаться.

Вглядываясь в ее пергаментное лицо в пожел-тевшей газете, я чувствую особую, острую жа-лость, ибо теперь я знаю, что когда-то она была такой же беспомощной, шелковой и невинной, как только что появившаяся на свет новорожден-ная Элизабет.

21

Примеряя вегетацию к деторождению, моя настольная книга утверждает весомо:

«Гигантская работа по проталкиванию и растягиванию должна быть проделана, чтобы пропихнуть сквозь шейку матки размером с фасолину голову ребенка размером с арбуз».

22

И время спустя после родов в горячке я представляю себе опять и опять ее ошеломленный вид и лицо... мордочку с голубыми, как у котенка, глазами и треугольный, беспомощный рот (еще не умея подать голос, она заходится в немом крике)...

Вечером, прокручивая в уме кадры ее первого появления, я улыбаюсь, пока она спит, беззвучно дыша, в прозрачной кюветке рядом со мной.

За стеклом сейчас — другое существо, разительно отличающееся (и старше на несколько часов) от того, что извлекли из моей матки сегодня утром.

У этого экспоната, выставленного в музее на всеобщее обозрение, совсем не такое лицо и глаза, как у той, кого я родила: та была морщинистой, чем-то облепленной, красной...

Вот ей уже восхищаются медсестры, устраивая ее на моей груди. Они переговариваются: «Ну просто кукла! Волосики длинные, а глазищи какие... красотка!»)

А вот, в отличие от той новорожденной неумехи, эта уже знает, куда направляться в поисках молока (к моей виднеющейся в прорехи халата груди), — а та первая, несмотря на все усилия медсестр, устраивающих нам первую «совершенную» встречу, так и не поняла, за что же надо хвататься.

Этот жизненный рост представляется мне в виде двух параллельных событий: одно случилось мгновениями или минутами раньше (я его уже спрятала на книжный стеллаж памяти), а другое происходит прямо сейчас (то есть стоит перед глазами).

Событие, которое уже произошло (как она наконец появилась на свет, раздирая промежность, как я воскликнула, под хохот медсестры и врача, совершенно потерявшись от восторга и боли, что «язык у нее просто огромный», она раскрывала рот в поисках то ли воздуха, то ли еды — как я искательно взглянула на нее, но ей в этот момент мыли голову и взвешивали, так что волнующего единения «мать и дитя» не состоялось) — это событие теперь служит для меня источником цементирующих жизнь воспоминаний.

То, что происходит теперь (как она сопит в отведенном ей месте, как я пытаюсь привыкнуть к моему неожиданно полому, плоскому, больше не выполняющему никакой особой функции животу) — не что иное, как ожидание непредсказуемого, еще не ясного будущего.

23

Она родилась на редкость жизнеспособной: с самого начала могла держать голову прямо и даже ухитрилась лягнуть пытающуюся запеленать ее в многократно использованное больничное одеяло пожилую, ледиобразную медсестру.

Она забавлялась со своим языком, находя удовольствие в его непрестанном высовывании; у нее уже были рефлексы: она пыталась схватить иглу, которой медсестра уколола ее; вздрагивала, когда до нее кто-то дотрагивался; плакала будучи мокрой; раздражалась будучи голодна. Она сразу же начала ползать по моей груди, временами запутываясь в тонкой золотой цепочке, подаренной туринской тещей.

Принявшись жить, она не хотела терять ни минуты.

Она запрыгнула в жизнь сразу же, готовая к действию.

Но провал в восприятии, задержка между двух точек в пространстве, дыра между двумя поколениями дали себя знать в ее бабушке, выказавшей медлительность чувств.

Бабушка же ее, напротив, долго сопротивлялась самой мысли, что ее дочь вдруг могла стать матерью.

Еще накануне она уверяла, что если по утрам молодую мать не тошнит, то и беременность проходит легко — без сучка и задоринки, — так что обсуждения всяких больных охов и ахов не стоят выеденного яйца — или, в данном случае, яйцеклетки. Она сказала, что в свое время никто не навещал ее в грязном и промерзшем роддоме на Чукотке на Севере — почему же она вдруг обязана навещать свою дочь? Она заявила, что вряд ли стоило тащиться в такую даль (пятьдесят пять километров за мост) за тем, что когда-то было так знакомо и близко: ее собственные роды и материнство.

Однако, как только ей позвонили, она сразу же села на поздний поезд и появилась в родильной палате, невзирая на темень за окном и свои предыдущие заверения в том, что путешествия и пожилой возраст несовместны.

И вот она уже сидит на больничной кровати и вглядывается со всей серьезностью и ответственностью в кюветку, попутно вспоминая, что ее швы после родов тут же зажили без негативных последствий и что ее дети ночью спали как мертвые. Подгузники ее дочерей были чище и благовонней, чем у «нынешних деток»; их волосы при рождении «намного длинней и гуще», а кожа более нежной и матовой; оставшийся же столбик от пуповины отвалился мгновенно, через три дня.

И молоко из нее било фонтаном, и кровотечение после родов сразу же прекратилось, а дети переставали капризничать, стоило им помахать правой рукой или сделать «козу».

Разница была налицо: инстинкты новорожденной внучки проявились сразу же, едва только она появилась на свет, в то время как инстинкты пожилой женщины подзадержались и вышли на поверхность позже, непростые, сдерживаемые и загрубевшие от ее долгой жизни и тяжелой судьбы.

24

Все меня спрашивают: ну, что ты можешь сказать о материнских чувствах, инстинктах, когда уже все позади? Как прошли твои девять беременных месяцев?

348

Всем вопрошающим известны расхожие представления, но все эти представления неверны. «Девять месяцев — это просто-напросто физиологический марафон», — объясняю я всем, кто купился на досужие россказни о материнском «свечении» и святой, валящей с ног любви.

«Тело делает все само по себе; в твоей власти практически ничего нет. А оно невзирая на то, что ты думаешь или чем занимаешься, борется; ткани растягиваются, причиняя то тупую, то остроугольную боль. Дни измеряются прибавкой в весе, утяжелившейся грудью, высоким давлением или пониженным тонусом матки, а также учащенным сердцебиением еще не родившегося ребенка».

Зато общество — продолжаю я объяснять — упорно рисует лубочное материнство с красными щечками. Все это враки. Мать должна хорошенько разглядеть малыша, прежде чем решит, что конкретно в нем полюбить. Любить кого-то — значит его хорошо знать.

Я, например, ни разу за всю беременность не предавалась мечтам об успешном будущем моего ребенка: как он вырастет и вдруг заиграет на скрипке (вот уже собрал целый зал!)

Но вдруг я задумываюсь: если беременность всего лишь физический марафон, почему же вместо того, чтобы задыхаться на коварной, бугристой дорожке, ловя ртом клочки воздуха, я пытаюсь поймать и записать каждую приходящую в голову мысль?

25

В канун Нового года тебе исполнилось девять месяцев, а твоему прадеду стукнуло девяносто шесть лет — или можно сказать, что ему стукнуло без четырех минут сто!

Ты празднуешь день рождения двенадцать раз в год, и двенадцать раз в год, по первым числам каждого месяца, твои бабушка с дедушкой тебя навещают и приносят торт со вставленными в лунную пузырчатую поверхность тонкими свечками, к которым ты равнодушна, так как до сих пор ты предпочитаешь материнское молоко и детское пюре.

День рождения твоего прадеда его взрослые дети празднуют ежедневно: клешнями вцепившийся в прадеда рак одно время будто исчез, а затем возвратился.

Тридцать первого декабря, в канун его «официального» дня рождения и одновременно в канун Нового года, собравшись вокруг большого стола со смешанными браками, русскими пирогами и еврейским кошерным вином, семья твоего прадеда отмечала сразу два праздника, повторяя: «Если в этом году ничего не случится, то это будет самая хорошая новость».

Эта разросшаяся кузинами, дядьями и тетками большая семья собиралась вместе и в Питере, в просторной бельэтажной квартире на Заячьем острове, беседуя за перегруженным блюдами со штруделем и студнем столом о зарплатах и запеканках — теперь же этот обычай вместе с ними переместился в Америку. В новой стране они по-прежнему тихонько точили лясы, а также зуб друг на друга, но, ополчаясь на одинокий, холодный американский мир, свято блюли традицию родственных встреч.

Они сгрудились вокруг сидящего во главе стола патриарха, который был бледен, безмятежен, ослаблен. Всегда в элегантных брюках и пиджаке, в щегольской шляпе и галстуке, сейчас он был одет в абсолютно новый серый трикотажный спортивный костюм. И это был знак, что новый год для него будет совершенно иным. Лечащий доктор уже сообщил нам, что при его состоянии люди живут считаные дни, в крайнем случае месяцы.

Мы не знали, что подарить ему на день рождения: его желания в конце концов стали скудны и просты. Зачем засорять квартиру никуда не годным барахлом? Вот мы и придумали поместить портрет правнучки в резную рамку. Что может быть лучше, чем образ наследницы?

Прадед взял рамку в свои усталые, покрытые пигментацией руки и сказал по-английски: «Гуд, вери гуд». Оставаясь в прекрасном умственном, хотя и не физическом состоянии, он до самой смерти посещал занятия в школе для взрослых, и едва ему попадался иноязычный, разговорчивый собеседник, он тут же — в восемьдесят пять, в девяносто, в девяносто пять лет — принимался практиковать английский язык.

Затем он взялся за свой праздничный торт, осторожно рассекая его чайной ложкой, но остановился, прожевав пару кусков. Он был слишком слаб, и его старший сын объявил, что дедушка должен пойти отдохнуть. Он вышел из-за стола как раз в тот момент, когда все взяли на изготовку свои фотоаппараты, чтобы снять его обнимающим любимую внучку, но решили подождать, пока он соснет час-другой — чтобы сделать последнее фото: малый и старый, внучка и дед.

Когда же он наконец вышел из спальни, его девятимесячная внучка, измотанная впечатлениями от никогда ранее не виданных родственных дядей и теть, обмякла в моих руках и заснула.

Так вы оба засыпали в любом месте и в любой момент. Ты — в своем манеже, ничком лежа на плюшевом мишке; твой прадедушка — в кресле, держа в руке твою фотографию и спрашивая каждого, как правильно произносить твое имя на итальянском.

Когда ты повзрослела настолько, чтобы произнести его имя, он был уже мертв.

26

В ту ночь, когда мы принесли тебя домой из безличной госпитальной палаты, меня разбудил не твой крик (ты умиротворенно спала в колыбельке), но возбужденный, со всхлипами шепот твоего отца.

Он говорил: «Она идет, она идет, она идет!»

Я дотронулась до его влажного, как будто опрыснутого из пульверизатора, лба, и кошмар оборвался на полуслове. Он сказал, что видел тебя только что, такой, какая ты есть сейчас, со своим маленьким телом в белой «рубашке» (ты родилась покрытая белым жиром) — и во сне ты ходила, несмотря на то что тебе было всего несколько дней! Он уже предвидел таланты, которыми вскоре ты овладеешь, и до смерти был напуган этими стремительными изменениями, даже во сне.

На следующее утро он дотронулся до темной пигментированной дорожки на моем животе. Едва дорогой гость успел покинуть кокосовый орех матки, как она сократилась, и *linea nigra*, больше не растянутая по окружности твоего тела, стала более широкой и посветлела.

Он сказал: «Мне просто не терпится узнать, какой конец у твоей повести... после всех этих треволнений и родов... после того, как она наконец родилась!»

Какого «конца» он ожидал? Действительно, замшевая пигментированная полоска скоро исчезнет практически без следа; швы заживут и срастутся; прежде зажатые, напряженные, рубцовые ткани расправятся и смягчатся, а младенец, предоставленный не только самому себе и материнскому молоку, но и твердой пище (окрошке, моркошке), перестанет напоминать истощенное беспозвоночное — и будет выглядеть многообещающе, мышечно, мощно.

В соответствии с моей книгой для желающих забеременеть, *linea nigra* себя изживет и превратится в *linea alba*, белую линию. Ее будет не различить на белой равнине теплого, простирающегося во все стороны живота.

И эта белизна — свидетель страха перед неизвестностью — говорит мне: все, что еще не написано, может случиться, ибо у дочери, как и у матери, тоже есть белая линия, и страница опять начнется с первой, пока еще непроявившейся, не видной глазу строки.

PLAIN TRAIN: TROLLEYBUS
семейная хроника

Евгению Евгеньевичу Силантьеву,
без которого не была бы написана
эта книга

1

Почти сразу же после поминок Бок узнал о рождении сына: первый мальчик, — любимец, наследник, — Петровна, кухарка, навестила соседа — Бок давился невкусной лепешкой — возвратясь же, рыдал: подхоронят (умрет от холеры)[1].

— Clone! вышел в издательстве Ardis (автор N***) — А. Ю. сообщил: сторожа по ночам стружку, рубанок, глаза на фарфоре, поднадзорный слуга Ваш (охранник?) наткнулся на некий архив: 1. пыль, мука и простые жучки, неизвестные нашим ученым, олени, образа византийских святых, — третий Рим, — грешных блудниц,

---

[1] Неоконченная строка. А. Ю. имел несколько вариантов, которые в связи с историей с Фраком постоянно переделывал.

треск стекол, еноты, разруха — кусочками би-
тум — ох биттен, bitten, arbeiten, Mein Gott! —
я хотел бы освоить немецкий — 2. чай, немцы
повывелись в Петербурге? — 3. целый выводок
немцев недавно исчез, обеспокоенный вздоро-
жанием лезвий Gillett и машин марки General
Motors — не патриоты (Volkswagen) а два коман-
дарма: Буденный, плацдармы, фельдмаршал с
моноклем а Блюхер с биноклем — 4. роман, про
двенадцатый год, именуется «Клоун!» и (пятое)
Н. посвятил его бывшей — бла - го - го - вей-
но — «с любовью, покорностью, милой» — жене.
Евгения Яновна, — папирос, сигарет, анаши, от
фырчанья конфорки без слез обессилев (уста-
ла) — покорно (был лыс, плодовит, гайморит,
озабочен) — открыла: звонок почтальона... и с
дрожью, с испугом (книг Н. не читала) — а Рим,
звонари, величавая поступь (в предсмертном
наряде ходила к ограде), блеск стекол, рояль и
Е-ноты в мажоре — о, чу, — чай, опять заказное:
убийство? измена? — из тлена, распада (разбой
иль разруха?) — два года в могиле, — послания
шли... Он с жаною своея не спал по субботам,
конвульсивен по будням с другой, — а теперь,
о т о й д я, изливался в любви. Пожимала плечами: она стала Натальей — неужели же т а м, за
чертой, обратилась Натальей? — Наталья! Тепла
и объятий, и страстных признаний, желаний и
пламя, — моя сдержанность тебя раздражала —
а стоны? дыханье? — а я хотел, чтоб исчезал весь
мир, пока тебя нет со мною... Ч т о б о с т а н а в-
л и в а л о с ь в р е м я ... Роман был хороший,
о нем много писали, и сняли два фильма, и даже
нашлись эпигоны, и решившись, под черной

вуалью явившись в «Нью-Йоркер», она объявила, что замысел «Клоун!» покойник вынашивал всю свою жизнь.

Дальний родственник Роберта Фалька, Арсений Чернегин, — тягучей гуашью, пастелью, штрихами — г о д а м и картины к брутальным посланьям А. Ю. Витгенштейну (Брет Гарту, Гертруде, Наталье, Амалье) — уведомил Фрака: А. Ю. суеверен — Фрак вспомнил Франциску — такая ч у в с т в и т е л ь н а я мышеловка, что, обостренным парящим чутьем ощутив легкий топот мышкиных ног, хлопнула — и Франциска погибла — с л а б о е с е р д ц е — А. Ю. суеверен: забыл помолиться: знаменье, зарница... его повесть «Порыв» у поэта, который п о к о н ч и л (не смог сотворить имитацию смерти) — в газетах искали причину, домогались А. Ю.: альбатрос? Соловки? Алькатрас? — на допрос. Свое имя он больше не ставит (н е в с и л а х) и не в силах себя прочитать, а оставив н а в р е м я поэму... зверь одинокий некормленый в клетке... опоссум? охота? с оленем енота? — увидел: не дышит. —

Ш Е Д Е В Р У Н Е Н У Ж Е Н В У А Й Е Р[1]

не буланая лошадь, без яблок, не Дымка* — ямщик, не гони! — Летний сад, две кареты, Игнатий, извозчик, упавший разносчик — мальчишка совсем..., Македонского, Вронского...* — никаких отражений царей и мастей! Поймайте за хвост и за гривну прообраз... искусство — обратная сторона не медали, а з е р к а л а... — ммм, а что дальше? — иногда не могу завершить: а простые слова, два глагола — что третьим: убийство? из-

___

[1] СМ.

мена? — из тлена, распада изымаю творенье и жду: то, что вчера мне казалось отвратным (не слог, а болото, не в тон и созвучье), сегодня — на месте: се — тайна-с... Иногда, чтоб закончить: изменить что-то в жизни: событье. К примеру, забыл, так сказать, помолиться: знаменье, зарница, с ведерком священник, с известьем синица — А. Ю. получил эту фразу путем долгих подборов, смещений, трансформаций в пространстве, замен коромысла ведром, а вдовы на сносях протодьяконом в рясе, — убрал: воробья, соловья и какую-то птицу (хотела с разлету ворваться в больницу), а ночью — приснилось: здание, вечер, в отдалении люди, покойница тетя платок до бровей улыбнулась... и медленно не спеша подошла (он не слышал шагов), обняла, повела за собой: коридоры... Отсутствие мебели, стульев, сигналов движенья, чуть-чуть затемненно, как в закоулках сознанья — и тянет влекуще, гнетуще, — с холодным восторгом — все ближе! — вперед... Слава богу, проснулся, тошнило, гримасы... — Господи, дай закончить работу, еще хотя бы два года... Видимое — неведóмое, невéдомое и влекомое, потусторонность — реальность — четких граней — не ищи — никогда не найдешь. — Непонятный процесс: неужели веленье? — не совсем мной решенный вопрос: угадал иль н а в л е к ? — я пишу между строк одинаковых текстов, а в п о д т е к с т — королек (варианты, куранты, атланты) — не сказать ль Маннергейм? — лучший лыжник, плохая погода и не знает ни слова по-фински... — не в первый. Плен, Австралию, «farm» — не включил во второй. Это два очень хороших рассказа, они вошли в сборник, мной очень любимый, все это о Василии Петровиче и он мой герой*. Во время правления Сталина, Иосифа Виссарионовича, Василий Петрович (его фамилия начинается с гласной) идет в магазин и покупает там животное, курицу, и приходит домой. Не сразу приходит — долго ждет трамвая на остановке Кондратьевский рынок, а трамвай не идет. Это трамвай номер пятьдесят один, и что-то случилось с контактом. Вызывают специальных рабочих, у них — инструменты, и наконец все в порядке. Он голоден. Синяя, скользкая, давно неживая — но это его совсем не смущает, и Василий Петрович включает большой репродуктор погромче, чтобы соседи не слышали запах, и подметает мусор в квартире, а потом вспоминает, что сегодня его очередь убирать туалет, и после уборки тщательно моет руки хозяйственным мылом, поливает цветы, читает главу из «Улисса» («Лолиты»?*) и наконец приступает. Зажигает конфорку и вдруг видит, что кончились спички (осталась одна, и потухла). Он выходит на улицу, но во время обеденного перерыва (ОБЕД: с часу до двух) магазины закрыты, и Василий Петрович начинает разговор с дворничихой, Матреной Петровной, полной, с одышкой, и весьма вероятно, с метлой (ей трудно мести). Василий Петрович разговаривает с Матреной Петровной какое-то время, просто так, ни о чем, и после ее никогда не встречает. Мне хотелось узнать, отразилась ли в этом дне вся его жизнь, — начало, истоки, и счастливая смерть (во сне, когда все завершил, и оформил развод, и начистил медали), и надеюсь, что что-то все же я понял. Мой цикл «Doppelganger», однако, — другой: варианты не только меж строчек, но и в тексте самом: 1. двойники, не встречались 2. про двух двойников 3. рассказ «Идентичность» — были всю жизнь рука об руку вместе 4. роман «Двойники» — осознали: они — двойники 5. Doubles: I was finding out the reason why those twins would never be born.

В п р а г м а т и ч е с к и х ц е л я х А. Ю. воскрешал любимых героев: человек, пропавший в горах в 61-м, в рассказе, написанном в 55-м, возвращался в 62-м через несколько лет. В работах А. Ю. не было женщин. Откровенно говоря, у А. Ю. не было женщин. В текстах А. Ю. совсем не было женщин, и если бы, скажем, он встретил Дороти Паркер, даже тогда все бы осталось, как раньше. С Фраком А. Ю. как-то поделился секретом: «Милый Дмитрий, вы знаете, желание спать с женщиной и писать равнозначны по силе. Когда приходит определенный момент, вы должны выбирать: начинать гонку и быть конвульсивным или просто садиться за стол. Для меня, кстати, всегда оставалось загадкой, как у вашего, так сказать, выдуманного мной прадедушки Бока ухитрился родиться ребенок, и иногда мне даже кажется, предполагается, не исходит ли определенная сексуальная энергия и от мертвых, что, в принципе, и позволяет им иметь некий сорт содроганий».

Генрих Генрихович фон Бок, имя которого А. Ю. упомянул только что, был исправный служака и франт. Дмитрий Рафаилович Фрак (1967 — 1994) был правнуком Бока. Когда Артем Юрьевич о Генрихе Генриховиче Боке писал, он нашего Дмитрия Рафаиловича Фрака еще не знал к тому времени. Уцепившись за найденную в какой-то книжке деталь: 1872 — 1884, Гэ Гэ фон Бок, предс. Лифл. губ., просто взял — и развил. По данным домовой книги, у Бока наследников-мальчиков не было, и Дмитрию Рафаиловичу досталась фамилия Frock: a long coat worn by sailors; tunic, mantle made by tailors, best for peasants, vikings, monks... В другом словаре, Лонгмане, Фрак нашел: 1. becoming rare women's dress, 2. «wearer of a smock-frock» — a poor person. D.R. же значило whether dead-reckoning* or — (two) — deposit receipt.

Фраку нравилось, что его имя и фамилия напоминали ИОФ известного Роберта Фалька, с которым когда-то А. Ю. был знаком, ходил по избам рязанским с Васильем Кандинским, дружил с Сапуновым, потом от Blaue Reiter совсем отошел, засел за работу об общине Кумранской — о двух бедуинах — Jum»a Muhammed, Muhammed Ahmed el-Hamed — вместо золота увидели плесневелые зеленые свитки — Фрак не помнил ничего из нее, кроме одной странноватой детали: при раскопках жилищ их в районе Мертвого моря, в сорок седьмом, кумранитов определяли по маленьким топорикам, который каждый в общине носил: ибо отличаясь деликатностью и по отношению к своим сотоварищам и природе, они закапывали ими фекалии.

2

Фрак вообще обладал плохой памятью: ездил в Англию, в Лондон и из всей поездки помнил только запах мыла в отеле — впрочем, он и само мыло привез — с North Gover Street и рейса «Нью-Йорк — Сан-Франциско», а с дачи брал всегда с собой, закладывал на заглавии бунинской книги «Митина любовь», смородинный лист и купил даже однажды духи «Черная смородина» — диковинка, редкость, — точно в тот день, когда Мятлева встретил, а приехав в Америку, распаковав вещи, вдруг зарыдал: позже понял, что вызвало слезы: в расписной деревянной бутылочке на столе, из России, — эссенция летучего счастья... в самолете, с плеером, слушал любимый про лилового негра романс... негр подал пальто и Фрак прошел в туалет: изъял из всех ящичков тонкий мыльный рассыпчатый запах (запаслив), вышел самым последним на трап — и никто его не встречал.

Ходил на английский: why is Teddy so sad энд so nervous, restless, печален? — because his bird flew away, — попугай, воробей? — Mike has his cat flewn to Texas (a taxis было единственное, что впечатлило в Нью-Йорке) — и нужно было определить время, и понять, кто такой Тедди, и ломать голову над тем, как удалось коту (или кошке) добиться свободы и улететь в штат Техас, а вот как Фрак попал в Сан-Франциско, и для него самого оставалось загадкой. По утрам у него кружилась голова — давление, вероятно, и он ехал в тридцать восьмом (либо простом, либо L-limit) по Geary, по подделанной карточке, детали на которой, впрочем, каждый месяц менялись, — цвет, расположение букв, стоимость иногда — любил рисовать и не было денег... на остановке автобуса, сменив Conference on the Dead Sea Scrolls, висел синий рекламный плакат: мистер Дженкинс праздновал the resurgence of macrame bikini с мартини, английским ликером. Потом синий фон сменился на красный (а светофор был мигающе-желтый) — и опять про бильярд, про коктейль, про Лулу, про судьбу... Наверно, ему было скучно и холодно по ночам, вот и придумывал для себя разные тексты, а дринки — приманка для миссиз.

Фрак выходил из автобуса и видел бездомных: искус: нагнуться и взять у них деньги. Читал объявления, шел к океану, собирал промокшие, потом высохшие, потом опять отсыревшие за туманное утро окурки с отпечатками грязи и думал о времени, о разнице во времени, о почти невозможной желанной невстрече, наступал на каждую пачку — пустая. Хороший окурок — надо вставить в мундштук (был чуть брезглив). Искал работу от случая к случаю — так хотелось денег, участия в чем-то, участия в нем. Его номер на кинопробы был тридцать четыре. Он назвал на английском свое имя и адрес, посмотрел внимательно в камеру, посмотрел на снимавших: перешел тут же на русский, потому что единственный сонет Шекспира, который когда-то учил («и даже изменившись, я вернусь»), не помнил. Он читал им письмо Онегина, ровно две минуты, пока не спутался, не перешел машинально к началу, — смешон: в зеленом костюме, худой и высокий, с запинками царственных пушкинских слов. Были больше смущены, чем он сам — молодые ребята — не подошел он им на роль Йезуса-два. Вышел с киностудии, подобрал длинный окурок, сел на автобус, — безумен: читать Пушкина, на киностудии, в зеленом костюме, — в чужой незнакомой стране.

К нему приходила девочка, Emily Taussig, двадцать два года, учила английскому, три раза она не пришла, он ей звонил, она бросила трубку. Говорила ему с глупой усмешкой, что койоты питаются гарбичем, а верблюды убивают всех, кто кастрировал их или видел их брачную ночь, — по специальности была антрополог. Она приходила три раза и не могла понять, как попасть в его дом, апартамент с коврами и ванной, а в углу потолка два паука, лабиринт муравьев (воробьев?) на стене, если закрыта решетка — железные двери. Не поняла и после его объяснений: просунуть руку, дотянуться до кнопки, нажать. Бедная Эмили, приходила три раза, обижалась, уезжала обратно — а он ждал ее дома, внутри, он читал ее книги, ее Новый Завет, вспоминал ее образ...

Зато часто звонил телефон. Спрашивали Лори, просили подписаться на Chronicle, — ему слышалось «кролик»: слышал когда-то о силе кроличьей лапки, говорил «нет», — он не знал языка, — звонили, спрашивали Лори, просили подписаться на Chronicles*, — он говорил: я не понимаю вас, нет, — он не знал языка, — звонили... Чистил зубы бритвенным кремом, переливал хлорки при стирке — и однажды вынул из таза заготовки рубашки — восторг удивленья — воротник, рукава и квадратный карман — все отдельно. Пошел делать очки — любил новые вещи. Не мог понять смысл, один или два. Китаец спрашивал один или два. Настоящий китаец — набрал номер и дал ему трубку послушать. Русский голос: лучше — один или два. Фраку было все одинаково: первая и вторая таблицы. Китаец был разговорчив. Через пять минут пришел другой русский и перевел: «Доктор Ма потрясен. В Китае есть старый обычай. Когда человек умирает, его одевают во все новое и кладут в гроб выстиранную и выглаженную одежду, которую он когда-то носил. Его 53-летний отец купил новый костюм, отдал все белье свое в стирку, привел вещи в порядок, а через два дня вышел на улицу и был сбит машиной». Фрак машин* не любил — «брал автобус» и оставшись равнодушным к китайцу, приехал домой и увидел конверт — письмо Мятлева — в деревянном некрашеном ящике белый конверт.

3

История с Мятлевым началась в Петербурге.

Он окольцовывал горла птицам, и они уходили под воду, ловцы,

а выныривая, держали клювами хвостики рыб, —

О Н Ж И Л В П Е Т Е Р Б У Р Г Е ,

где движущая сила событий —

диссонанс между схемой и ее превращеньем в реальность, — скольженье —

в русском таинственном северном городе, где в ключе доминанты исполняют неверность себе. —

Артем Юрьич учил в Главном Трактате:

Fate is always in favour of you

(Судьба — всегда за тебя)

Always serves you as important sustainer

(всегда служит важной поддержкой)

And everything»s safe if you are with her.

(и все безопасно, если ты с ней)

Артем Юрьич учил: Something — of two or of five

(Что-то — из двух, из пяти)

has a right to exist

(имеет право на жизнь)

already born

(уже существует)

Thou should find

(ты должен найти)

And to get it on the right track.

(и наставить на истинный путь).

Мысль влияет на самолет, поезд, троллейбус, — учил Артем Юрьич, — меняет их расписание, скорость и двигает стрелки, —

и неважно, в каком поезде едешь, —

если все правильно —

все равно окажешься ТАМ.

Фрак хотел позвонить на тот свет и узнать сокровенное имя, — он знал: предназначено: он поедет в Америку (1) и встретится некий мужчина (2):

1. самолет 2. поезд 3. троллейбус —

ФИНЛЯНДСКИЙ ВОКЗАЛ

1. Он вставал в семь утра, подбирал галстук, брился

(а вокзал — ожидал, волновался, томился, толпился),

доставал из шкафа (что встроен) темно-синий новый костюм

(по гладильной доске, и по глади пруда, по ребру полотна — поезда),

причесывался, аккуратно вкладывал расческу в нагрудный карман,

на четыре замка свою дверь закрывал, —
на Финляндский он ехал вокзал.

2. Он прятался за колонной
и, завидев его,
невзначай появлялся
(посмотреть на него он еще не решался),
проходил по перрону на Фрака не глядя, —
и м е д л е н н о п р о х о д и л п о п л а т
ф о р м е.

3. Он не садился в вагон —
ждал, когда поезд уедет, —
оставался один на платформе, —
и затем возвращался домой:
видел Фрака перед своими глазами,
губами, перстами
касался его
их сердца были близко — казалось,
что воздух был смешан с кровью и пеплом,
а время сжималось и рождало событье...

4. позже Мятлев тактику чуть поменял:

5. со станции «Площадь Восстания», с плохим
освещеньем, с потускневшим свеченьем, с вещами, перевозимыми с дачи, с детьми, с ватно-шум-
ным звучаньем толпы (приватно-шумно разговаривали между собой поезда, — та-та-та — хвост и
головная кабина надежды) — на ставшей теперь
легендарной «П.В.», — с этой только что упомянутой площади, плазы, — или можно назвать это
stop, square, station, пространство, — всем чем
угодно —

6. Фрак переходил на станцию М —
маяк, мановенье, мгновенье, —
и садился в поезд на «М» (поэт мыл руки перед каждым обедом, затем застрелился),

а Мятлев заходил на «Гостином Дворе».

7. Он стоял, одинок и высок, и как дьявол красив на перроне (Асмодей, Асфодель, Вельзевул, Святой Петр) — и заглядывал в первый вагон, в первую дверь — в лица толпы — искал Фрака —

8. пропускал поезда — находил — и так каждый день, — постоянство —

9. они ехали вместе, два простых человека, и звали их —

10. Мятлев и Фрак.

Бывает же такое: некий изобретатель, повстречавшийся Фраку случайно в сан-францисской кофейне, когда-то жил в Петербурге. Он находился там как раз в то самое время, когда там жили Мятлев и Фрак. Он прохаживался как раз по той самой улице, где ходил Мятлев, и гулял по утрам по Парку Победы, рассматривая космонавтов, и кормил собак хлебом из булочной. И если Мятлев жил на Кузнецовской, в доме 44, то этот изобретатель — назовем его, скажем, Steven Kays (и это, скажем вам честно, действительно его настоящее имя) жил в доме 38. Про изобретателя немного известно: он родился в Японии, изобрел что-то новое в часах «Сейко», не снимал трубку, когда звонил телефон, а говорил просто hello и подключался, боялся русских шпионов и имел дома, на полу, маленькую машинку, производящую из НИЧТО шум океана.

Фрак смотрел на свое отраженье в стекле, перевел взгляд чуть влево, увидел: мужчина с резкими чертами лица, темными глазами, глядящими как-то затравленно (как будто сюда, в метро, его привела какая-то сила, над которой он

был невластен), — глазами, придававшими его
четко-очерченному облику, осветленному очень
бледной кожей и ровной сединой в волосах вид
глубокий и мрачный... выражение лица же, несмотря на мятущийся взгляд, задумчиво, мягко.
Быстро взглянул на стекло, глазами встретился с
Фраком и глаза равнодушно отвел: взгляд же был
напряженный и резкий. Тонкая кисть и большая
рука... Ожила, поползла... Коснулся и тут же руку
убрал: вагон тряхнуло, и пассажиры под одним
углом повалились, упали. На 1-й линии у Фрака
было три класса: преподавал студенткам латынь,
панически боялся быть уличенным в амурах, на
студенческую грудь никогда не смотрел, а гоме-
ровы тугие паруса на всякий случай обсуждал
с единственным мальчиком из всех его классов.
Вечером ехал домой из института одиноко в метро... Приготовив себе бутерброд с сыром и кофе
(на поверхности кофе, так же как и на сыре,
почему-то были жиринки) и читая «Грамматику»
Витгенштейна, домашне-ослабший после кори-
дорного институтского дыма и взмокшего прав-
ленья тетрадей, вдруг начал рисовать на студент-
ских работах буфера, поезда...

«Что со мной происходит, когда я ожидаю
кого-то? Что происходит, когда я ожидаю Его?
Я достаю из кармана свой календарь, удобно
сидя за двугорбым ученым столом, и равнодушно тычу красным карандашом в сегодняшний
день. И вижу имя N. напротив сегодняшней
даты. Он любит гулять по Кембриджу в мятых
серых фланелевых брюках, не спеша оборачи-
вая голову к тому или иному спутнику, следую-
щему почтительно-заискивающе сзади, дразня

профессора С., скрывающегося в своем флигеле за коллекциями насекомых, за фолиантами остойчивых крепких томов. N. улучит сегодня момент между поеданием пирожных в гофрированных бумажках и фехтованьем, между ленивым перебиранием книг на лотке... Он сказал мне, что будет здесь в пять (он всегда говорит мне, что «будет здесь в пять», даже тогда, когда уходит один, без меня, на прогулку). Последует объяснение с Ш.: «Я не могу с тобой свидеться, так как в пять я буду ждать N.». Ш. уже знает, что, будь у меня такая возможность ожидать N., я непременно буду ожидать N., и тогда Ш. придется подождать и с билетами в кино, где мы с ним опять будем сидеть в первом ряду из-за его и моей близорукости и смеяться над Бастером Китоном, и со своими расспросами, и с нетерпением его горячих самостоятельных рук (у моей горничной опять появится повод сказать, что она видела меня, сидящего прямо, как всегда совершенно спокойно, с молодым сутулящимся человеком в крылатке, в первом ряду...) Я подготавливаюсь, чтобы принять гостя. Я подготавливаюсь, как женщина, к встрече. Я беру сухую тряпку, мочу ее в воде и провожу ею по полу — там, где в комнате потемнее из-за недостаточного освещения, я тру не слишком усердно. Я задаю себе вопрос, курит ли N. Я спрашиваю себя, курит ли N. Если бы N. был сейчас рядом, я бы спросил у него напрямую, курит ли он (Уже вижу его, размышляющего: стоит ли навещать В.? У него опять не будет ни табака, ни улыбки.), и вот как только я представляю себе N., размышляющего, найдутся ли у меня сигареты, я вспоминаю, что видел N. курящим в обществе С., который обволакивающе и липко брал N. под руку и безмерно меня раздражал. Я кладу сигареты на стол. Уже почти пять. Я говорю себе: «Сейчас он войдет», и, когда я это говорю сам себе, я представляю мужчину с внешностью N.; я представляю его входящим в мою комнату в этой странной полутемноте и интимности и себя, приветствующего его и называющего его по имени неясным, нечистым, неуверенным голосом. Будет ли он опять строг и насмешлив? Когда я задаю эти вопросы, я опять вспоминаю N., по-мужски бодрого, крепкого, в котором именно отсутствие какого-либо лишнего запаха создает новый особенный аромат, я представляю мужчину, так же выглядящего, как N., так же выбритого, с такими топорщащимися волосами, как у N., я представляю, как он входит, как я отвечаю, — как я отвечаю, как входит, как раз в момент моего мысленного ответа ему... Как мой голос дрожит. Как я говорю: «Здравствуй, N., вешалка в коридоре. Положи сюда свою бесполезную трость». Как я приветствую его и называю по имени...

Возможно, однако, что я готов сказать «я ожидал N.» и в том случае, когда единственной вещью, соединяющей его с моим ожиданием и меня с его вспорхливой, легкой, разрозненной, как вращаемые вектором ветра нотные листы в не обязывающий ни к чему день рассыпчатой праздничной жизнью, являются мои несложные кулинарные действа: например, я готовлю пищу для себя и Альфи, добавляя в нее томатной пасты, яиц... так как N. наконец сказал, что в этот вечер он хочет быть у меня. У него язва и, оказывается, не пропадает аппетит только со мною и не мутит желудок.

Мое желание и ожидание прихода N. (так же и сквозное нежелание самого N. прийти) означает, что я хочу, чтобы пришел именно N., и никто другой, кроме N., ни хмурый А., и ни быстро успокаивающийся Ш., и ни медленно приходящий в себя К. и чтобы N. пришел и остался, а не забежал легковесно. Мое желание: действительно *он, N.,* должен *прийти.* Если от меня потребуется дальнейшее объяснение этого заявления, я продолжу и скажу, что под словом «*он*» я подразумеваю только N. и под «*прийти*» я тоже подразумеваю совершенно определенные вещи... Все это грамматические истолкования, которые *создают* язык. Это — в языке, где все это происходит...

После его прихода, когда он просто пил чай и дымно поглощал сигареты и ничего не произошло и не могло произойти, кроме того, что усилилась моя нервная дрожь, ибо эта встреча проходила под девизом «ожидание прихода N.», а не под девизом «выполнения желаний Л. В.», я сел за стол и записал в свою философскую тетрадь: «Эта и многие другие, более или менее похожие цепи событий, называются «ожидание прихода N.»

Прервали. Трубку взял скучающий Фрак. В трубку, очевидно, дышала студентка. А, бог с ней, вот бледно-синий туманный, неясный том Кортасара. Коллега Савельев как-то Фраку сказал, что был на лекции Борхеса и полувидящий Борхес прошамкал, что своих произведений никогда не читает, не помнит. А вот опять — наугад — Кортасар: «Автобус», «Шаги по следам», «Мой блокнот», — и вдруг поплыло, зазвучало: «То окно, то глухое окно в герметичном метро может дать мне ответ, время делит наш путь на отрезки, и я должен совпасть с пульсом, поступью, ритмом, тактом и паровозным воем игры, каждая новая станция означает неведомый замкнутый мир, а сама игра — будто сраженье вслепую... Следовать и надеяться, веря, что ее маршрут в метро изначально совпадает с моим, на сплетение станций и перекрытость тоннелей... — стремленье! волненье! томленье! — без восклицаний и слов: здесь нет Мари-Клод, выхожу и смотрю на скользящие мимо вагоны: тут нет Мари-Клод, поднимаюсь наверх, возвращаюсь опять, я опять поднимаюсь наверх и там нет Мари-Клод (Мари-Клод — Мари-Клод — Мари-Клод), я ищу, Мари-Клод! — я на станции, как на рулетки игры, делаю ставки...»

Ложась спать, Фрак загадал:

10 марта, среда, ожидается ветер, пурга — встречу ли его завтра в метро? —

с у ж д е н о...

Запечатать в упаковку слов, положить под стекло — навсегда один раз: утром в ванной.

Видел снег за окном, ! Посмотрел в окно — снег,

мокрый ветер, неверное ! закурил сигарету, сел в ванной на пол, солнце... ! спиной оперся о дверь,

оделся.

Закрыл дверь, прошел вниз пять пролетов, чуть ежась (пальто слишком тонко), по неподметенной дорожке

пошел

люди покупали газеты в киоске за десять копеек

Он вышел из дома,

пошел к остановке

(было мокро от снега лицо),

если встретит Его

подтвержденье,

что их встреча была не случайна,

что живут одним ритмом,

и выходят из двух разных точек,

из разных подъездов, домов, городов, векторов назначений,

и встречаются *где суждено*.

Люди покупали в киоске газеты за десять копеек, подошла красная «тройка», Фрак втиснулся в заднюю дверь.

Мятлев был т а м.

В Америке, в Сан-Франциско, Фрак пытался вспомнить тот день и пугался: вдруг что-то забудет — и обратится плюс в минус; забудет название станции, цвет расчески, носового платка — и что-то изменится в жизни, прошедшее ему не простит — и окажется он не в Америке, а, к примеру, в «Прохоров и К°», похоронной конторе, или в Восточной Европе, у Берлинской стены.

Видел снег за окном! Посмотрел в окно — снег

В семь утра встал ! взял будильник: надо встать в семь

(с вечера завел будильник ! подошел к окну: опять снег
    на семь)
    казалось всю ночь, что ! семь утра, встреча с Мятлевым
    шел снег ! в девять
    посмотрел в окно: ! видно, снег шел всю ночь, снег все еще шел
    раздернул шторы, стало ! утром начало таять светло, — видно, ветер распахнул с шумом окно, утром начало таять рассвело,
    !
    утром начало таять ! встреча с Мятлевым в девять[1]

Десятое марта: на старинных открытках — петербургская слякоть, ветер, метель. Люди в шинелях, в зябких пальто набивались в троллейбус. Фрак на встречу спешил (восемь тридцать утра и широкая чья-то спина), караулил часы, вот спина повернулась и не надо больше бежать, торопиться, спешить: с 08.30 до 09.20 они были вместе: свершилось: и небо звучало в душе.

Губы Мятлева были немы и мертвы, иногда они напоминали обветрившуюся сухую дольку апельсина на ощупь, иногда становились мягкими и солеными — влажен, настойчив язык. Когда

---

[1]Читается: 1. Первая колонка сверху вниз. 2. По строчкам, слева направо, через обе, первую и вторую колонки.

Фрак прикасался к мятлевской коже, он ощущал, что прикасается к самому себе — испытующе, нежно: поцелуй — как крещендо в пределах ферматы. Ночью Мятлев был очень красив, каждая ночь, которую они делили вдвоем, приносила ему радось и свежесть. Коротко стриженный, с правильными чертами лица, он был похож немного на римлянина. Мятлев говорил, что ночью Фрак беспокоен, часто вертелся. Фрак лежал рядом с Мятлевым и видел сны про Мятлева с Фраком. И Мятлев видел сны про Мятлева с Фраком — как будто их было шесть человек: двое в постели и по двое во сне. А когда Мятлев был мальчиком, он играл на кларнете.

4

Мятлев скрывал свою тайну и от А. Ю., и от знакомой француженки, сентиментальной стареющей девы, и от других рекламных агентов «Похоронной конторы», братьев Юрия и Егора, состоявших в обществе трезвости и принимавших бутылки «Пшеничной» — валюту советского времени — за выносы тел. Кладбище было сравнительно рядом. Машины останавливались неподалеку, на бесплатной стоянке. Купив мыла, сала, рождественских елок, покойники возвращались домой. В июне умер родственник Фрака, очень старый старик, его звали Лазарь. Речь в синагоге (покойник состоял в партии, был семьянин, писал юморески), затем Фрак сел в чью-то машину, за рулем — Лазаря друг, в шляпе, с золотыми зубами, голубым непонимающим взглядом, седой бородой. На стекле каждой машины в колонне — надпись черными буквами: FUNERAL. Старик от колонны отстал и спросил у Фрака, как ехать. Фрак дороги не знал. Кружили по улицам, домик, домик, дорога, вверх по горе, снова вверх, вправо, вбок, тупичок, указатель «налево». Видели океан, корабли, вот двухъярусный мост, вдоль дороги — деревья. Налево. Потом они встали. На пороге дома показалась старуха. Избушка, старушка, царевна-лягушка. Старик почти не говорил по-английски, он уехал из Киева в 91-м году, показал карту, спросил, как доехать на кладбище. Старуха спросила какое. Старик не знал, он сказал: умер мой друг, он был очень хороший товарищ, еврей. Фрак молчал. Сигарет не осталось. Мотор в машине работал. Никакого кладбища в городе не было. Становилось все жарче и жарче. Из дома вышел мужчина: в Кольме, сказал он, есть несколько кладбищ. Фрак сел снова в машину. Старик почти не умел ездить. Фрак говорил старику с непонимающим и радостным взглядом: перестройся, налево, направо, обгони, пропусти, дальше, дальше, быстрее, — на стекле, пытаясь высвободиться, трепыхалась табличка, выгорала на солнце, вдруг стало быстро темнеть. Они приближались, и уже что-то виднелось в туннеле. Ровно и мерно работал мотор.

Кладбище было рядом.

Фраку нравилось ходить на могилы, читать извещенья о смерти в сан-францисской газете. Умерла Мак Илвэйн, Ширли Джейн, 1915—1995. Родилась в Арканзасе, резидент Контра-Косты for 38 years. She was in food service, member of Concord United Methodist Church, любила шутить, enjoyed bowling, flowers and entertaining her friends.

Бабушка, ты пошутила?

Survived by her husband of 43 years,

Перри Масом Илвэйн,

сыном Майклом и Тиной — невесткой,

дочкой и зятем, Пэтти и Стив,

внуками Патриком, Перри, Митчелл и Эшли,

сестрой Эвелин,

братьями Галеном, Шерманом и Кеннетом Смитом

подругами Кэти и Лесли, активными членами церкви,

проведшими в церкви восемнадцать с верстами лет, —

и другими людьми.

Видя горе чужое, Мятлев много пил, забывался — незаметен, угрюм. Георгий, третий брат, тоже это дело любил. Была у Мятлева подруга — Ксения Евгеньевна, старая дева, преподавала французский. Ей было сорок. У нее была своя жизнь: платья бальные, театры, поэты опальные, канарейка Чилита... Мятлев завидовал ей. Он немногое помнил. Ему легче удавались чужие жизни — с изгибами, шероховатостями, своими мрачными тайнами. Берег, лелеял и взращивал свой порок, свою страсть, — отличительный знак — отдать кому-то себя, принять в дар Его, жить только Им, воспевать и творить, навсегда полюбить, — мечтал о тихой спокойной семье, но даже краешка счастья — долгие годы — не было видно. Мятлев купил себе книгу о построении счастливой семьи. Там говорилось о покупке коврика, чтобы положить его перед дверью, чтобы вытер ноги любимый, о выборе места под дачный участок, где сажали бы гладиолусы, спаржу, отрезали бы их широким острым ножом для племянников первого сентября в школу, о выборе спутника безучастно-дождливого зимнего дня. Выберите культурное мероприятие (Чернушенко, Чернике, Гедике, Педике) и пригласите мужчину. Если живете в Москве, а молодой переписочный человек ваш — пензенский житель, разрешите ему взять вам билет, накрасьтесь, сойдите с трапа воздушно, отдайте ему вещи послушно, проследуйте за ним в его дом. Он будет смущаться, краснеть, он говорить будет о чувствах, о том, как привязался он к вам и вашим письмам за такое-то количество дней, он будет рассказывать вам, что у него есть бальные туфли, что он рисует портреты, что он читает и Кобо, и Абэ, он поэтически говорит об электронах, он говорит, сметая преграды, об изобретении Александра Грахама Белла, он говорит, что современная техника поможет вашей любви. ПРОСЛЕДИТЕ, ГДЕ ОН СТЕЛЕТ ПОСТЕЛЬ. Проследуйте в соседнюю комнату, показав себя недоступной, в вашем белом незазывном халате. Помните: несмотря на игру ума и холод игры, МУЖЧИНА ОСТАЕТСЯ МУЖЧИНОЙ, в любой момент он может вам предложить то, к чему вы не будете с пылу с жару готовы. Отклоните, во второй раз согласитесь, ведь его пыл, размягченный вашим отказом, может угаснуть — и тогда опять ждать звонка у аппарата Александра Грахама Белла...

Мятлеву многие просто физически были противны (был очень брезглив), жалел женщин:

в паре «он и она» за тысячелетия стандартной плотской любви утратились чувства. Смотрел на семейные пары: короткая черная юбка, признательный взгляд, в руках пакеты, одинаковые энергичные дети, мысль о ночах, проводимых ими вдвоем, угнетала. Страх, стон, наслажденье, расширенье зрачков, специфический запах, затем на столе, на полу, в коридоре, в машине — нет, нет, не надо, втолкнули в машину... и... силой... Искал. Нигде не было чистоты, бескорыстия, счастья, он часто пил, забывался, а ночами хотел зарыдать — просто так, для утехи, вслушиваясь в шарканье мыши под крышей, стараясь понять, кто лежит на кровати — длинный, тонкий, седой, — вслушивается в скрип часов на стене, в шум в ушах, в ушах шум — он ли? Сам ли? Здесь ли? Там ли? Совсем не мог зарыдать. Так устал, не пристало мужчине. Пусто... Грустно... — И вдруг встретил Фрака. В «Похоронной конторе». Встретил и испугался возникшему чувству: покой. Безмерное тихое счастье, тихая вечная пристань. И казалось: в нем найдет все, и порой казалось, что в нем найдет все, а затем казалось, что здесь он найдет свою смерть. Узнавание с первого взгляда...

Фрак уехал в Америку, а у Мятлева остался видеотейп. Фрак, в своем институте, студентом еще, в полосатой сине-белой рубашке. Мятлев просматривал тейп каждый день. Прокручивал медленно, потом чуть быстрее, теперь — остановка, перемотка назад, поднимайся по лестнице, теперь снова назад и по лестнице, изо дня в день, ступень вверх, ступень вниз. Одним *мгновением* жизни Фрака обладал все-таки Мятлев. Фрак не знал, так и не узнал никогда, что Мятлев его снял на пленку. Мятлев сам спрятался. На пленке Мятлева не было. Мятлев был зритель. Участвующий как бы снаружи, из глубины своих чувств, творящий мысленно с пленкой соитье.

Прервусь: иногда жизнь и искусство под ручку идут. Написал, к примеру, рассказ про убийство, а потом, проверяя сюжет, убил-повторил. Или наоборот: совершил, сел, а потом описал. Von Altazar, немецкий писатель, когда-то занес в свой блокнот: «Никак не могу завершить свой трактат. Думаю, что жизнь моя сейчас — сейчас, когда встретил мою Бальзамину, несется вскачь, и быстрее, чем могу я творить. Таким образом, мне нужно всегда возвращаться. Физически трудно. Я не хотел бы с ней разрывать. Пожалуй, сначала закончу работу, а потом перейду к собственной жизни».

У Мятлева тоже были свои какие-то счеты с часами. Сложно ему было Фрака видеть каждый день. Сначала было действие, дело, движенье, потом — осенними прожилками листа, как проявленной фотографией — приходило переживание чувства. Прожить, пережить несколько раз, а затем перейти на другую ступень. Каким-то образом именно в этих воздушных пространствах между их золотыми гранеными встречами заключалась сущность любви. Целуя Фрака, идя с ним в кино, готовя ему равиоли, фальшивого зайца, Мятлев чувства терял. Встречи с Фраком были будто обязанностью, договором; сидя же дома один, Мятлев действия свои направлял в нужное русло души. И любовь его была так сильна, что он все терял: голову, разум, сигареты и отрывные талоны трамвая — освободившись же наконец на версту и на день от Фрака, он в себя приходил и расшифровывал тайный и истинный смысл.

Увидя Фрака в «Похоронной конторе», Мятлев смело в троллейбус зашел, в метро следовал Фраку послушно, потверже, будто душу скрепя, он затягивал на шее зеленый клетчатый шарф. Он хотел непрерывно и неуклонно наполнять жизнь Фрака его, мятлевским существованием, чтобы, потеряв Мятлева, Фрак утратил бы все. Вобрать в себя все мельчайшие детали Фраковой жизни, вызнать все до подробностей, стать уже Фраком и больше, чем Фраком, впитать Фрака в себя и стать больше чем он — связь неразрывна, навеки. *Фрак удивляется, что он так часто встречает этого человека: кажется, он прежде видел его в «Похоронной конторе», а теперь он видит его у своего дома, в своем институте, в вагоне метро и даже на остановке трамвая с рекламой бритвы Gillett.*

Мятлев действительно почувствовал Фрака, ибо они стали говорить на языке случайных встреч, совпадений, глухого неясного чтения мыслей. И после нескольких месяцев встреч, во время которых возрастали близость и уверенность счастья, а узлы случая обрели форму и стали туги — Фрак сам — сам! — что даже Мятлева поразило, ибо, видно, не так уж хорошо Фрака он знал, к себе домой его пригласил. Мятлеву нужно было сразу открыться, и он это сделал. И он стал обладать.

Я не буду описывать ночи.

5

Основной специальностью Фрака было изучение законов судьбы, мирозданья. Судьба, увы, от исследований уклонялась, не соглашаясь быть достойным противником. В иные минуты Фраку даже казалось, что он судьбу переиграл. Он просчитывал все варианты того или иного события, выстраивал 10, 15, 16 версий, предлагая и предполагая, что рок произведет свои рокировки и из 16 партий сотворит нечто новое, что предсказать уж никак нельзя. Нет. Ничего не получалось, так как воплощение происходило уныло, скучно, в полном соответствии с Фраковым замыслом. Выходило, что Фрак сам моделировал свою жизнь, расставлял акценты, знаки препинания, знаки вопроса, после которых следует известный ответ. Все меньше и меньше приходило на его долю непредсказуемых, разнузданных случаев, они воплощению не поддавались, да и воображение у него иссякло уже. Стало быть, ничто не предвещало перемен. Все было заранее известно и про- и придумано. Извне ничего не приходило, и надо было вариться в своем, Фраковом соку. Увы, «внутренние» мысли обращались внутренними же переживаниями. Получалось, что во Фраковой жизни две стороны ее (материальная и эфемерная) существовали параллельно, никак не пересекаясь и последствий мыслей своих он нигде не находил. «Бесплотность и якобы безобидность воображения могут обернуться непредсказуемыми изменениями в психике и судьбе», — начитавшись Главного Трактата А. Ю., писал ему Мятлев в предпоследнем письме.

Фрак боролся со страшной душевной пустотой, унылой бес-событийностью жизни. И все было как-то зыбко, туманно. И было даже время, когда и вовсе забывали. О нем. На самом же деле: забиться в уголок, и чтоб никто не трогал. Но. Есть внутренняя жизнь. Когда звучит все внутри. И тогда не важно, что за околицей. И все движется. В пустоте — ты умрешь. Если тишина — смерть. Если тихо, бездвижно вокруг.

Вот-вот, кажется, что-то должно разрешиться, радостно засиять за поворотом: ан нет. Ну что ж, значит, ничего самому не предпринимать, брать только то, что лезет в руки. Бояться шага в сторону. Ненужного, нелепого шага. Была, определенно была судьба. И она всегда была за тебя, всегда служила важной поддержкой. И все безопасно, если ты с ней.

Фрак Сан-Франциско боялся: стояли, облокачиваясь о некрашеные стены отелей, дармовые почти проститутки. На Heighte сидели на улицах дети цветов и курили траву. Кастро, район сексуальных повстанцев: живут мужчины с мужчинами, женщины с женщинами, ходят в кино. Кто-то сказал ему, что таким образом можно выиграть в лотерею — угадать номера — не спать несколько суток — и обострится чутье — а он так, бессонным мучительным способом угадывал свою жизнь. Он мог подумать о чем-то вдруг, просто так, для себя — или книга попадается ему на глаза, например, Кортасар, а затем он вдруг видит: экранируют фильм Кортасара, а затем Кортасар приезжает в их маленький город, и на его чтении публика состоит из четырех человек: его жена, он сам, Кортасар, девушка, метящая ему в жены и знающая, что угодит лишь в любовную связь, и Д. Р. Фрак.

Нужно было определить, какое событие должно произойти, какой поступок, решение имеют право на существование. Для Фрака раз и навсегда определенной затверженной мыслью было то, что истинностью происходящего сейчас было то, что оно как бы существовало, было запрограммировано в прошлом. Не нужно было строить ничего нового — достаточно было извлечь событие из другого пласта времени и наставить на истинный путь. Самый верный путь — самый легкий и самый короткий.

Фрак ездил на работу через Финляндский вокзал, и Мятлев выследил его и узнал его адрес. Он караулил его на платформе и затем как бы невзначай появлялся: высокий, с ранней сединой (которую, встретив Фрака, он начал подкрашивать, а расставшись, оставил как есть), в синем строгом костюме и черном плаще. Фрак пересаживался на «Площади Восстания» на «Маяковскую», а Мятлев заходил на «Гостином Дворе». Он стоял на платформе и заглядывал в первый вагон, в первую дверь, где обычно Фрак ехал, пропускал поезда: на платформе было то людно, то никого, много было студентов. Из-за студенток Фрак даже стал носить кольцо на правой руке (в кругу друзей, однако, снимал). Поднажав, в вагон ввалилась толпа. Фрака увидеть было легко (он стоял прямо у выхода, о него запинались, он напрягался, стараясь увидеть из проема двери, кто стоит на платформе). Увидев его, Мятлев входил. Они ехали вместе до «Василеостровской», не смотря друг на друга, иногда смотря друг на друга в стекло. В понедельник в 09.05, во вторник в 10.35, в среду в 09.07 — такое было у Фрака расписание лекций, таким было расписание *их* поездов.

Фрак любил смотреть на свое отраженье в стекле, перевел взгляд чуть влево, увидел: какой-то мужчина. Увидел — и вдруг проскользило: двойной Даффодил. Кто был это такой? Человек двух натур, бретонец, философ? В словаре — цветок семейства Narcissus. Даффодил, Даффодил, он по Невскому ходил, сигареты он курил — Даффодил Даффодилович. «Странную судьбу имел Даффодил. Человек долга и нравов, он участвовал под командованием Буонапарте в нескольких войнах, отличился в сраженьях. Побывав у известной предсказательницы Л., перестал пить, играть в карты и жил одинокую жизнь», — после долгого копания в рукописях, Фрак нашел эти строчки на третьей странице в «Клоун!», который А. Ю. написал для себя, а выдал за произведенье тонкорунного N***. Фрак заметил, что в рукописи романа не хватает последней главы: грубо, торопливо изничтожена, вырвана — и Фрак решил узнать у А. Ю., в чем же дело, но, не посчитав достаточно важным, так никогда не спросил, не узнал.

Непонятно, однако, почему же всплыл Даффодил. Фрак помнил английскую сказку из детства про мальчика, который днем был мальчиком, а вечером превращался в цветок. Его соседи видели чудные сны и гуляли по царству цветов, а лепестковый мальчик гадал, чья будет очередь спускаться в его подземное царство. Фрак лет пять назад тоже был у гадалки: «Через несколько лет ты встретишь того, кто откроет тебе дверь в другой мир, он ответит молчаньем на слово, смиренен и тих, он ответит движеньем на рождение мысли...» На десятой странице «Клоун!» — нашел: «Что-то важное, значительное может случиться: в рог трубит Даффодил». Фрак рассудил: значит, это слово предупреждает о чем-то. И Фрак загадал: если встречу этого всезнающего, полуседого завтра в метро, — с у ж д е н о.

И вот, 10 марта 1993 года Мятлев зашел вслед за Фраком в свежевыкрашенный красный троллейбус под номером 3, на углу Пискаревского и Металлистов, напротив аптеки. Фрак был хладнокровен, что для него запасено его щедрой судьбой? В нем проснулся инстинкт, за ним наблюдали, его преследовали, он все повернул в какие-то доли секунды и превратился сам — в хищника. Незнакомцу явно от него было что-то нужно, Фрак с биением сердца ждал, что тот подойдет, но тот почему-то у «Финляндского» вышел, Фрак вышел за ним. Друг за другом близко идя, они вошли вместе в метро, сели в тот же вагон, перешли на другую линию на «Маяковской» — здесь нет Мари-Клод, я на станции, как на лошадей, делаю ставки — и здесь нет Мари-Клод... Без всякого выражения на лице незнакомец держался за поручень, не глядя на Фрака. Рука его вдруг ожила, поползла... и оказалась близко от Фраковой руки. Фрак свою не убрал. Что было такое в этом человеке, что так близко соприкасалось со Фраковой жизнью? На «Василеостровской» они вышли, и Фрак не пошел, как всегда, к эскалатору, а остался один на платформе. Незнакомец помедлил и вдруг перешел на другую платформу, чтобы ехать в обратную сторону. Фрак последовал за ним, лекции пропускать не хотелось. Незнакомец стал нервничать. «Послушайте, я кажется вас где-то встречал», — сказал Фрак. Незнакомец молчал и вдруг быстро посмотрел на часы — движение скорей машинальное и вдруг широко улыбнулся. «Да, кажется, мы встречались с вами на лекции о фон Боке. Вы меня, вероятно, не помните». «Но мы можем туда опять вместе пойти», — сказал Фрак. «Я хочу о вас больше узнать. Вот мы все время случайно встречаемся — может, мы будем друзьями...» «Меня зовут Мятлев. Ваш телефон?» — спросил Мятлев. «Меня зовут Дима — хотите, попьем с вами чай у меня дома?»

И следующая встреча состоялась уже в доме Фрака — был Фрак мистичен, неловок, а Мятлев был тот — ведь непонятным образом они встречались в толпе, — терпелив, ласков, нежен, утончен, изощрен, извращен.

6

Год прошел ровно, спокойно: утром вставали, готовили завтрак — вечером спешили домой. Мятлев был молчалив, для него многое заключалось в улыбке, музыке, хорошей погоде. Они вместе ходили по воскресеньям на Кондратьевский рынок — покупали гранаты, инжир, в гастрономе — гречневую кашу и сыр. Фрак любил смотреть на Мятлева, как тот ест, одевается, переключает программы, слушая телевизионные новости, надевает теплое пальто или свитер — в Мятлеве были изящество, мужество, свежесть.

Уже по одному виду плоских, ровными прядями прилегающих к шее удлиненным прямоугольником черно-седых волос Мятлева Фрак уже знал, как они пахнут, и потом, не глядя на него, мог представить и его тонкую длинную, слегка покрасневшую от мороза и бритья шею, и зеленую спортивную ярко-желтую куртку, и этот его притягивающий, мысленно осязаемый и представляемый, непонятно притягательный запах и вкус. Мятлев же, в свою очередь, говорил, что, когда он ходил покупать одежду для Фрака, выбирая рубашку, куртку, штаны, ему казалось, что он покупает то, что Фрак уже когда-то носил, то, что он уже где-то видел. Фрак же все за Мятлевым любил замечать, все ему в Мятлеве было внове-приятно: когда Мятлев был взволнован, он начинал странно двигаться, путаться в движениях, натыкаться на стены, неожиданно менять направление, на других набегать, оступаться. Когда они уже были знакомы, но все еще стеснялись друг с другом, Мятлев несколько раз приходил в институт. Увидев Фрака, терялся. Каждая встреча для Мятлева с Фраком была как первая: заходил за колонны. Коридоры были узкие, длинные, закругляющиеся, с неровными выщербленными бетонными полами, затемняющиеся в начале и просветляющиеся в конце — там, где было окно. На подоконниках стояли жестяные банки из-под кофе с окурками. Фрак выходил из своего кабинета, садился на скамейку под лестницей и, покуривая, вел разговоры. Ему нравились колонны, витые решетки и дух Дашковой, которая, по слухам, влюблена была в Екатерину.

Дома же Фрак любил сидеть в кресле и слушать, как Мятлев разогревает руки и голос (он брал уроки фортепианной игры), править латынь, делать пометки в студенческих работах красной пластмассовой ручкой. Мятлев гаммы не любил, он играл джаз, он играл Баха, а больше всего он любил петь романсы своим тихим уверенным голосом. Он пел и на Фрака не смотрел, а в душе был счастлив: он только для Фрака пел, но стеснялся сказать. На работе однажды Фраку передали цветы — букет нарциссов, дома, по застенчивой улыбке Мятлева, Фрак понял, что так Мятлев выражал свои чувства. Они сидели вместе с Фраком на кухне, и Мятлев рассказывал Фраку о том, как Сати коллекционировал зонтики. «Вот, — говорил Мятлев своим глуховатым уверенным голосом, — у Сати была знакомая, женщина, которая, чтобы Сати не умер от голода, давала ему деньги. Она ценила его талант. А он приходил к ней обедать. Приходит, смущенный, и за спиной что-то держит. Она спрашивает: что это, Эрик? А он показывает ей зонтик». Мятлев рассказывал Фраку о Харри Парче, который сам придумывал для себя инструменты. «Дима, послушай, Харри Парч однажды был приглашен преподавать в университете в Америке, а он был вольный, свободный, он убегал со своих лекций в поле, и играл там на дудочке, и валялся в траве в грязной одежде... Он был хобо, бездомный, он любил эту вольность... Его студенты приходили за ним в поле и ловили его, приводили в класс... А племянник Мио во Франции, тоже композитор, потерял все свои работы во время пожара, и обезумел от горя, покончил с собой». Мятлев приправлял рассказы о музыке маленькими зарисовками: Пуленк был рафинирован, тонок, он писал церковную музыку, соблюдал все посты, а в пятницу вечером ходил в порт и знакомился с матросами, крановщиками в промасленных комбинезонах, грузчиками в грузчицких, настоящих грузчицких бутсах, и приводил их к себе домой (Фрак краснел, когда Мятлев говорил о гомосексуальных мужчинах). Мятлев рассказывал ему про Льва Термена, который любил африканку. Лев Термен писал музыку к фильмам Хичкока с помощью своей изобретенной машины — терменвокса. Играть на нем можно было не прикасаясь руками, вдохновенно держа их над ним. Лев Термен, с тонкими руками Андрея Белого, Лев Термен, похожий на Стивена Кейса, говорил, что композитор пишет глазами. Фотоэлемент следит за зрачком. Влево, вправо: фотоэлемент активирует звуки. Для Айседоры Дункан он сделал особенный пол, на котором она танцевала, и движение каждой ноги задевало какие-то трубки, эти трубки давали движенье другим, и звучала прекрасная музыка.

Мятлев рассказывал ему о своем детстве: летом, в Токсово, он сидел на опоре с двумя бочками и разбирал «взрослые», по латыни, названия нот. Было две самодельно, за два рубля, переплетенные книги: одна — коричневая, узкая, в коленкоре, другая — большая, распростершаяся, плоско-зеленая. Мама для них сшила по их музыкальному контуру вельветовую коричневую сумку, а на карманы нашила аппликации, которые они вместе с ней купили в ателье на Апрельской. Слева была кошка, а справа собака. Мятлев рассказывал Фраку о своих учителях в музыкалке. О хоровиках Елене Юрьевне и Валерии Васильевиче. Они курили в перерывах в туалете вместе с аккомпаниаторшей Ириной Геннадьевной, которая однажды после концерта вдруг поцеловала Валерия Васильевича в губы, и Мятлеву стало неудобно, потому что он вдруг почувствовал, что Валерий Васильевич, наверно, с Еленой Юрьевной не спит. Елена Юрьевна как-то села рядом с Мятлевым на узкую банкетку, и Мятлев, краснея, стал рассказывать ей про задержку воздуха, про то, что он может одну ноту тянуть долго-долго. Была у него еще фортепианная учительница Кленова. Она била Мятлева по рукам. Мятлев ненавидел ее, ее черные усики, олово глаз, ее раскрытую, сбоку у педалей, всегда будто распотрошенную сумку с набором помады. Сжимаясь от страха перед предстоящим уроком, дома играл Черни и Гедике. Отвлекаясь, открывал крышку пианино, смотрел, как поролоновые молоточки ударяют по струнам, вдыхал заброшенный пыльно-деревянный запах нутра, открывал нижнюю крышку-панель, которая крепилась на двух симметричных деревянных штырях чуть над педалями, — там когда-то стояла простая бутылка с водой, закрытая сверху марлевым беретом, чтобы пианино не трескалось. Бутылку эту Мятлев видел один раз и все время думал, что она там стоит, но, каждый раз открывая крышку, бутылку не мог найти. Однажды вместо Кленовой пришел заместитель, как оказалось потом, ее муж, веселый мужчина, он положил на запястье Мятлева обыкновенный пятак. Он был одет в теплый на вид пиджак цвета пшеничных полей. Из окна класса с двумя дверьми, между которыми можно было подслушивать предыдущих учеников, виднелось искусственное озеро, в результате обильного полива дождей вышедшее, блестящее и рябящее, из берегов. Мятлев играл гаммы, и монета все время слетала, она закатывалась под пианино, отлетала в мощенный мастикой угол паркета. Муж Кленовой, располневший, монету неустанно доставал и доставлял ее Мятлеву на запястье обратно. Музыкальная школа потом Мятлеву снилась в страшных снах. Ему казалось, что его улыбчивого лица, его тихого правильного голоса, его чуткого слуха и верных рук так и не оценили. Он неожиданно вдруг вспоминал желтизну класса, четкий метроном, которому он не мог угодить, портрет круглого очкатого Шуберта и подпись под портретом: «Маргарита за прялкой», и его начинало тошнить. Хорошо, что было лето и на три месяца можно было забыть о любых пианино, потому что на даче их не было. Помнил Мятлев дождливые дачные дни. В коридоре стояло множество резиновых уродливых сапог, черных, бесцветных, и, впрыгнув в них, Мятлев бежал из одной постройки в другую наведать двоюродных брата или сестру, а затем бежал в дождевике в свою комнату, называемую «беседкой», и доставал из портфеля бумажные куклы. Их можно было вырезать из детских журналов «Колобок» и «Мурзилка»: были и куклы-спортсмены, и куклы-врачи, и просто куклы-девочки и куклы-мальчики в простых платьицах и шершавых от многократного раскрашивания и перекрашивания шортах. Получались они даже еще лучше, если их тонкие, гнущейся бумаги, фигуры наклеивались на картон, а еще можно даже нарисовать и раскрасить своих и придумать им имя. К куклам в детских журналах прилагалась одежда, аккуратно-пуговичные симметричные юбки и тапочки. Одежда нацеплялась с помощью бумажных бретелек.

Когда Мятлев вырос, он понял, что многие моменты детства пропустил. Не запомнил. Не открыл уши, не навострил нюх на многие вещи. Был ко всему равнодушен, воровал, даже к воровству своему относился с безразличием. Украл пластмассового пирата со стилетом в зубах, украл маску для ныряния, за которой потом пришли и было совсем неприятно, украл красный кошелечек в виде башмачка, который он в порыве честности вернул учительнице, а потом, собравшись с духом, к ней подошел и сказал, что знает того, кому это принадлежит, и кошелечек забрал. Зато сейчас, в зрелом возрасте, у него было такое чувство, что, чтобы реализоваться, чтобы возвратить себя себе, самим собой еще не востребованному, он снова должен все это прочувствовать, пережить. Он не должен был даже закрывать глаза: все в его памяти сохранилось фотографически. Мысленно он шел с одной улицы на другую, приезжал на свою дачу, приходил в школу, видел рисунок, нарисованный художником Лешей по трафаретной сетке на стене. Часто он не воспринимал, что происходило вокруг, неожиданно вдруг нахлынивали детские воспоминания с пронзительной болью, и Мятлев уходил в глубину прошедших лет, становился безучастлив, закрыт для других. Невозможно было оценить настоящее, то, что происходило вокруг него, когда он уходил назад в свои детские годы. Он думал, что, может быть, в старости, так же как сейчас он вспоминает себя семилетним, он будет вспоминать себя в тридцать. Его физическая жизнь и внутреннее осмысление, прочувствование этой жизни не совпадали. Пока он физически жил в тридцатилетнем возрасте, он проживал себя в возрасте восьми- и десятилетнем. Он проживал как бы замедленно, в обратную сторону, как однажды он попытался прокрутить в обратную сторону свою пианинную сольную запись. Он купил караоке — машинку, которая ему создавала оркестр и даже следовала один к одному за его ритмом: когда он замедлялся, оркестр на пленке утихал тоже, когда он спешил, оркестр пытался догнать. «Я попытался потом пленку поставить в обратном ходу, но случайно порвал».

7

Фрак не знал за собой никаких качеств, за которые его, Фрака, можно было б любить. Он уверен был только в одном: Мятлев все знает. Он — посвящен. Главное — ждать, и что-то случится, ведь не зря же так получалось все время, что они встречались в метро. Уверения счастья: ждал чего-то и все больше грустнел. Мятлев уже не посылал больше цветов, даже пианино забросил, но все время за Фраком следил. Устраивал со свечами обеды. А Фрак уже понимал, что человек, который должен был указать, открыть дорогу, стал препятствием, камнем. Фрак стал задумываться, закрываться в себе... Ему уже стало казаться, что легче было бы, если бы этого человека вообще не существовало в его жизни. Ведь он уже к Мятлеву привязался — но это ли была первоначальная цель? Совместить ли само существование Мятлева и существование закона, логики, приказа, судьбы и как к тому же поместить в эту систему себя? Чувствуя, что что-то непоправимо, не так, он Мятлева решил убрать. Ведь другого выхода практически не было. То, что служило счастливой, божественной гарантией жизни, билетом судьбы, то, что давало надежду и, может, бессмертье, его беспроигрышная теория стала тупым орудием, камнем. Судьба, благоволившая всегда к нему, лучшая его союзница и подруга, внезапно обернулась к нему другой стороной — не медали, а суеверного зеркала. Пообещав кое-что, тут же взяла все обратно. И было два шага, две мысли: смириться либо продолжить. Не победив своего теперь уже мучительного желания быть вместе с Мятлевым, который, возможно, ошибка, не тот, нельзя двигаться дальше (больше всего боялся Фрак унылой бес-событийности жизни).

Две тысячи шестьсот девяносто у него, разумеется, были. Продавец говорил, что да, раскупают, что это редкий гость в их магазине и намного лучше татарина. Скромно выглядящий, удобный, блестящий, с изогнутой полированной ручкой. Тупое орудие. Лезвие — обух. Пришивать петлю под пальто вряд ли стоит. Достаточно в сумку. Он не думал, что нейтрализация эта была — «из двух, из пяти», — «самый легкий и самый короткий», достаточно и того, что топор он искал три часа — кто-то, бесспорно, препятствовал мятлевской смерти. Произошла где-то накладка, на седьмом небе кто-то сбился, но стоит лишь препятствие устранить — и все будет нормально. Если его «система» указала ему не того человека (каждый ведь может ошибиться), или, что еще хуже, если ее вообще не существовало, этой системы, и все это было лишь плодом... его воображения, «бесплотность и якобы безобидность которого могут обернуться непредсказуемыми изменениями в психике и судьбе», — игра была проиграна. И он решил пойти против всего. И сделать свой выбор. Убрать, стереть ошибку со школьной доски. Мятлев все равно будет жить. Жить в нем. И там он будет сохраннее.

И когда он опускал топор на его голову, когда он в мыслях своих опускал топор на его голову, Джордж Вашингтон подал знак. Пришло извещение — вызов. А Мятлев молчал. Он односложно молчал в ответ на вопросы, помог Фраку собраться, довел до трамвая, но на вокзал не пошел. Пришел домой и долго стоял у окна.

Была непривычно одинока постель.

8

Мятлев писал Фраку письма. Он писал о стоимости билета в трамвае, и за строчками — невысказанная, мучительная — таилась любовь. Он писал письмо в тридцать страниц красивым убористым почерком — неделю, месяц спустя после долгих раздумий, он исправлял одно только слово в предыдущем письме и переписывал заново, и весь текст изменялся, но смысл один был — любовь.

Мятлев писал: «Ты во мне — ежечасно, и в этом — залог и взаимность». Мятлев писал: «Когда мы расставались — всего лишь на два, на три дня, я чувствовал, что могу умереть, и я умирал все это время, пока снова не видел тебя — ведь останавливалось время...» Мятлев звал Фрака обратно к себе — устало, вымученно, ни на что не надеясь, нелегко давались ему его письма. Мятлев цитировал «Крылья»: «вместо человека из плоти и крови, смеющегося или хмурого, которого можно любить, целовать, ненавидеть... — иметь бездушную куклу... я имею в виду твои схемы, твои игры с судьбой. Жалею теперь, что, поддавшись бескорыстному первому чувству, устроил тогда твой отъезд. А. Ю. прочитал твои записи, которые ты случайно после лекции о Г. Г.фон Боке у него оставил, и сказал мне, что для меня это — единственный шанс, и т ы б у д е ш ь у в е р е н, что именно я послан тебе». «Чудеса вокруг нас на каждом шагу...» — Фрак оторвался от чтения, он был потрясен, раздосадован, зол. Он пропустил эти строчки мимо всех чувств, потому что в них не поверил, и стал читать дальше: «Чудеса вокруг нас на каждом шагу: есть мускулы, связки в человеческом теле, которых невозможно без трепета видеть». И дальше без перехода: «Вернись!»

Финский залив, свинцовая буря, двое — пытаются выплыть. Мокрый, тщедушный, глаза из Востока, уцепившись за край... Второй погружается в воду. «И жалкой радостью себя утешит, купив такую шапку, как у мертвеца». Сапунов утонул. Какая тут могла быть любовь? Шпагой, не лопатой зарыл бы, если б не на воде, а где-то в поле. Фрак хорошо знал Кузмина. Он Мятлеву опять не ответил, а выслал журналы: Sentinel, Odyssey, Advocate.

В Сан-Франциско Фрак заинтересовался Gay Culture. Читал много голубых бульварных газет. Выписал себе из Иллинойса толстый журнал «Адвокат», который писал: «Все мужчины, ответившие на наши вопросы, 90 %, считают себя настоящими gays. Один из семи ощущает присутствие противоположного пола (когда все сидят в комнате, и едят чипсы, и пьют пиво, и красивая женщина находится с вами в комнате, курит, плачет, поет), один из восьми предается мечтам о females...» Как раньше Фрак подсчитывал, сколько раз в том или ином произведении встречается слово «судьба», так и сейчас он интересовался процентом геев, посещающих бары. «85%, — писал «Адвокат», — любят huggling, caressing, snuggling; 74% — deep kissing and insertive anal intercourse». «We are here, we are queer, — Stonewall girls, hair in curls». — Плакат на стене: for fingerfucking наденьте dental dams, latex gloves и не чистите зубы перед тем, как ложиться в постель. 10% любили компьютерный секс — Фрак даже не мог предположить, что это такое, и вдруг стал осознавать, что, может быть, он — один из семи: он почувствовал влечение к женщине.

Ее звали Бетси — в честь швеи Бетси Росс. Rubbish, rosse, refuse — a marsh, morass — an old form of Rose. Родилась в Филадельфии, 10 апреля 1963 года, думать о ней Фрак не хотел, а сердце стучало: когда видел женщину, хоть чуть-чуть похожую на нее. Только тогда, когда встретил ее, понял, как мужчина, как он, Фрак (никогда мужчиной себя не считавший из-за страшной робости, трусости, подлости), может любить. Она сама попросила у него его телефон — чтобы никогда ему не звонить. Опоздала на встречу на один час двадцать минут — не было смысла ждать — все равно не придет — а зачем он стоял? — всем назло! — и — пришла! — сказала что-то про победу бразильской команды («был траффик»). «Бетси! Бетси! Ты вызываешь у меня вдохновенье — единственный, неповторимый для меня человек. Ты холодная, Бетси, но я полюбила всем сердцем тебя. Я хочу тебя, Бетси». — Он читал это в антологии «жителей острова Лесбос» в Публичной библиотеке, полной оборванных, грязных людей — они ночевали прямо тут, под окнами библиотеки, утром стремились в тепло, утыкались молчаливо и сосредоточенно в фолианты, в многовесные подшивки газет... Один из них непременно был Парч: слушал музыку свою через плеер, умилялся благолепию и теплу.

Первая же гомосексуальная книга о females, в антологии говорилось, была напечатана в 1788 году, с названием в лучших русских традициях — «Мэри». Фраку, как знатоку русской словесности, мнилось, что лучшее, классическое об этом — «Нелли и Катя». «И ты сказала: зачем ты хочешь использовать эту штуку? Разве этот длинный резиновый предмет, такой розоватый и теплый, способный к пластике танца, проникновенья, сверленья, разве это мужчина?» — «Разве ты не знаешь, что это самая главная сила мужчины?» — «Но какой ребенок у нас может родиться?» — И ты спросила: «А может ли у нас родиться ребенок? Резиновый, теплый, чуть влажный, активный и даже кричащий или чуть разевающий свой миленький рот». «Да, — ответила я, — каждый раз мы рожаем ребенка, разве ты не знаешь, что каждый месяц, и даже каждую неделю, и тогда, когда мы не слишком устаем на работе, не отяжеляем руки и головы пакетами с сельдью, так, что дома мы можем быть друг с другом нежны, мы рождаем ребенка? Эти чудесные близнецы, которые никогда не родились — это наши, это совместное наше творенье».

Фрак с Бетси просидели три с половиной часа вместе в кафе — «как я хочу, Бетси, запечатлеть твою внешность» — в коричневом замшевом пиджаке, с fancy back-pack на плече, деловитость, усмешка (она за него заплатила) (а через несколько месяцев скрылась abroad) — материнское выражение глаз. Тянулся к людям старше себя (Мятлев тоже был старше) — и выкурил все ее сигареты — Export? Express? — окурки при ней поднимать не хотелось. «Можно, использую ваши?» «D i m a , go ahead!» Ее «лавр», как почему-то говорила она, — наверно, Лаврентий? — с которым она разошлась, когда ей было двадцать шесть, а ему двадцать пять, счел своим долгом ей позвонить этим летом и сообщить невзначай о женитьбе. А она до сих пор любила его, missed его much. «Хочу ли я спать с тобой, Бетси? Взять твою независимость, совершенство и беззащитность, обладать твоим телом с вульгарной и детской душой, дотронуться до волос, до лица — и я дам тебе все, что ни один мужчина не может, и тогда ты поймешь, что нуждаешься во мне, своевольная Бетси». Бетси бегала по утрам, плавала в poole, «мое тело очень важно для меня, — сказала Бетси ему, — мои мускулы...» «Есть связки, мускулы в человеческом теле, которые невозможно без трепета видеть», — сказал он ей улыбаясь, по-русски, торжественно. Он забывал английский, когда разговаривал с ней. Он ничего не понимал, когда они шли рядом, он еле передвигал ноги. У него тряслись руки, когда он прикуривал у нее. Он любил ее. Он полюбил ее с первого взгляда, полюбил навсегда. Мятлев был прав насчет трепета мускулов — написать о ней Мятлеву? — так он был ей переполнен — *узнавание с первого взгляда* — Мятлев поймет. «Тебе нужна каждая женщина, тебе нужно знать, как они пахнут, какой у них вкус, ты в каждой видишь сестру... Они все в тебя влюблялись, и звонили, и приходили, оставляли под дверью цветы, носили пропахшую твоим потом одежду, объединялись в специальные общества по любви к тебе, а ты не обходила ни одну — тебе были нужны они все, кривые, хромые, блондинки, блаженному счастье, а нищему рай, каждой тебе надо было дать вниманье и взять под защиту. Они звонили, плакали и убивались — но у тебя на всех времени нет, ведь надо было спешить, и они без тебя увядали, замирали, умирали, а та, кто тебя забывала, никогда больше не знала любви».

Он звонил ей пять раз. Занято. Занято. Отклонила все встречи — я занята. Звонил целый месяц. Отвергнут. Напился, он сильно напился, первый раз в жизни, — услышал звонок. «Trick or treat, — сказал Артем Юрьич с порога, — проездом был в Сан-Франциско, остановился в Mark Hopkins отеле. — Письмо. — Фрак читал его ночью, это странные вещи — о мятлевском сне: в окне дома висел человек. Фраковский дом (как знал Мятлев из сна). — Качался безвольно, и темный силуэт четко был виден в освещенном окне. — Фрак видел его полнедели в окне с о-с е д н е г о дома — в Сан-Франциско пришел Halloween.

9

Артем Юрьич занимался оборудованием своего кабинета в Санкт-Петербурге. Его кабинет помещался в бывшем особняке писателя N***, в котором теперь была «Похоронная контора» и редакция журнала «Nevskoie venue». Артем Юрьич, как хранитель архивов Николая Николаевича N***, не только пополнял Н.Н-ский архив, но и сам пописывал, попечатывал, заглядывал в мусорную корзину «Невского венью» узнать о новостях дня. В кабинет частенько приходили больные. В кабинете стоял бюст чугунного Фрейда, голова Антиноя (которая при желании распадалась на части, и можно было увидеть мозг человека), на стенах висели индейские маски. За окном — маленький сад, — приходила к Артему Юрьичу белка и бегала по стволам старых деревьев. Из любопытства Фрак все испытанья прошел. Надо было составить картинки — из четырех, из пяти — определить последовательность действий. Мужчина с рыбой, мужчина без рыбы, мужчина с двумя трупами рыбы в корзине, мужчина с двумя рыбами на крючке, мужчина уходит, появляется аквалангист. Артем Юрьич доставал картинки из аккуратных коробочек, перетянутых для острастки резинкой, узрел Фрак даже старомодного Роршаха — на всех картинках увидел Фрак летучую мышь. А затем А. Ю. попросил сосчитать Фрака со ста до двух, отнимая семерку, опять картинки достал и спросил, чего не хватает. У лягушки не было лапы, у двери — звонка, у маленькой девочки пропала сережка, а у Фрака не было достаточно терпенья — он картинку с лягушкой запихал в развалившуюся голову Антиноя, и А. Ю. тест прекратил.

Пришел очередной желающий покончить с собою.

Артем Юрьич все их жизни записывал в свой толстый журнал, и они уходили, а жизни их оставались в животворном тексте А. Ю., и прикреплены их души одним концом были не к Богу, а к писаньям А. Ю. Поговорив с Артемом Юрьичем, самоубийцы уходили в конфузе. Вместо прямой линии к смерти — после общенья с А. Ю. видели перед собой лабиринт, в котором после посещенья А. Ю. иногда плутали несколько лет. Фрак не знал, что А. Ю. и за ним кое-что записал:

«Милый молодой человек, Дима Фрак, сегодня был у меня. Мы встретились с ним недавно. Он счастлив. Он не обычный мой пациент. Он даже не знает еще, что захочет покончить с собою — когда? Я начал писать Clone! 11 декабря 1983 года, за десять лет я много менялся: я был полковником, отдающим приказы штурмовать вышку, с которой никто не вернется, был кухаркой Петровной, кормившей унтера Толова пельмешками и картошкой, а затем приходившей к нему на могилу попеть, излить душу, был оврагом, фон Боком, который умер, жена которого зачала за три дня до его смерти, и ребенок родился, когда Бок уже был в могиле, я не знал, когда описывал наследников Бока (так же как не знал, что у него еще была женского пола дочурка), что Фрак существует. Я просто описал человека, лет двадцати или больше, студента латыни, живущего в Петербурге, который приходит на одно из моих литвыступлений. А он пришел и сказал, что Бок его прапрадед. Тогда я порвал вторую главу с описанием смерти. Бедный мальчик запутался. Он не понял где-то какого-то знака, поворот пропустил, припустил и свалился в канаву. Я только не мог долго придумать способ, каким он покончил с собою.

Происходящее в моей жизни я вплетаю в любое из произведений своих, пишущихся в одно и то же самое время, так как все произведения эти, в сущности, составляют одно, их можно и наложить друг на друга как два трафарета. Как пересеченные множества, как табуны лошадей с искусными всадниками, смелыми наездниками, мчащимися друг на друга, всквозную (зритель ожидает столкновений лошадиного поголовья и вдруг видит их ровно проходящими, проскользающими, пролетающими сквозь ряды друг друга), как два поезда, мчащиеся из А в Б и из Б в А, встречающиеся на кружку паровозного масла в паровозном депо, а потом по-прежнему оказывающиеся в А и Б, так и они взаимозаменяемо меняются местами. Не то, что случайно видим, вставляем в роман, а встречаем именно то, что ДОЛЖНО быть вставлено в роман. На пути попадается только то, что входит в рамки романа.

В фильме мужчина боится высоты. Изобразить высоту, мужчину, музыку, сопутствующую наиболее драматично поставленным действам. Убийство. Поручено следовать за женщиной с тугим шиньонным узлом на затылке, костяным бабкиным гребнем. Женщина, за которой следует наш герой, — именно та прекрасная незнакомка, спасшая нашего героя. Влюбляется. Та кидается в воду, так же как предыдущая женщина. Оказывается, все это подстроено. Он еще этого не знает. Встречает женщину, похожую на ту женщину, которая похожа на первоначальную женщину. Пытается сделать ее совсем похожей на Т У женщину. Оказывается, что она и есть та пропавшая (бросившаяся с моста) женщина. В результате эта женщина тоже кидается в воду. Фильм второй: мужчина панически боится воды. Все женщины, которые к нему подсылаются, как к Эйнштейну жена скульптора Коненкова, ненастоящие. Они все актрисы. Он не знает, что его жизнь заснята на шоу ( )... Артему Юрьичу удалось разыскать также старую версию сценария к фильму Хичкока «Заказное убийство»; долгое время считалось, что она утеряна, Артем же Юрьич ее нашел с помощью профессора Витальсена из Нью-Йорка, который обнаружил рукопись затерянной среди личных писем писателя Николая Николаевича Н. После этого рукопись, как и фильм, получила условное название «Заказное затеряно». Сценарий фильма больше напоминал фильмы Фасбиндера, чем Хичкока; А. Ю. говорил, что Н. любил очень кино, не пропускал ни одного: в «*Заказное затеряно*» речь шла о двух мужчинах в тайной, но сильной профессиональной и личной связи,

Джеймсе Мюрдоке, 38 лет, и Остине Лоренсе, 74. Джеймс работал театральным постановщиком и одновременно кинооператором в будке, Лоренс же был богатым владельцем. В сценарии Н. вся история начинается с того, что нелегал из Мексики Роландо Родригес во время показа первого беззвучного фильма Хичкока, на показ которого в кинотеатр, расположенный в еврейской части Лос-Анджелеса, собралось около 60 человек, сбегает вниз по проходу, что-то коротко, но резко крича на языке стран Балтийского побережья, и попутно стреляет. В результате Остин Лоренс, 74, убит. Начинается расследование. Выясняется, что Мюрдок, большой любитель фильмов Хичкока, дал Родригесу 25 тысяч долларов, чтобы тот убрал Лоренса. Выявляется письмо интимного содержания, написанное Родригесом к жене Лоренса, в то же время находится и письмо, не менее личного и трепетного содержания, написанное Лоренсом Мюрдоку. Наконец, выясняется, что в своем последнем завещании Остин Лоренс завещает все свои владения стоимостью более чем 1 млн долларов «своему милому Джеймсу». Однако в самой середине фильма вдруг происходит перелом. Мы узнаем, что на самом деле Роландо Родригес не является нелегальным иммигрантом из Мексики, а неприкосновенным европейским лицом, прибывшим в Лос-Анджелес из Англии. Многие годы своей жизни он потратил на розыск человека, который отказал его бабушке во въезде в Соединенные Штаты из Германии в 1944 году, в результате чего она осталась в Германии и была уничтожена. Наконец Родригес находит этого человека и узнает, что он беден, живет в бедной лачуге в «черном районе», разговаривает с ним и узнает, что это действительно тот самый человек и он очень даже хорошо помнит его бабушку, на которую он произвел сильное впечатление, повлекшее за собой несколько свиданий, во время которых он, начав увлекаться ею, советовал ей остаться в Германии. Шокированный происшедшим, Родригес едет в Лос-Анджелес, где, по сведениям К., которого он только что посетил в Сан-Франциско, живет человек, который не только провел с его бабушкой последние дни жизни, но и имеет какие-то вещи, оставшиеся от нее. Родригес прибывает в Лос-Анджелес по указанному К. адресу и попадает в еврейский район, в котором расположен кинотеатр. Он встречается с парой Лоренс - Мюрдок и проводит с ними один вечер, во время которого ему показаны документальные фильмы времен Первой мировой войны. Он понимает, что Лоренса и Мюрдока что-то связывает. Он узнает, что Лоренс был тем самым человеком, который послал бабушку на тяжелые работы в лагере, повлекшие ее смерть. В то же самое время он понимает, что Мюрдоку нужно избавиться от Лоренса, предъявляющего неограниченные притязания на его тело. Родригес объявляет себя заказным убийцей и принимает деньги от Мюрдока с целью убийства Лоренса. Мюрдок объясняет ему, что он должен стрелять во время сцены, где молодой человек, обезумевший от успеха соперника, актера на сцене, бежит по рядам и стреляет в своего врага, играющего на сцене человека, который должен быть во втором действии убит. Таким образом, молодой человек бежит, стреляет, но не может разобраться в сюжете и стреляет во время первой сцены. Зрители слышат выстрел, выслеженный же оптическим прицелом актер продолжает спокойно разговаривать с собеседником. Молодой человек вынужден ждать второго акта, когда актер должен быть убит по ходу действия. Молодой человек хочет, чтобы звук его выстрелов совпал со звуком бутафорских пистонов, и таким образом незамеченным улизнуть. Он дожидается второго действия и стреляет. Таким образом, Мюрдок, человек с режиссерским образованием в прошлом, но не имеющий денег на свой новый гениальный фильм и тщетно пытающийся получить их от Лоренса, который пообещал ему деньги, но только в том случае, если Мюрдок снимет фильм про его жизнь в Германии, геройство в фашистских войсках, Мюрдок объясняет Родригесу, что Родригес должен стрелять тогда, когда молодой человек стреляет во второй раз. Это создаст, объясняет он, необходимый эффект, и Родригесу удастся сбежать. Во время фильма, который они смотрят в зале, Родригес вдруг кидается в проход и стреляет в Лоренса. 25 тысяч долларов он тратит на новый автомобиль.

Все было бы хорошо, сказал Фрак, если бы не появилась в газете заметка — после того как А.Ю «нашел» этот сценарий в запасниках Н. в Нью-Йорке, о приговоре Мюрдоку и Родригесу; статья гласила: «Сегодня утром был вынесен приговор Джеймсу Мюрдоку, 38, и Роландо Родригесу, которые оба получили по двадцать пять лет лишения свободы. 17 января 1993 года Родригес двумя выстрелами в упор убил в кинотеатре владельца кинотеатра Остина Лоренса, 74, с целью получить 25 тысяч от Мюрдока, который, в свою очередь, намеревался получить свыше 1 миллиона долларов по завещанию Лоренса. Следует заметить, что кинотеатр является единственным в стране местом, в котором показывают беззвучные фильмы».

10

Я кинул в мусорную корзину вторую главу. Сделал сноску, наводнив пустоту безликой компьютерной дробью: не могу завершить. Фрак пришел ко мне, и я дал ему пару глупеньких тестов. Он смотрел на рыб, а я думал, что я никогда не был женат. Я увидел однажды, как били лошадь, в детстве, извозчик, кнутом, я заплакал, я после этого никогда не понимал человека.

Он составлял рисунок из кубиков передо мною, а я думал, что я опустел. Видя так много смертей, людей молодых, я огрубел. Я любил женщину. Мне было двадцать семь лет. Я хочу опять к ней приехать (она живет в Томске). Ведь если любовь невечна, она незначима. Аня разделила со мною три года. А я глядел на нее и не видел. Я любил ее мысли, идеи, тот голубоватый отсвет, что распространялся от нее по утрам.

«Любовь моя, послушная моя, слишком сильно я тебя любил и потому никогда не простил. Мне надо избыть тебя, изжить — и только в этом наше с тобою спасение. Любовь держится на равенстве чувств, однажды ты мне сказала: один неверный шаг, недоверчивый взгляд — и надо снова умирать и рождаться и начинать все сначала.

Мы с тобой почти не были знакомы, если, конечно, нельзя назвать знакомством то, что мы виделись каждый день все семь месяцев. Мы назначали встречи без слов. Мы стояли рядом в вагоне метро: рукав твоей куртки касался моей руки, близко-близко были твои волосы, твоя щека и ресницы. Когда мы расставались, я чувствовал, что могу умереть, и я умирал все это время, пока снова не видел тебя. Я хотел, чтобы время останавливалось, чтобы исчезал весь мир, пока тебя нет со мною. Я приходил домой и засыпал: я не имел права думать, есть, передвигаться, пока рядом не было тебя; но в снах своих я все равно не мог забыться, и в снах я был один. Любовь моя, послушная моя! Я сейчас зарыдаю, потому что не в силах тебя забыть. Мне больно сейчас, и я улыбаюсь, смеюсь, и я разбил в доме все зеркала — я снимал их одно за другим по всем комнатам, выцарапывал их из бритвенного футляра, из старых изломанных пудрениц, из детских калейдоскопов, каруселей, игрушек — и кидал их на пол, потому что в них всех я видел тебя. Я сейчас ждал тебя четыре часа, и ждал бы еще, но метро уже закрывалось. Я хотел остаться там, и сидеть в темноте, в черном туннеле, и смотреть в пустоту — ты могла бы войти и сквозь закрытые двери, и сквозь мрак, и сквозь ночь... Ведь главное — ждать, и дождешься всегда. Но я был изгнан, как из рая, оттуда, меня вели под руки, и я спотыкался. Может, ты все еще там? Может, ты плачешь и идешь по рельсам — далеко, далеко, далеко...

Я потом еще сидел на скамейке в парке, в незнакомом мне месте, боясь пошевелиться, боясь шорохов, боясь себя, боясь собственного молчания, и курил сигареты одну за другой, и я понял, что никогда не умру, потому что любовь моя вечна. Но ты смертна, ибо ты испугалась любви. И как только я ушел от тебя, ты перестала существовать, ибо твой внутренний мир, твоя душа были мной. Я буду жить за двоих. Я буду писать о тебе — потому что Слово мне никогда не изменит».

Артем Юрьич закрыл рукопись и усмехнулся. Артем Юрьич не должен был утруждать себя вечной любовью. Его любовь была сокрыта, навеки увековечена навеки веков-вековух в его бессмертном романе. Потому и был пуст А. Ю. Все свои чувства отдал он перу и бумаге, все заинвентировал, записал, по полочкам разложил склянки с кровью и горем, все отдал Литературе, Большому Листу. И когда чувствовал Артем Юрьич, что приходила пора, когда надо поплакать, он доставал самую печальную главу и читал, и слезы текли. Любовь его к Анечке вся была записана, законспектирована. И когда вышел роман, Анечка сказала, что ей до тех высоких чувств, описанных Артемом Юрьичем, не дотянуть и что недостойна она самой себя, в этом романе описанном, и поскольку уже все описано, и происходит теперь в вечности и перед глазами читателя бессчетное количество раз, то нечего и мучить себя повторениями и претвореньями в жизнь. И Артем Юрьич навсегда порешил: второй любви, как и смерти, не быть.

И с тех пор он был одинок.

11

На Halloween Мятлев пошел в гости к подруге Марине и помог ей повесить картину Шишкина, поле на которой было засижено летними мухами, на стену. Мятлев умел многое делать по дому. Марина его утешала, видела, как он тоскует по Фраку. Мятлев про халуин ничего не знал, в Ленинграде был просто октябрь, и Мятлев обычно в такую погоду сидел дома, в тепле, смотрел на желтые листья, на канализационные люки, асфальт, чужую жизнь из окна. Мятлев читал мало. Почти совсем не читал. Он читал ноты. Он смотрел на ноты и слышал мелодию, до малейшего звука и фразы. Он смотрел на напечатанный лист текста и слышал мелодию. Он не читал каждую строчку, он смотрел сразу на целую страницу, и строки въедались в его глазные нервы, оседали в мозгу. Он мог определить, стоит ли читать текст, с одного, глубокого и мгновенного взгляда. Что-то было особенное в расположении строчек, в гнездовьях точек и последних слов предложений, что позволяло Мятлеву иногда сказать: «Дима, я нашел для тебя хорошую книжку». Интересным было то, что те же самые вещи Мятлев, не зная языка, мог проделывать с текстами на латыни. Он получал удовольствие и определенное ощущение от текста, подобно тому, как художник взглядывает прищуренно на картину, пока Машка ставит самовар, и видит и маленькую тучку на небе в правом скромном углу, и сиреневое полинялое платье девочки, и подпись художника, давно уже умершего, давно проклятого поколениями ушедшими и вознесенного поколениями нынешними. Артем Юрьич — тот даже и на текст не взглядывал. Все его работы, рассказы и стихи, были учены, изобиловали, как мелкими стежками то там то тут, отсылками на другие, громадные, работы, однако этих работ сам А. Ю. никогда не читал, они лежали кирпичными стопками у него в кабинете: сначала, перед написанием рассказа, он работал с библиографией, кропотливо и скрупулезно соединял все источники в одну оросительную систему, торжественно шел в библиотеку и по картонной картотеке подбирал все упомянутые книги, извлекал их из запыленных хранилищ, из изъеденных мышами мест, упаковывал крест-накрест веревками, вез на тележке домой и аккуратно клал их на пол рядом со своим рабочим столом. Все эти источники, объединенные вместе, составляли вдохновение и опорную точку его книги, и судил он об этом по названиям на титульных листах, по оглавлению, разбитому на названия глав, по количеству известных писателей и артистов, упомянутых в них. Иногда, правда, он случайным глазом выхватывал ту или иную строчку, тут же переворачивавшую весь его мир, какое-нибудь утверждение или тезис, и в ее оправу вправлял свой текст, затем все вырастая и вырастая из нее и затем богатырской грудью мысли разрывая оковы, прорываясь к утверждению из книги второй, лежащей так же, как и первая, на пыльном полу.

Мятлев сидел дома и разглядывал из окна канализационные люки, представляя Фрака хорошо одетым там, в Америке, в светлом верблюжьем костюме и в новой машине. Наверно, Фрак уже съездил в Нью-Йорк, и посмотрел «Виктора и Викторию» с drag queens на Бродвее, и все мюзиклы Гершвина, и на Паваротти сходил. Фрак же был любителем и радетелем всего отечественного, патриотичного, пламенного, он и в России всем ботинкам предпочитал «Скороход», и поэтому в Halloween он пошел в кино смотреть «Сибириаду».

О добыче сибирской нефти. О героическом труде советских нефтяников. Этот фильм Фрак смотрел, когда ему было двенадцать. И запомнил оттуда всего несколько сцен: человек умирает на муравьиной куче, и муравьи съедают лицо. И — вечный дед. Хранил деревню Елань, все никак не мог умереть. Купил Фрак себе американский хот-дог и пошел смотреть русский фильм. Была такая там сцена: отходит пароход, а на нем молодые ребята, по восемнадцать лет, пляшут, шапками машут, сапогами прохудившимися по палубе гопака отбивают, заливают водку в рот стопкой, а пароход идет на войну. Слезы потекли по лицу. Хот-дог засунул в салфетке в карман, пытался скрыть плач. Почему-то сцена эта вызвала слезы. У Фрака на войне все погибли. Он всю жизнь, в советской школе, учил про войну. Он помнил Ваню, сына полка, черно-белое «Иваново детство» с колодцем гулких болот, мальчиков из партизанских отрядов и немцев, говоривших с детьми тихо и вкрадчиво, пытаясь отгадать советскую душу, а потом выводивших их на мороз и под звуки «Катюши» обливающих их водой из тугобьющего шланга. Со стороны матери все родственники Фрака — Хрулевы.

12

Степанида — так звали прабабку. Размытая неопределенностью ее жизни фотографическая карточка, наклеенная на картонный железнодорожный билет — ничего не говорит о ее ранней смерти, — а находятся, бывает, такие мудрецы, которые, глядя на чей-то портрет, непременно промолвят: «Да уж видно на роду было написано... видите, какое лицо-то тонкое, нежное, черты перетекают одно в другое акварельною краскою — знать, не жилица была на этом свете...»

Степанида умерла сразу же после родов, а бабуля Шура, умирая, кричала: «Папа! Папа! Приди!» — бабулин отец, муж Степаниды, путеец, затерялся в Гражданской войне. Он был сцепщиком на железной дороге. Фрак с Мятлевым сидели на косогоре на станции Пискаревка, Мятлев держал коленями бутылку с пивом, пиво нагрелось. Они смотрели на бабок, торгующих перепрелой зеленью и слипшимися колготками, они смотрели на поезд, лениво перегонявший сам себя от одного конца станции до другого. «Мой прадед был сцепщиком на железной дороге», — глядя на лязгавшие вагоны и зелень травы, на улыбающееся солнечное лицо Мятлева, сказал Фрак. «Они за пивом ездят», — с интересом глядя на поезда, прервал Мятлев. «Как это?» — удивился Фрак. «Работа такая у них», — пояснил Мятлев и положил руку свою Фраку на колено. «Доедут до одного конца станции, ближе к пивному ларьку, берут пива, потом отъезжают. Выпьют пива, постоят и поедут обратно к ларьку».

Алексей Осипович, муж Степаниды, питерец и путеец, чей брат кутил с цыганами и возвращался домой с пьяным разбитым лицом, а потом повесился у себя дома, возил Ленина в закрытом вагоне. Он раздавлен был буферами, он затерялся в Гражданской войне. Он все же выжил и был раскулачен в тридцатых годах, сослан в Сибирь — сведения были разные, но итог был один: он пропал, он исчез. Саша Хрулев, бабули Шуры брат, пошел в ополчение на войну и пропал без вести на Пулковских высотах в мае сорок пятого года. Саша был ополченцем. Он затерялся в войне. У Саши была Вера Николаевна, актриса-жена, которую он взял с чужими детьми. После того как Саша затерялся в войне, актрису-жену взял в жены другой муж, с теперь уже вдвойне чужими детьми.

Вот история другой сестры, Клавы. Клава, дочь Степаниды, вышла замуж за Гришу. Дети Сережа и Вова погибли в блокаду, четырех и двух лет, они затерялись в войне. Клава работала после войны крановщицей, муж Гриша погиб на войне. Клава умерла молодою от рака: отморозилась в небесах на своем кране, отморозила матку, а после Сережи и Вовы у нее не было больше детей.

Вот история Лиды, сестры Шуры, сестры Александра и Клавы. Лида, вторая бабули Шуры сестра, носила темно-коричневое платье из пережившего свою моду, в крупный рубчик вельвета с желтым поблекшим лоском цветов. Она пела на радио в архангельском хоре. Сама бабуля Шура в молодости, в пору знакомства с Надей из банды «Черная кошка», играла на гитаре и пела. Надя нарисовала бабулин портрет, который Фрак долгие годы видел в ее квартире на станции Грузино вместе с портретом мужчины в военной форме, Кабанова, бабулиного послемужнего друга, с которым они перед началом войны уехали на границу Финляндии, там Кабанов служил.

Лида играла в шахматы, Лида имела разряд. Лидин сын, учась в ФЗУ, поехал летом в колхоз. Заболел менингитом, страдал молча, один — умер, когда ему было шестнадцать. Лида осталась одна: от кого сын, соседи не знали. Валере на фотографиях было пять лет, он держал в руках белую пятнистую кошку под елкой: дешевые послевоенные подарки под елкой, веселый Валера. В маминой заветной коробке, где лежала серебряная медаль отца об окончании школы, из которой потом сделали кольца, трудовые книжки, справки о болезнях, похоронка на мужа бабули Шуры, лежали также контуры Валериной руки: «Здесь мне два года. Валерик». На другой руке, больше размером: «Валерик, пять лет».

Лида умела прясть, у нее были коклюшки, набирала на фабрике щетки для чистки одежды и прислала Фраковой маме подарок — черной щетиной на белой щетине наискось: «Лене». Фрак, которому было шесть лет, предложил играть в прятки гостившей у них в Питере Лиде. Лида стояла у окна в своем вельветовом платье, пахнущем затхлостью и чужим домашним укладом. Почти совершенно слепая Лида искала Фрака по неизученным комнатам и не могла найти очень долго, и только через несколько лет, перебирая, как ворох ситцевых тряпок в том темном шкафу, прятки тех лет, Фрак наконец понял, что она знала, что он был в шкафу: хотела ему сделать приятное и притворялась, что будто его не может найти. Он мучился воспоминанием пряток, представляя ищущую его ослепшую Лиду: Лида на похоронах в меховом пальто и круглой меховой шапке, привязанной к голове круглой резинкой, чтобы не сдул ветер. Тогда она видела лучше. Мастер с училища. Лида. Два одетых в черное друга. У бабули Шуры тоже была особая любовь к шляпам: даже на прополку она надевала привезенную из Ялты широкополую шляпу, и она тоже прикреплялась натянутой через шею круглой веревкой. Для Лиды время было другим. У Лидиных наручных круглых часов открывалась крышка и вместо цифр были выпуклости. Лидино время было выпуклое, медленное, с открывающейся крышкой.

Лида и Шура были в кромешной, неспадающей ссоре, и сестра Шура не поехала на похороны младшей Лиды, сестры. Отец Фрака сказал, что Лиде стало плохо у кого-то в гостях, она упала, и соседи сняли с нее наручные золотые часы, потому что их потом не нашли. Однако часы с крышкой остались, и Фрак потом иногда их носил, всегда чувствуя себя почему-то неловко. Фрак был во втором классе и пришел домой веселый, потому что ему удалось взять в школьной библиотеке «Жар-птицу» с Иваном на зеленой обложке: мама была очень тиха, и Фрак не знал, что сказать, а потом мама сама сказала ему: «Лида умерла. Телеграмма».

Фрак представил пароход, рассекающий льды, идущий в Архангельск, он вспомнил Лидино нехитрое притворство при прятках, он вспомнил коллекцию значков с кораблями в поролоновом, сыплющемся сухими крошками альбоме «Юный филателист». Он понял, что он должен быть тих. Он осознал Лидину смерть и войну гораздо позже, в Америке. Он понял, что растревожен войной. Фрак был единственный, кто уцелел, рожденный двадцать два года после окончанья войны. Бабушка вывезла маму в эвакуацию в Вологду.

Бабушкиному мужу было восемнадцать, а ей двадцать девять, когда они поженились, ее мужа контузило во время войны, и он забыл свою жизнь и забыл про жену и про дочь. Вот его-то фамилия и была Боков, он изменил ее с фон Бока, он забыл про жену и про дочь, и его окрутила какая-то ППЖ, и он женился на ней, а бабушка получала пенсию по нему, потому что в документах значилось, что он пропал без вести, и она думала, что его нет в живых. На самом же деле он все забыл и не знал, что у него есть дочь и жена, он забыл и про жену, и про дочь, и женился на ППЖ.

Он стал председатель колхоза, и вдруг все открылось, что он двоеженец, был суд. И бабушка узнала, что он не пропал без вести, а что он жив. Бабушка надела лучшую шляпу, взяла дочь и поехала в ту деревню, где жил этот Боков. А Боков уже был женат, его контузило во время войны, и он забыл и про жену, и про дочь. И вот когда все дело через советский суд открылось, его нынешняя жена открыла ему, что он был когда-то женат, и он все вспомнил, и ужаснулся, потому что он Шуру очень любил, и он вспомнил, что он Шуру очень любил, и поседел, и стал пить. Тут мама Фрака его отыскала, и он увидел дочь и жену и уже осознал к тому времени, что его окрутила какая-то ППЖ, которая тогда, когда у него были дочь и жена, еще была школьницей, и что теперь на ней он женат, и он сказал своей дочери, то бишь матери Фрака, что на самом деле она не его дочь, хотя была и жена, что Шура была беременна, когда он женился. Он так любил ее, что согласился с ребенком. И бабуля Шура это подтвердила, только, даже умирая, не сказала, кто же был настоящий отец. Мама Фрака рассказывала, что как-то она поехала в Вологду и сидела там с родственницей в ресторане, и вдруг подошла официантка и передала ей золотое кольцо. «От кого?» — Официантка показала рукой на угловой столик, от которого уже шел к выходу... Маме не удалось разглядеть того, кто шел к выходу...

С отцовской стороны все братья и сестры его другой бабушки, Меры Моисеевны, были зарыты вживую немцами в землю в деревне под Минском. Бабушка же уехала к раненому дедушке в Ленинград и привезла ему курицу: она спасла его и спаслась сама. Среди погибших был бабушкин семнадцатилетний брат Фима, и Фрак, увидев его, сразу подумал, что они с Фимой похожи. Когда он спросил у своей американской кузины про Фиму, она сказала ему, что Фима был талантливый музыкант и умер от кашля. Родственники их, сказала кузина, погибли не в яме, а в речке Припяти, под Чернобылем, куда их согнали. Потом оказалось, что и то и другое было правдой. Одни родственники, в Минске, были бабушкины родственники, а утопленные родственники в Припяти были родственники деда, который, будучи инженером на металлическом заводе, ходил в шляпе и с портфелем с бананами и лимонадом для внуков, выдававшимися для ветеранов войны.

Родственники Фрака очень долго ходили в отказниках, и Фрак тоже подал документы на выезд, и ответа все не было, а Мятлев об этом узнал чрез А. Ю. и написал кому надо, и это ускорило процесс, потому что документы где-то все это время валялись. Когда Фрак уже собрал чемоданы, его маме пришлось доставать документы на Бокова, ибо она тоже хотела уехать. Когда она пришла в отдел, где оформлялись документы, она увидела, что там сидит Аннушка — та самая ППЖ, вторая жена Бокова. «Жизни так и не было, Лена», — сказала Аннушка. «Он, как вы с Шурой объявились, да как я бегала вокруг дома и спрашивала тебя, шестилетнюю, там ли он, а ты говорила «нет, нет», хотя я воочию видела его на кровати сквозь щель, так вот, как уехали вы тогда из деревни, после суда, когда он все узнал, — он запил. Он так любил Шуру». «Дима, сказала Фраку мама, помнишь похороны бабули Шуры?» Фрак помнил. Она долго снилась ему после этого, вела за собой по туннелям, давала советы, на кладбище же он специально посмотрел, кто лежит рядом с ней — оказалось, мужчины, погодки, — ну что же, ей скучно не будет. «Дима, помнишь женщину в черном платье и черном платке, уходившую медленно по дорожке, до того еще как гроб ушел в землю?» Фрак не помнил. «Дима, это была Аннушка». Я пришла за документами для Америки в отдел и глазам не могла поверить: «Аннушка». Я спросила ее: «Аннушка, да как же ты узнала о Шуриных похоронах?» А она и говорит: «Да вот я здесь работаю, в этом отделе, сюда все извещенья о смерти приходят. А Шура... Я за ней всю жизнь следила. Он ее любил, только ее помнил, только ее звал, когда умирал. Все эти годы... Все пил. Жизни, Лена, так и не было у меня...» «Дима, я тогда тому парню бутылку дала. Помнишь, он вытащил корягу из ямы, когда гроб опускали? Хорошо, мы заметили... Знаешь выражение «чтоб тебе на осиновом коле сидеть»? Я сначала эту корягу увидела, а потом женщину в черном платье и черном платке, уходившую медленно по дорожке...»

И вот Фрак смотрел «Сибириаду» и плакал, он впервые подумал о хронике своей семьи, о том, что столько поколений жили и страдали, и все умерли, и вот он, Фрак, единственный наследник и сын, родился, и он все знает о своей семье, и только он один — свидетель, и он знает и о Саше, и о Клаве, и о Лиде, и о Фиме, и когда он умрет, и когда его мама и папа умрут, и когда Мятлев умрет, которому Фрак все рассказал, сидя на косогоре на станции Пискаревка, никто больше не вспомнит о них.

13

Со стороны «отца» матери втеснились фон Боки. История Боков до сих пор оставалась неясной, поэтому, увидев объявление о публичном чтении исторического романа писателя Н., проводимом вахтером, нашедшим роман, Фрак на чтение пришел. Вахтер, оказавшийся чудным пожилым человеком, но как бы без времени — будто он с одинаковым успехом мог жить и в семидесятых годах, и в девяностых прошлого века, с бирюзой напряженного взгляда и чисто вымытыми морщинками рук (во время чтения он то надевал, то снимал черные кожаные мотоциклетные перчатки, а вода ему подносилась серьезным молодым человеком типа ответственного работника в синем костюме), — очень смутился и, тревожно глядя на Фрака, потянул его за рукав в сторону. Краем глаза Фрак успел заметить, как сквозяще-пристально-прищуренно глядит на него из темноты помещения молодой человек, застывший у полок с водою. Артем Юрьич привел Фрака в свой кабинет, заставленный до такой степени, что плотная масса предметов казалась выпуклою, а пространство от этого — воглым, и сказал: «Разумеется, вы будете держать это в секрете...» Фрак, начиная скучать, стал оглядываться по сторонам. Артем Юрьич продолжил: «Вы должны понимать, молодой человек, что в нашем обществе трудно добывать славу». «О добыче славы он говорит как о добыче руды», — машинально, про себя отметил Фрак. «Но самое главное — тексты. Неважно, кто автор, неважно, кто написал. Автор есть, автора нет — может быть, он покончил с собой, может, художницу выкинул из окна ее скульптор, любовник... Последующие поколения заботит наличие текста. Н. более известен, чем я. Роман написал я». Фрак встал. В комнате становилось темно. Фрак стал искать лампу. Артем Юрьич сказал, что вся история и генеалогия почти вымышленная, и если до двадцатого века он основывался на действительном реальном древе фон Бока, то начиная с двадцатого века всех героев он просто выдумал и даже скоропалительно что-то предрек. Артем Юрьич сказал, что многие куски он вставлял в свой роман просто интуитивно, по навязчивому веянию, дуновению ветра — например, он никак не может объяснить сам себе, почему он включил в «Клоун!» главу «Витгенштейн», даже если Витгенштейн и имеет какое-то родственное отношение к Боку.

«Но Вы понимаете, Дмитрий, я просто не мог не включить эту главу о Витгенштейне, что-то мне говорило, что она важна: может, то, что он был в России, что он даже посетил университет в Ленинграде, где я в то время учился на историческом, втором курсе, может, то, что он встретился там с одной важной ученой дамой, что жена его друга, известного мыслителя и экономиста Дж. Мэйнарда Кейнса, который разработал теорию безработицы и поддерживал слишком тесные отношения с художником Дунканом Грантом, была русская жена Лопухова, или Лопоткова, или не знаю кто, хоть Груздевой ее назови, балерина из коленчатого балета лягастого Дягилева...

Вот иногда я что-то такое пишу безо всякого заднего смысла, а люди мне говорят, что я прорицатель. Я Вам дам эту главу, может, Вы мне ее объясните... Вы знаете, с таким же успехом я, наверно, мог включить сюда Франкенштейна... или Эйнштейна... Памперникеля... Рампельстилтскина...»

«Папа Людвига хотел, чтобы Людвиг стал инженером. А Людвиг был замедлен в развитии, совсем не такой, как его старшие братья. Он как-то обмолвился, что выучился говорить только в четыре года. А до этого он только укал и ыкал, показывал пальцем, сидел, закрывшись, в кладовке и разрисовывал стены. Его, пухлощекого, стандартного рядового младенца, рядили в белые платьица, сажали на лошадку перед фотографом, ждали, когда вылетит птичка. Прадедушка Людвига, Мозес, в 1808 году, по указу Наполеона, выбрал себе фамилию своего работодателя. Людвиг, с его стеснительным воинственным пылом, тоже хотел пойти на войну, его дяде на войне оторвало правую руку, и у него развилась странная болезнь, странная привязанность к своему доктору, который был вынужден руку полностью обрезать, чтобы не разбежалась гангрена. Дядя был пианистом и выучился играть — превосходно! — Людвиг сказал мне — левой рукой. Брат Людвига, Курт, любящий шерстяные рубашки военных тонов, тоже пошел на войну, но уже на другую, — все эти войны как-то подоспевали по мере того, как росли братья-погодки, и, увидя разлад среди своих подчиненных, боязнь, россыпь страхов — в атаку даже пехота не шла, — он поднес пистолет к голове и погиб. Второй брат устремился в Америку, он тоже хотел стать музыкантом, бродячим вагантом, против воли отца. Кто-то видел его в последний раз на пароходе, на палубе, истоптанной подошвами беженцев, исполняющих народные танцы — я думаю, он, обняв свою скрипку, спрыгнул в набегавшие волны или подцепил себе какую-нибудь еврейскую девушку и сгинул в Нью-Йорке. Третий же брат хотел быть лицедеем, артистом, любил читать Метерлинка, но вдруг написал семье: «Мама, папа, мне очень страшно сейчас, умер от заражения крови мой друг, я все время был с ним, я принес ему яблочный пирог — его последнее земное желанье, ухожу вслед за ним». Его отец (отец Людвига) вскоре получил официальную справку от Гуманного общества, которое туманно-гуманно сообщало, что нет ничего плохого в разнообразии пристрастий и временных страстей человеческих (временных — потому что все мы умрем) и что они пытались уверить в этом герра Рудольфа, но он покончил с собой, приняв цианид. И представьте себе, после всего этого разверженья событий погибает лучший друг Людвига, Дэвид, не снимавший с головы большой, кремового цвета, твидовой плоской кепки, в веснушках, любящий молоко, письма, гайки и схемы, Людвигом нежно любимый, разбивается на аэроплане, исследуя точно такую же гибель другого пилота, погибшего на точно таком же аэроплане всего лишь два дня до того. И тут Людвиг совершенно бросает инженерную работу, а ведь он сам мечтал сконструировать самолет и полететь через океан на Аляску, он даже спроектировал настоящий пропеллер, однако все бросил, посвятил свой трактат Дэвиду, и матери Дэвида послал саморучно копию с надписью, дескать, никого дороже Дэвида, Вашего дорогого сыночка, у меня не было и не будет. Он ведь тоже хотел покончить с собой, но не из-за «странных перверсий», как Рудольф написал, а из-за того, что без Дэвида не мог жить. Он так страдал, что Дэвид погиб такой непонятной, такой бессмысленной, такой дублирующей безумие смертью. И вот его однорукий дядя-пианист находит Людвига на железнодорожных путях, наблюдающего за тяжелыми поездами, записывающего их расписания, сколько времени они проводят на станции, сколько груза везут, сколько проводников стоят на подножке. Людвиг совершенно был не в себе, выглядел, как запуганный зверь, дядя его отругал, оттащил, отговорил от глупой смертной затеи. После этого Людвиг около года молчал, ни с кем не говорил, молчал так же, как тогда, когда ему было пять лет. И вот в жизнь Людвига вошла Маргарита. Знаете, как любят говорить: если женщины не было — ищи, значит, мужчину. Как про Сати говорили: если была у него в жизни всего одна любовь, Сюзен, — ищи, значит, походы к проституткам. Еще говорили, что ходил он всегда чистым, в пахнущих мылом вельветовых, хорошо сшитых костюмах — значит, путался с белошвейкой иль прачкой. Сплетничали, что у Людвига девушки не было. А у него была. Маргарита. Он ее называл *Marguerite*. Он ей возвестил: «Маргарита, мы с тобою войдем в священный брачный союз» — и, расчувствовавшись, пожал ее девичью руку. Он ее привез в свой охотничий домик в Норвегии и положил ей в рюкзак Новый Завет — читать о любви, указал ей главу, а сам к ней даже пальцем не притронулся — так он ее любил. Она была совсем молодая, неразумная, двадцатилетняя, никакого опыта с мужчинами не имела, хиханьки да хаханьки, а ему было тридцать семь, когда их любовь началась. Они встретились в октябре, он всегда помнил дату, говорил мне: «Девятнадцатого октября в двенадцать двадцать дня». Он потом эту дату в течение многих лет на календаре синим карандашом отмечал. Он был профессор и женский пол недолюбливал, особенно женщин важных, ученых... В обществе их он был очень резок, и голос у него становился очень высоким, фальцетом. Он грубил. Однако Маргариту углядел сразу. Он ходил без галстука, в одной и той же голубой рубашке под синим мятым костюмом, весь субтильный, ни ветров, ни погоды плохой не знающий, боящийся и севера, и дождя, и рассыльного, приносящего ему по утрам свежий хлеб, а познакомившись с ней, он и галстук надел и весь стал такой чистый, строгий, веселый... Они целовались редко, он любил просто с ней рядом сидеть, вообще, чтоб она была рядом, а ел только хлеб да сыр, ну еще масло, так что то, что у нее всегда кухарка была, его не смущало, он любил говорить ей, что такая девушка, как она, из хорошей благородной семьи, не должна сидеть сложа руки, а должна идти работать на фабрику, агитировать рабочих. И вот что забавно: Маргарита два года не могла понять, что Людвиг на ней хочет жениться, а он думал, что она это так, без слов, понимает, он верил в особое их совместное предназначение, но, не вытерпев, вдруг с обычной пылкостью своей разразился письмом: «Маргарита, нас ожидает священный союз, платонически возвышенное чувство, разумеется, без потомков, так как я не намерен плодить несчастных детей... Знаешь ли ты, что в одной ложке состава, который в момент *особенной* страсти испускает мужчина (прости за откровенность, но это наука), находятся все люди, которые, если бы они родились, наполнили бы собой Северную Америку? Каждые четыре дня население увеличивается на один миллион. Если мы посчитаем, что человечество, так же, как и количество написанных ученых статей, будет каждое десятилетие превосходить самое себя, то мы уничтожим и себя, и Вселенную...» Ну, тут до Маргариты дошло: махнула рукой и влюбилась в норвежца. Альбинос, волосы светлые, нос горбинкой, то ли крестьянин, то ли художник... А Людвиг остался как дурачок со своей Библией, читать своих Коринфян, о любви: «...» Я вот слышала еще, что, когда он был юношей в Вене, он ходил гулять в Пратер, в огромнейший парк, встречал там мальчиков из торгового люда иль ряда, обсуждал с ними вопросы познания. В Британии он тоже гулял в парках, любил встречать молодежь, юношей в основном, ведь мы, женщины, к науке не очень-то тянемся. Как-то в Норвегии он увидел женщину в брючном костюме, та его потрясла, мой муж, однако (коммунист, правша, правовед), отметил, что, кажется, это была совсем не женщина, а длинноволосый мужчина — может быть, поп. Не любил, когда люди лезли в его личную жизнь. Да-да, я знаю, он дружил с Альфредом: Альфред, он называл его Альфи — такой застенчивый юноша, двумя декадами, деканами Людвига младше, они везде появлялись только с Альфи, и Людвиг ни от кого не скрывал, что он дружит с Альфредом. Когда я собирала материал о них, и Вы знаете, что я в результате написала десять страниц, так вот, на эти десять страниц я потратила целых три года — так труден оказался материал почему-то. Альфред тут же, как услышал лекции Людвига, себя ему посвятил, а уж что Людвиг в Альфреде углядел — я не знаю. Я преподавала им русский. Мои родители убежали с Украины в 1908 году от погромов, хорошо, что я себе опору и друзей здесь нашла. Людвиг всегда появлялся на уроках с Альфи. У Альфи были нелады со здоровьем, он сильно хромал, у него была покалеченная нога, очень де-

ликатный, очень застенчивый высокопородный
юноша из хорошей семьи. Однажды, когда Альфред был болен, Людвиг пришел на урок ко мне
один и протянул домашнее задание, которое он
сам себе придумал. Он читал мне строчки и вос-
клицал: «Как серьезно, как глубоко!»

Ach, wie gut ist dass niemand Weiss
Dass ich Rumpelstiltzchen heiss.

Потом, когда Людвигу будет шестьдесят,
у него появится Бен, очень похожий на Альфи,
только ему будет девятнадцать лет. Он будет
встречать Людвига из его путешествий на вокза-
лах, и они вместе, кажется, будут ходить в кино.
Я решила написать тот материал для журнала, потому что другие профессора писали о Л., но Альфи не упоминали. Ни один из них не упомянул
Альфи. Однако Альфи был всегда с ним, и в тридцатых годах, и до своей преждевременной смерти. Они вместе гуляли, работали, ходили в кино
на боевики, на Басби Беркли, на мелодрамы, целый год ночевали вместе в комнатке над лавкой
старьевщика. Я, будучи в Канаде, поговорила с
сестрой Альфреда, и наш разговор с ней углубил
мой интерес к Людвигу и ему. Я часто видела
Людвига гуляющим вдоль реки, жестикулирую-
щим то с одним, то с другим молодым человеком,
к которому он возбужденно оборачивался каждые два-три шага. Он был такой нервный и не-
ровный всегда, всплескивал руками, закатывал
глаза и говорил: «Невозможно, непереносимо!»
Потом он уехал в Россию. Он поехал в Москву,
Ленинград и Казань искать себе и Альфи работу

простыми рабочими, сталеварами, плотниками. Он хотел помочь мне выбрать шторы, но, когда я удивленно взглянула на него, дескать, мужское ли это занятье, он испугался и никогда больше не предлагал помощь. Голос его, которым он обращался к Альфреду, был груб и резок, но Альфред был единственным человеком, которого Людвиг называл по имени, когда он говорил о нем за глаза. Всех остальных он называл по фамилиям. Он заставил Альфреда бросить преподавание в Кембридже и стать просто механиком. Вернувшись из Канады, я поняла, какой важный вес и аспект в моей статье имеют отношения Альфи и Людвига. Сестра сказала мне, что Людвиг убил Альфреда, погубил его карьеру, его блестящее будущее в математике, заставил его, с его плохим здоровьем, дышать руганью и пылью в цехах. В 1933-м Альфи был полностью поглощен идеями Людвига. Потом они хотели вместе поехать в Россию, и в Казани Людвигу было предложено место — то ли преподавателя, то ли истопника, но Альфи заболел, и Людвиг поехал один. В 1935-м Альфи нашел работу в Кембриджской инструментальной компании и оставался близким другом Людвига до самой кончины. Когда Людвиг был в Норвегии, Альфи тосковал и писал ему из Кембриджа: «Лютик мой, я получил на днях твое милое письмо, где ты пытался объяснить мне, что такое фиорды. Увидел твое письмо и подумал, что надо мне приехать к тебе, я бы помогал тебе во всем, убрал бы тебе комнату (помнишь, как, забытая в твоих философских изысках, она становится пыльно-пятнистой, накрытой плетенкой проникающего сквозь железные ставни дневного света — ты, кажется, никогда не мыл пол, когда я к тебе приходил) — у тебя, наверно, тетради валяются вперемежку с картонками из-под молока, с сигаретными фильтрами». Альфред ненавидел работу на фабрике, он работал с этими пьяными рабочими, точил болванки просто потому, что Людвиг считал, что так надо. Семья Альфи потом Людвига обвиняла, что из-за Людвига болезненный Альфред так рано умер. На похоронах Людвиг был убит горем. Он после смерти Альфи корил себя, что был Альфи не верен, не уделял ему времени, ведь последние два года жизни Альфреда Людвиг уже не был заинтересован в нем, он учил, давал уроки подмастерью Альфреда, мальчишке, а Альфи все видел, все разрешал. У меня есть даже письмо от Людвига, в котором он известил о смерти Альфи: «Плохие новости, три дня назад Альфреда свалила болезнь, умер вчера, возможно, не испытав никакой боли, никакого страданья, мирно и тихо. Я не чувствовал никакой боли. Я сидел с ним. Он прожил одну из счастливейших жизней на свете, и я думаю, он умер самой спокойной, великолепной кончиной, которая только мыслима для любого человеческого существа».

Я знаю, о Людвиге ходили слухи, но, посовещавшись с мужем, мы решили, что и мне, и мужу Людвиг всегда казался человеком исключительной чистоты и невинности, было в нем что *noli me tangere*, мы не могли представить кого-то похлопывающим Людвига по спине или мы не могли вообразить самого Людвига нуждающимся в каком-то самом обычном физическом проявлении привязанности...»

14

Строки из дневника Витгенштейна: «целовались с Маргаритой. В продолжение трех часов неустанно целовались с Маргаритой. Я так захвачен, так увлечен!» А под ними — строки, написанные специальным кодом, каждой букве присвоен номерной знак:

«Лежали в постели с А.», «опять лежали в постели с А.»

«Чувствую себя неловко. Вижу, что А. страдает. Уже месяц, как я ему отказываю. Почему люди так привержены сексу? Секс — вещь, умирающая в самый свой пик: страсть перетекает в отвращенье и стыд, и уже не знаешь, зачем и эта постель, и эти глаза, и думаешь о завтрашнем чае. Все души, состарившись, перейдут в мир иной, в мир без изживающих нас гениталий, и кто будет знать, хотел ли быть с женщиной Ш., мечтал ли стать женщиной С.

Я сижу допоздна в тишине. А. так нервен! Мне нужна тишина и пакетики чая. Иногда, когда у меня нет пакетиков чая и я становлюсь раздраженным и не могу найти чистых листов, я пишу на пакетиках с сахаром. Входит А. Что тебе? (полувопросительно, я). Он кидает в меня моей тетрадью. Его глаза красны, вид страшен, растрепан, в пижаме, из-за его проблем со здоровьем он должен спать восемь часов, говорит он, а я своими ночными сидениями ему мешаю. Я продолжаю писать. Чай мутный, крепкий — такой, какой я люблю. А. покупает его для меня в лавке на первом этаже. А. говорит: «Все эти месяцы, Людвиг, я мечтал, что ты будешь укладываться в постель в одно время со мной. Мне холодно, я не могу спать один». А. нервно листает мою рукопись, трясет ее, из нее выпадает записка. Записка от Н. А. становится совсем страшен, схватывает тонкую, но острую книжку Вейнингера и ударяет меня. Я стараюсь не показать, что испуган. Я беру прозрачную стеклянную ручку, обмакиваю ее в фиолетовые чернила и делаю вид, что пишу. «Альфи, ты мешаешь работать. Я тебя очень люблю». А. продолжает рыскать глазами по моему столу, ища разменную монету измены. Он выхватывает из пачки писем письмо С. и начинает читать. Я выхожу из себя: письмо оповещает меня об отказе в повышении жалования. А. читает его и пытается найти в нем что-то другое...»

«Был опять близок с А. Странно, что люди хотят какого-то определенного человека, как будто различие в запахе кожи или форме зрачков имеет значенье — что представляем мы, когда видим или слышим слово «любовь»? Когда мы узнаем, что пустое, неозначенное, еще не оприходованное нашими подростковыми действиями, оно становится действительно «любовью»?

Скажем, я люблю N. Я выхожу на улицу, вижу небо и солнце, и вдруг меня пронзает мысль о том, что за несколько блоков отсюда N. тоже выходит и смотрит на небо, на солнце... — значит ли это, что N. вкладывает в понятие «любовь» тот же смысл, что и я? Если кто-то другой любит N., правомерно ли предположить, что этот другой любит N. так же сильно, как я? Предположим, что я и N. все же любим друг друга. Я говорю N.: «Я люблю». И N. говорит мне: «Я тебя люблю, дорогой В.». Но, удовлетворенные развязкой событий и мыслями о завтрашнем чае, мы не уточняем, что мы имели в виду. К примеру, люди встречаются случайно на улице. Они встречаются почти каждый день, потому что им по пути, и говорят друг другу «доброе утро». Но один не вкладывает в это «доброе утро» никакого бодрящего смысла, кроме как приструненного кивка, а второй, встречая первого, думает о том, как бы ему переметнуться под начальство этого человека и обзавестись новой квартирой. И вот он говорит это «доброе утро», но его «доброе утро» весит больше, чем «доброе утро» другого. Мы будто видим пред собой пустую картинку, из тех картонных плоских воплощений красок, что попадаются на туристических пляжах. Туда кто угодно может вставить свое: либо будешь гусаром, либо господином с бутоньеркой в петлице, либо кирасиром с кирасой и усами. В картонное табло помещаем лицо. Оживает макет. Наполненное, перекатывается по губам, как по гальке, слово «любовь».

Представьте, что участники событий незнакомы с друг другом, развивают свою любовь в голове, с романтизмом, распитьем вина в одинокие дни: вот я видел, как он вошел в свою дверь, видел, как он устало снимал свой пиджак и кидал его на пол, каждый день пытался встретить его так, случайно... Когда же участники этого «головного» романа встречаются через несколько лет — они вдруг открывают друг другу, что они вкладывали в слово «любовь». И оказывается, что это не был одинокий С., страдающий от того, что Л. на него не обращает внимания, полющий траву на его газоне, приносящий ему, будто рассыльный, утром газеты, наблюдающий за каждым его шагом, знающий, что никогда в своей жизни он не встретил разделенной любви... И это не был одинокий Л., думающий, что С. подозревает его в любви к одиноким студентам и пытающийся подпортить его карьеру, но все же испытывающий влечение к этому, наверно, интересующемуся только студентками С., — оказывается, что это были С. и Л. с РАЗДЕЛЕННОЙ любовью; только об этом РАЗДЕЛЕНИИ, о ПЕРЕСЕЧЕНИИ множеств желаний они узнали годы спустя. Возвращусь к упомянутому нами примеру: что это значит, когда говорю: «Ожидается N.?» Значит ли это, что N. тоже хочет, чтобы я его ожидал? Значит ли это, что придет тот самый N., которого жду?»

Стук в дверь. Пришел N. — сан-францисский писатель Арнольд: они познакомились с Фраком на собрании русской общины. Арнольд пел в русском хоре и имел поползновенья на Фрака. В машине Арнольда, больше чем Россией интересовавшегося Фраковым телом, в тот момент, когда Арнольд пытался поймать кого-то третьего, с Кастро, и посадить в их машину, Фрак, включив радио, распечатал полученное два дня назад и до сих пор еще не вызвавшее живого участия письмо из России от однокурсницы Кати. Катя сообщала: умерла Вера — ехала в автобусе и не успела достать ингалятор. Фрак, заглушая смятение, прибавил громкость приемника:

На все годы запомнит он эту поступь сдержанной музыки, увитой черными лентами, и, хотя он никогда не побывает на Вериных похоронах, он все же увидит, с помощью Катиных слов, и стеклянную сувенирную соску, которую он ей на двадцатилетие смастерил (теперь положена в гроб), и увидит гору игрушек и лицо преподавателя Верейкина, незадолго до Вериной смерти объявившего ей, что, хотя он любит ее, лучше все же остаться друзьями —

увидит отморозившие хвою безжизненные елки, голубой, оббитый с одного конца камень с высеченными датами рожденья и поторопившейся смерти. И увидит Мятлева, каким-то образом там оказавшегося, потому что, как Катя сказала, он пришел туда, помня Веру, однокурсницу Фрака, еще с того дня рожденья, куда они с Мятлевым однажды вместе пришли.

«Мятлев стоял один, и ни слезинки не было в его глазах, только холод, у него были красные щеки от холода и усталые глаза, он был, как всегда, чисто выбрит», — писала Катя.

Арнольд спросил: все в порядке? Фрак этой ночи не помнил, он пытался спрятать мокрые глаза, растревоженную душу, склонялся на плечо Арнольда, целовал его белокурые волосы, расстегивая рубашку, догоняя жизнь, скатывающуюся вниз на постель градом оборванных пуговиц, держал его руку в своей, плакал в подушку. Н. его утешал, гладил. Ночь запомнилась Фраку как единенье с мужчиной, понимающим раны и горе и способным утешить и физическим, и моральным путем. Больше Арнольд ему не звонил. Фрак наткнулся как-то на сборник *Queer View Mirror* и вдруг увидел там фотографию Арнольда и короткий, очень короткий отрывок:

«Взволнованный русский, я встретил его всего один раз и ищу до сих пор. Глубина и громада его страны передана была мне в его скорбящем дыхании, крепких дрожащих объятьях. Он получил письмо из России. Я немного знаю русский язык, и мне удалось подсмотреть. Его бывший любовник пришел на похороны одного из друзей, умершего от СПИДа. Я смотрел на острый точеный, взлохмаченный, почти детски-наивный профиль и надеялся, по-детски, мужественно и стоически, скрепя душу и слезы, что этот красивый, искусный в отдаче себя и любви русский мальчик не будет так же, как его друг, лежать в русской хвое, как в той русской народной песне, где какая-то женщина, с искаженным лицом, растрепанная, металась в толпе и швырнула в священника обручальным кольцом. Среди елей, на жутком морозе, после сумасшествия, выпадения волос, цирроза печени, эмфиземы легких, после смертельной болезни двадцатого века, готовясь к своему последнему посещению своей богатой сказочной страны, усталый и разбитый, мой мальчик...

Я прижимал его к себе и молился за нас. Каждый раз, когда я слышу русскую речь, когда я слышу adagio g-moll Альбинони, я вспоминаю его, и этот один из самых проникновенных, счастливых и горьких моментов моей жизни».

15

Мятлев вырезал свои куклы из жести: мастеровыми неуклюжими ножницами резал солдат в шапках с хвостами из листового железа. Затем убирал их в сундук, оклеенный изнутри фотографиями Марлен Дитрих. В дачной комнате зудел комар, одна стена странная — прямоугольный проем, закрытый обоями, — там раньше было окно. Его заделали, потому что Мятлев боялся леса, который начинался почти рядом с кроватью. В лесу помещался детский сад, и Мятлев подобрал там серый револьвер с выпуклым медведем на жестяной рукоятке, а потом неосторожно уронил его в большой чан, где вылуплялись скользко-пухлые, винтообразно ныряющие и появляющиеся на поверхности безмозглые головастики, и, когда через несколько лет понадобилось чан опустошить и револьвер с медведем был найден, непонятно было, тот ли это револьвер — так заржавел, что невозможно было узнать. И поскольку несколько револьверов было уронено в чан (либо воспоминание просто размножилось веером в мятлевской памяти), было непонятно, почему найден только один револьвер, а не два. В лесу, на дне большой ямы, лежала собака. Бабушка сказала, что собака мертва. Каждый раз, когда Мятлев ходил в этот лес, он был уверен, что собака все еще там, — и обходил котлован стороною. Сосны качались. Когда они качались, все вокруг было как в беззвучном кино: качание сосен, немота липкого воздуха, полет птиц. Когда вечерело, становилось еще более нерасцвеченно, страшно. Когда он спал на отсыревшей за день, сколоченной из фанеры узкой и высокой, как ящик, кровати, утыкаясь носом в обои в разводах комариных смертей, ему слышался вой собаки: бабушка говорила, что где-то, наверное, спрятан покойник. Обаяние парного отдохновенного озера, темного застывшего леса и желтого, становящегося желтым только утром, сейчас невидного оступчивого берега, и малинник с ободранными до последней капли сока ветками, и жар в парнике, и зуд шмеля в парнике, и ботаническая зелень огурцов в парнике, и облитая лоском спина бабушки в крымской шляпе и с тяпкой, и плавки на бельевой белой веревке, которые, еще не успевшие высохнуть, уже надо надевать снова на другое купанье, и мальчишки, катящие камеру от машины к озерам, и тренировочный костюм (кеды — вечером, днем же — шорты, панама) — все стало возвращаться в понимание и действие только сейчас, когда ему исполнилось тридцать.

Сестра говорила, что ночью, дождавшись детского сна, на их кухне устраивают игры игрушки: и кукла Димка, который сроду был Настей, но за синий костюмчик морской и кудрявые волосы переименован был в Диму (Мятлев купал его и расчесывал ему волосы настоящей гребенкой), и расползшийся по шейным швам набитый соломой жираф, побывавший с сестрой в Магадане, и кукла Люба с наэлектризованными синтетическими белыми волосами, в синтетическом же голубом с горошинками платье (дизайнер изобразил ножницами ворот, сделав разрез, поскупясь на застежку), и кукла Лана в северном нарядном костюме — все собирались на кухне. «Я их видела, когда ночью шла в туалет, — сказала сестра, — они танцевали вокруг стола, но про это нельзя говорить». «А они знают, что ты про них знаешь? — спросил Мятлев, и сестра ответила: нет, они тоже не знают, не знают, не знают». После этого Мятлев несколько раз слышал, как куклы собирались ночью на кухне — он быстро проскакивал в туалет, осторожно, чтоб не потревожить их, не смутить, не спугнуть.

Любимым занятием Мятлева было сидеть в туалете на отшибе участка. Однажды он зашел в туалет через дверь, закрылся изнутри на задвижку, а потом через окно вылез. Под окном туалета червивилась малина. В течение целого дня все думали, что в туалете кто-то сидит. Потом Мятлев, втайне от всех, влез туда и открыл дверь. В детском саду он был почтальоном. Мама дала ему старый берет. Мама сшила ему сумку из кожи, из своей старой сумки. На детском празднике он был почтальоном. Когда он в детском саду заболел, мама приносила ему рисунки друзей, рисунки еловых шишек, простых человечков. Он помнил барбарисы на стадионе под окнами дома. Были там белые такие шарики, росшие на кустах, их кидали на асфальт и давили — они громко хлопали. На стадионе были скамейки. Одна выше другой, каждая параллельна другой, и так совсем выше, чтобы сидящие сзади видели поле. Он любил ходить по этим скамейкам. Любил рисовать разными мелками на асфальте, но не с другими детьми, а один. Мятлеву поручено было следить за черепахой в детском саду. Он поднял ее тело, положил ей еды, положил ее на травку обратно — она была в спячке. Ему неприятно было от ее холодного тела. Это уже потом он узнал, что она была мертва. Хоронили ее всем детским садом. После этого он стал ненавидеть всех мелких животных, бояться, что, если их в руки возьмет, они тут же умрут. Он был таким нервным, что мама повела его к невропатологу. У него был красный квадратный чемоданчик со всеми его игрушками, с пластмассовыми автомобильчиками и куклой с большой пышной кудрявой прической в окошке этого чемоданчика. Мятлев с мамой переходили трамвайные пути, и чемоданчик прямо на путях раскрылся. Мятлев стал все собирать посреди дороги, с кучей машин, наезжающих на него, как на родео. Мама за него испугалась, но стала ему помогать, и они все собрали, ни одной игрушки на путях не осталось.

Мятлев пошел в восьмой класс. Он был в отглаженной форме, стоял в коридоре, разговаривая с младшеклассниками, и вдруг ощутил, что на него кто-то пристально смотрит: мужчина в джинсах и шерстяном сером свитере. Длинный тонкий ворот, неподстриженность длинноватых волос. В джинсах и шерстяном сером свитере, зеленой куртке, накинутой сверху, с кожаной черной папкой в руке. Стоит, распахнув дверь в свой кабинет, и смотрит. Мятлев долгим взглядом понимающего мальчика — мальчика, заканчивающего восьмилетку в этом году, мальчика, носящего чистые пеналы в уже взрослой сумке и протекшие запекшиеся чернилами дешевые авторучки за тридцать пять, из корпуса которых можно делать трубочки, из которых исподтишка можно стрелять жеваными бумажными шариками, — Мятлев тоже взглянул на него. Прошел год. Взгляд. Год. Между этими словами было немного различий. Мятлев узнал, как его зовут, что он художник, что ему 25. Мятлев смотрел на него, когда встречал в коридорах. Летом же, не имея возможности видеть его, Мятлев горел. Смотрел на себя в зеркало, на страдающие огнем молодые глаза. Представлял, как однажды художник останется у него, а утром пойдет пешком к себе домой по обновленному асфальту. И как Мятлев скажет ему: «Я любил тебя и все еще люблю, все эти семь-десять-пятнадцать-двадцать-пять лет». До лета Леша рисовал картину на стенах их школы. Он рисовал мальчика и девочку за школьной партой, а за спинами школьников были трактора, страда, пахота. У школьников — пустые синеглазые плоские лица. Леша рисовал их по сеточке, срисовывал с картинки, выданной завучем. Мятлев приходил и сидел за его спиной, смотрел, как появляются части: руки, колеса, лицо. Алексей Анатольевич вдруг мягко взял его руку, и Мятлев вдруг будто потерял волю, стал беззвучен, податлив. Алексей Анатольевич держал мятлевскую руку в своей руке, и разглядывал ее, и разглаживал линии жизни, мягкость пальцев, твердость ладони. Мятлев хотел убрать свою руку, но не мог, так как полностью был в Лешиной власти. «Твоя рука будет моделью вот этой клеточки для картины, ты станешь частью настенного школьника». Леша рассматривал, поглаживал руку Мятлева и явно был недоволен ее несильной аккуратностью и тонкостью. Мятлев после лета ему позвонил, звонил ему, звонил и разговаривал с Ириной Федоровной, Лешиной тетей. Леши никогда не было дома. Мятлев позвонил по Лешиному номеру, который втихую узнал, и наугад сказал: «Можно Ирину Федоровну?» И имя Лешиной тети, по совпадению, было Ирина Федоровна. А еще через год Леша вдруг сам неожиданно позвонил (и Мятлев не мог понять, откуда он добыл его телефон?) и сказал, что хочет Мятлева видеть, что они могут встретиться на «стрелке», или он сказал на «плешке», Мятлев не понял. Мятлеву не понравился его голос, ему показалось, что Леша был пьян, и он сказал: «Я вас не знаю», — и повесил трубку. Леша больше никогда не звонил, хотя Мятлев каждый день ждал, и Мятлеву доставляло едкое и горькое удовольствие думать, что он спился.

Он вспоминал, как он проник однажды к Леше в кабинет и подсунул ему под стекло на стол «Портрет неизвестного молодого человека» Караваджо с надеждой, что Леша угадает его чувства, и как он пытался узнать потом, видел Леша это или нет, и проник опять к нему в кабинет в страхе, что найдет портрет в мусорном ведре, и обалдел, когда вдруг увидел перевернутым его вниз головой — рассеянный художник Леша, заинтересовавшись портретом, вытащил его из-под стекла, а кладя обратно, не заметил перемены.

Мятлев покорно сидел за спиной продранного Лешиного, вязанного из дешевых ниток свитера и лохматых кудрявых волос, папа Леши был актер и режиссер в театре на Литейном, а Мятлев был уже и в папиной квартире Леши — ему хотелось проследить утром, первым, как Леша выходит из квартиры, как бежит на автобус у Пяти углов, как спешит, бежит в школу, как слышит школьный звонок, еще на улице будучи, как стряхивает снег с волос, всегда без шапки, вбегает, пытается избежать завуча. Напевшись романсов и напившись чаю, Мятлев решил встретить Лешу уже после того, как благополучно окончил восьмой класс, на улице, на углу перед школой, и постараться, может быть, что-то сказать. Леша бежал от остановки трамвая, высокий, в распахнутой куртке, с запахнутым мрачным, но с синими ясными глазами лицом, полутемными кудрями, в ватной распахнутой куртке, с неясным мрачным лицом навстречу ему. «Привет», — сказал Мятлев. «Привет», — сказал Леша в своем потертом художническом ватнике и не остановился. Мятлев потерял половину зрения. Все ему вдруг показалось кружащимся, мутным, нечетким, и он пошел домой рвать в туалет. Леша как-то сказал ему, отрываясь от своей бездарной для его Мухинского образования настенной картины, сказал сквозь свои спутанные волосы, спадающие на лицо точь-в-точь как у Башлачева: «А ты еще совсем ребенок». Сколько ни искал потом Мятлев, ни на выставках, ни в Мухе, ни в театре на Литейном, нигде упоминания о Леше найти он не мог, и друг Леши, Семен Любаскин, уехал в Америку, и Царовцев тоже, все Лешины друзья, о которых он ему говорил, а Леши не было ни в «Эльфе» на Стремянной, ни в кафе на Энергетиков, где он жил — пропал Леша, как жил, так и пропал, и знал Мятлев, что никого и никогда он не полюбит больше так страстно, так взросло, так сильно, так отчаянно и открыто и свято.

16

Фрак был рад, что в Сан-Франциско он утратил всех своих прежних ленинградских друзей (никому не писал и не слал фотографий), ибо они были очевидцами его жизни, а он хотел каждый раз начинать все сначала. Он хотел скинуть с себя власяницу прежних обетов, не ушедшую еще любовь свою к Бетси, бездомные дни, он хотел пропустить все аккорды и снова быть с Мятлевым.

Для поездки на Гавайи нужна была камера, и Фрак пошел на кредитку ее покупать. Он выбирал ее долго, рассматривал тубус, красные, зеленые кнопки, у камеры было управление на расстоянии. Фрак стоял в магазине и смотрел на нее, представил себя в английском магазине «Вульворфе» вместе с Альфи, они рассматривали дешевые камеры, они хорошо были сделаны, а стоили дешево, для простых хороших рабочих, мастеровых, для запечатленья маевки, для профсоюзных собраний, Фрак представил, как они с Альфи покупают помидорные толстые дешевые бутерброды в «Вульворфе», это их с Альфи сближало, совместная экономия. У камеры было дистанционное управление. Можно было поставить камеру на какой-нибудь выступ, задать ей время, сфокусировать ее на самом себе и пойти отдохнуть, погулять, а камера будет стоять, храня в своей памяти человека, и в заданный момент щелкнет, и схватит, снимет пустое, бывшее когда-то человеком пространство.

Фраковским импульсивным свойством было постоянное фотографирование. Он должен был заснять для чего-то каждый момент своей жизни, каждую одежду, как будто, если не будет этих кусочков бумаги, не будет никаких следов его, фраковского существования. Его мозг все время пытался делать несколько вещей в один и тот же момент, и, взлетев, все стопорилось. У него вообще было много проблем с импульсивностью. Ему всегда нужно было знать, в каком углу комнаты находится просроченная библиотечная книжка, или грязный платок, или его паспорт, подушка, семейное столовое серебро. Все эти вещи в его мозгу формировали странную сеть, каждый узел которой он должен был знать наизусть. Если что-то забывалось, ему приходилось часами искать. Во время этих поисков он неожиданно мог вспомнить, что еще одна вещь покинула его, тихо упала за плиту или письменный стол, и теперь он должен был помнить, что он уже ищет две вещи, две, а не одну, запомнить: платок, старая записная книжка, две, не одна. Недавно он написал пожилой французской деве, К. Е., спрашивая о Мятлеве... Он не очень верил мятлевским письмам — письмам в разных конвертах, голубых, белых, зеленых; К. Е. написала в ответ, что его письма «очень мужественные» и что где-то в тысячах километров от Сан-Франциско есть Долина Смерти — не слышал ли он? Он об этой долине не знал, а о Мятлеве она писала то же, что и сам Мятлев, — наверно, они сговорились. Фрак все равно знал, что Мятлев скоро приедет: он, Фрак, выиграл недавно Гавайи.

Life repeated itself — ведь жизнь повторялась. Такой был закон: одна и та же ситуация могла повториться три раза, и во вторую ты плавно входил с той ступени, где остановился на первой. Давался шанс: проиграв, выиграть следующий set. Ведь в игре страдают игроки — не фигуры. Незадолго до того, как он встретился с Мятлевым, он выиграл поездку в Англию, Лондон. Помнил запах светло-зеленого мыла в отеле, русские издания на Chering Cross, о которой он знал раньше только из книг Честертона — ... он читал прямо там, в магазине, Цветаеву, узнал, что Шенберг был дружен с Кандинским — а он тогда пытался узнать побольше о синкретизме в искусстве: «Желтый Звук», «Красный Смех», «Прометей». Его известили о выигранных пяти тысячах долларов — у него был Мятлев — любовь — он попал и в «линию» — деньги, Гавайи... Его внутренняя жизнь теперь охватывала Лондон, Нью-Йорк, остров Мауйи, Петербург, Сан-Франциско, крепкий чай, сигареты и кофе, и что-то опять сдвинулось, поплыло, зазвучало... и кофе, разбавляемый содой. «Содовой!» — сказал Кассий Кольхаун. Надо готовиться к встрече. На улице, собирая окурки, он подружился с программистом, Майклом Людвигом, двадцати восьми лет, родившимся в городке Санта-Барбара. Попросил Майкла его подвезти. «Не могу», — сказал Майкл. «Почему?» — спросил Фрак. «У меня все сиденье автобуса, — сказал Майкл, — забито расписаниями». «Какими расписаниями?» — спросил Фрак. «Расписаниями поездов, автобусов, междугородних автобусов...», — сказал Майкл. «И троллейбусов тоже?» — спросил Фрак. «Троллейбусных нет», — сказал Майкл. «Но, если хочешь, я могу тебе дать посмотреть расписанье автобусов на дом. Если ты опять придешь завтра на этот пляж». «Хорошо», — сказал Фрак. Майкл протянул ему полиэтиленовый пакет с расписаниями автобусов, педантично разложенными по маршрутам. Бесплатный сервис во время Дня благодарения и Рождество. Как ездить в автобусе. Выгляни в окно. Увидь остановку. Ее номера указывают на то, автобус какого маршрута останавливается на ней. Найди свой маршрут в этой книге. Карта показывает маршрут, по которому автобус твой едет. Страницы автобусного расписания для главных остановок автобуса помогают тебе определить, когда автобус прибудет на твою остановку. Попроси водителя остановиться на остановке, ближней к цели твоего маршрута. За полквартала дерни за шнур, и водитель услышит звонок. Позвони по такому-то телефону, если ты не знаешь, как доехать куда-либо на автобусе. Наш работник поможет вам. Не распространяй религиозную или политическую литературу в автобусах. Не думай о Бетси (в какой стране, руководимой Розой ветров, на какой карте сейчас? — увезла с собой его любимую книгу, которой он ей не дарил). Ему не хватало на нее денег, а стоила она 25 рублей, было это, кажется, в 1991 году, и он попросил подождать, и помчался домой с Финляндского вокзала... Более надежное, прочное было связано с Мятлевым: безопасность, покой. Тихое спокойное счастье, вечная пристань. Он купил кожаный шлем, брюки, костюм, двенадцать новых накрахмаленных белых рубашек. Все решится достаточно быстро. Это он так загадал — когда придет еще одно гарантийное письмо, подтверждающее прочность, вечность, незыблемость мятлевских чувств — и он тогда купит билет, А. Ю. оформит рабочую визу, и Мятлев приедет — Фрак не уверен еще был, как это оформить, — но знал: это будет. А потом, может, они поедут в Данию, Швецию, и, если Мятлев захочет, даже официально оформят союз — ведь у них уже есть опыт и как жить вместе, и как хозяйство вместе вести.

17

Декабрь 11, 1994. 6 утра, скоростное шоссе сто один, Голден Гэйт Бридж. С этого моста как-то сбросился Г., до этого убивший своего любовника Ж.: душили друг друга, потом — в гараже — газы, устав, он его убил молотком, сам же поехал на Бридж, любовался проходящими волнами, на столе осталось письмо — взаимное самоубийство, на основании письма записал офицер. Заехали в Леггет, разговаривали о пролетающих мимо птицах, о их полете, о их танцах любви: три часа в Леггете.

Декабрь 13, 1994. 6 утра, потеря перчаток. Новые, 09.25 — Орегон, штат с населением в 7 000 642 человека. Нью-Порт, ночевка.

Декабрь 14, 1994. выехав в 6, в 9 утра оказались в Астории, в 12.20 проехали Келсо, штат Вашингтон, в 03.50 были в Йоакиме.

Декабрь 15, 1994. Вывели мотоцикл из-под навеса только к 11 (поцелуй, целовались); в 12.53 приехали на Мыльное озеро, где сняли отель. М. отсыпался, пока я разгадывал спортивный кроссворд.

Декабрь 16, 1994. Проехали Вильбур и Келлер, заночевали в Колумбийских садах.

Декабрь 17, 1994. Выехали в 7 утра и ехали до часу дня; продвигаясь по дорогам 3В и PV3.

Декабрь 18, 1994. Приехали в Медицинскую Шляпу в 12.30 дня, там же, в Шляпе, и заночевали. Всюду тут продаются, в соответствии с названием, шляпы — хорошо, что мы уже купили перчатки.

Декабрь 19, 1994. Выехали в 9 утра; проехали Харгрейв (Hargrave, MB).

Декабрь 20. Ехали с 8 утра до 6 вечера, по дорогам TRANS-CANADA 1, TRANS-CANADA 17.

Декабрь 21, 1994. Выехали в 5 утра; ехали по дорогам TRANS CAN 11-17, TRANS-CANADA 11.

Декабрь 22, 1994. TRANS-CANADA 11, TRANS-CAN 11-17.

Декабрь 23, 1994. В Брэнтфорде, Онтарио, заехали в дом Александра Грахама Белла, из которого Белл совершил первый свой дальнобойный телефонный звонок. Он жил там с 1870-го по 1881 год, в этом же доме его осенила идея телефона, многие изобретения его — здесь, под стеклом.

Декабрь 24, 1994. Остановились в Йангстаун, уже в штате Нью-Йорк. Посетили форт Ниагару: построен примерно в 1720 году, считается самым старинным зданием во всей Америке. Этот регион богат яблоками, симментальскими коровами и анемонами. Если бы мы приехали летом, мы увидели бы настоящую подготовку старинных поваров и казарменную муштру — все, как в то давне-славное время. Проезжали Ниагарские водопады и остановились посмотреть. 11.58 утра.

Декабрь 25, 1994. Выехали в 7. Остановились в Батавии, построенной в 1815-м. 08.56 утра. Провели в Батавии 5 часов. Музей первых поселений, увидели виселицы, последний раз употребленные в 1881 году. Около 3 были в Северном Чили, где находится музей кукол викторианской эпохи. 2000 античных кукол времен Гражданской войны вплоть до наших дней. Кукольные виселицы, кукольные домики, кукольные дымоходы, кукольные костыли и качели.

Декабрь 26, 1994. Заночевали в Обурне, рядом с домом Харриет Тубман. Она переводила рабов по подземной железной дороге. Она только так называлась, подземная железная дорога, а на самом деле это были дома, сеть которых протянулась через все штаты, в которых принимали работоспособных молодых негров. Эта Тубман была и поварихой, и медсестрой в Объединенной армии, и скаутом, и шпионом.

Декабрь 27, 1997. Выехали в 8, в 08.49 были в Саванне, остановились на два часа в Освего. Осмотрели форт Онтарио.

Декабрь 28, 1994. Проехали Вестпорт, остановились на два часа в Краун-Порт. Проехали Гренвиль.

Декабрь 29. Новый Лебанон. Райнбек. Заночевали в Райнбеке. В Райнбеке — старый аэродром. Самолеты с 1908-го по 1937 год. Открытые самолеты, бипланы, самолеты Первой мировой войны, воздушное шоу.

Декабрь 30, 1994. Два часа в дороге. В 11 приехали в Хауторн. Проехали Бронксовский Парк в 11 часов 20 минут, наконец добрались до Хантингтон Стейшн. Остановились на ночь. Я видел ночью Уолта Уитмена в охотничьей шляпе во сне. Его отец плотничал. Семья из девяти детей, Уитмен родился вторым, «поэт был особенно близок со своей мамой». Носил фрак и высокотульную шляпу, трость, бутоньерка на отвороте пальто. Ходил на выставки, в музей Египта, разглядывал привязанные, как собаки, корабли на большом причале в порту. Он садился рядом с красивым, туристски-охотничьим парнем в непромокаемом плаще, омнибусным драйвером, разговаривал с ним, цитировал свои стихи, когда они ехали вниз по Бродвею, брал билет на Бруклинский паром, ездил на нем туда и обратно, любуясь крепкими, грубыми перевозчиками.

...Толпы мужчин и женщин, разодетых в простые костюмы, как любопытны вы мне.

На паромах сотни и сотни пересекающих реку, едущих обратно домой,

вы пробуждаете мое любопытство больше, чем вы себе думаете,

и те, кто переплавляется с берега на берег годами, сейчас и тогда, вы значите более для меня

и даже больше, чем в жизни, в моих размышленьях, больше, чем вам кажется...

Я был одно с остальными, дни и счастье остальных,

я был зван моим самым интимным именем чистыми громкими голосами мужчин, когда они видели меня приближающимся или проходящим мимо,

ощущал их руки на моей шее, когда я стоял,

или отрешенное соприкасанье их плоти с моею, когда я сидел,

я видел многих, кого я любил, на улице,

на пароме, в общественном собранье,

однако, не сказал им ни слова.[1]

Leaves of Grass вышли из печати в 1855 году, и, как написал один критик, сотрясли мир чая

---

[1]Вольное переложение Уолта Уитмена Crossing Brooklyn Ferry. (*Здесь и далее использованы материалы из записных книжек Уитмена и статьи о нем.*)

и тенниса (tea & tennis). Уитмен, с 1858 по 1859, был влюблен в М, обозначив его лишь как «М» в записной книжке. Когда М и Уитмен расстались, так как М умудрился жениться, Уитмен был близок. Понятно, к чему может быть близок мужчина, когда его бросает мужчина. Уитмен был близок к концу. Воспрял. Выжил. В 1890 году, когда один из литературных людей спросил Уитмена, не включает ли «камарадерство и брудершафтство», так вознесенные им, некоего гомосексуального налета, так сказать, едкой желтой пыльцы, оставленной внедряющимся насекомым на сочной чашечке здорового цветка, растревоженный до расстройства желудка Уитмен ответил, что уже как шесть лет заботится о своих шести незаконнорожденных детях. Исследователи, пытающиеся найти этих отпрысков, в своих поисках не преуспели. Пионер голубого движения Эдвард Плотник посетил Уитмена в 1877 году в Кемдене и позже оповестил мир чая и тенниса, что с ним переспал. Плотник продемонстрировал, каким образом они переспали с Уолтом, охотнику Гавину Артуру, который, в свою очередь, передал приятный инцидент в натуре лона и члена поэту Аллену Гинзбергу, который описал сексуальное происшествие под названием Gay Sucksession в журнале. (Фрак спросил поэта Могутина, друга Аллена Гинзберга, о том, каков Гинзберг был. Могутин ответил: «Да в общем он очень неровно писал. А так — просто грязный старик. В гробу я его видел — в смысле я был на его похоронах».) Таким образом, любимый цветок страсти Уитмена, отображенный в мифе о Каламусе и его утонувшем любовнике Карпусе, был в некотором символическом роде передан через поколения от одного поэта к другому.

Записные книжки Уитмена пестрили описаниями молодых людей, встретившихся на его похотливом пути: Петр — ширококостный крупный водитель... Освежающая злость его яростной страсти... Джордж Фитч — безработный барабанщик, янки, водитель... Суббота вечером, Михаэль Эллис, каждый день недели моей носит имя одного из этих мальчишек — я подцепил его на углу улиц Лексингтона и 32-й — мы с ним пошли в дом 150 на 37-й, дом из четырех этажей, я с трудом находил в себе силы сдержаться и не взять его прямо на лестнице, сунул деньги хозяйке — было холодно, надо было где-то укрыться... Он закричал, ему было больно, дрожащие губы: «Сэр, я никогда до этого... сэр, из-за войны я даже с женщиной не был...» В-ам Кальвер — мальчик из бани, еще не исполнилось и семнадцати лет. Дал ему денег. Он ударил меня. Дан-ль Спенсер — женственный. Этот поворот головы, обнаженность шерстистых мохеровых ног, крепкая грудь. 3 сентября переспали. 4 сентября переспали опять. Кончил в лицо. Теодор МакКар — пришел ко мне домой ночью. Джеймс Слоан (сентябрь 1862-го), 23 года от роду, американец, очень домашний, рассказывал мне о своей бабушке, маме, «Уолт, никто не был со мной так нежен, как ты». Джон МакКелли, октябрь седьмое, вдрабадан пьяный, шел вверх по Фултону, я его остановил, попросил показать. «Сэр, вы делаете неприличные жесты. Сэр, вы не за того меня принимаете. О, да, о, мне так хорошо. Да. Да. Да». Дэвид Вилсон — окт. 11, 62 — возвращался со стороны Мидды, пошел ко мне переспать. Гораций Острандер, около 28 лет, — 22 окт., 62 — переспал с ним 4 декабря 62-го года. Окт. 1863, Джерри Тэйлор (Нью-Джерси), из второго запасного городского полка, прошлой ночью, мягкая погода, достаточно теплая, изумительно и легко, после того как с ним его целовал, как вводил. Больше терпенья. Много солдат в медсанбатах. Гражданская война началась, 1861. Стал медбратом. Ходил по палатам, раздавал апельсины, tobacco, бинтовал раны, писал письма семьям погибших и семьям уставших от войн. Влюблялся. Эти военные неокрепшие, жаждущие нежной любви деревенские дурни... В 1866-м встретил Питера Дойля. Питер Дойль: 19 лет, ирландский безграмотный мальчик, кондуктор автобуса, во время войны сражавшийся на стороне конфедератов. Мы сидели в автобусе. Было холодно. Я кутался в одеяло, которое всегда ношу с собой, как бездомный. Подошел молодой кондуктор и сел рядом со мной. Я подумал, что он служил, сражался в окопах. Темно. Горела звезда. Положил руку ему на колено. Он понял. Нам было хорошо. Моя рука на его теплом колене. Он спустился со ступенек омнибуса, попрощался с шофером и остался со мной на пустой улице, в теплом доме моем, под моим теплым путешествующим одеялом, на всю ночь и на последующие годы ночей.

Дойль: ни одна женщина его не любила. Уолт знал, конечно, миссис Коннор и миссис Барроуз, хозяйку свою и уборщицу, был очень чист, Уолт ненавидел все, что было нечисто. Он ждал меня, ездил со мной на автобусе в мой последний за день рейс, и мы шли домой вместе. Уитмен: ни одна женщина меня не любила. Миссис Коннор и миссис Барроуз, разумеется, вообще меня терпеть не могли, хотя я платил им немало. Я ждал Питера, ездил с ним на автобусе, принося одеяло, кладя руку ему на колено, и мы шли вместе домой. Приносил Питу цветы. Питер был безграмотным, и я учил его орфографии и географии (обеим — с помощью глобуса). В записной книжке Уолта Питер упоминался как 164. Это был код: 16 — шестнадцатая буква алфавита, П, а четвертая — Д. Питер Дойль, ПД, 164. Декабрь 31, 1994. Последний день года. Экспресспуть, туннель, 34-я улица, Парковая улица, Центральная парковая улица, по аллеям и паркам, по парковой улице и наконец — мы в центре Нью-Йорка. Каждые три часа они сменяли друг друга, он чувствовал мятлевскую теплую спину, когда сидел позади. Было мокрое от снега лицо.

Вечер того же дня: я целый день слушал сегодня музыку — ритмы Бизе и Милхауда, лежа в холодной постели, представляя ритмичные ритмы, розы, испанских быков. Розы в рогах испанских быков. Не хочется есть. Апатичен. Смотрю в потолок. На экране телевизора Дед Мороз в красном колпаке пляшет на острых коньках, по льду скользит лезвием бритвы. Мятлев скоро получит дневник. Почтальон не пришел. Никто мне не пишет, только страховые компании предлагают страхование жизни.

18

У Мятлева была двухкомнатная квартира на Парке Победы, большой небоскреб. Проводя ночи вместе, они все еще не верили, что так близко знают друг друга: Мятлеву всегда нужно было подтверждение, что он желанен, любим. Они не любили звонков, на начальных этапах своего знакомства и дружбы не писали друг другу записок, трубку телефона не снимали совсем, а молчаливым билетом того, что по-прежнему хотят быть вместе, были их поездки в метро.

Когда Фрак еще жил на своем Металлистов, Мятлев так же, как раньше, заходил на Гостином Дворе, и они, будто еще не зная друг друга, будто еще не коснувшись потайных складок и запахов тела, ехали вместе, как прежде, в вагоне метро. На Василеостровской Мятлев выходил и ехал обратно в контору. Однажды, когда в каникулы Фрак не работал, они не виделись целых три дня, и тогда Мятлев в первый день нового семестра вдруг появился у Фрака в институте. Фрак шел в 19-й кабинет, большую комнату с кафельной доисторической печкой, и, уже готовясь взяться за ручку двери, вдруг увидел в нескольких метрах от себя Мятлева, стоящего у подоконника, будто его не замечающего, будто случайно тут оказавшегося, аккуратно и быстро стряхивающего пепел в жестяную кофейную банку с задумчиво вытянутой вперед сигареты. Мятлев курил дорогой «Ройял» в длинной темно-голубой пачке с золотой рифленкой гербов, и вот этот подоконник, и Мятлев, как-то измученно и счастливо непонятно стоящий, и малонаселенный студентами латыни девятнадцатый кабинет, и настенная газета со студенческими хохмами, и уроки латыни — все сложилось в ощущение нового счастья. А уже живя вместе, они по-прежнему любили так ездить, садясь в поезд на Парке Победы, проходя сначала сквозь одни, а потом другие, уже настоящие, поезда, двери... Дома они уже перешли эту ступень, здесь же, поездками своими в метро, они как бы добавляли то, что еще не было ими пережито: Фрак ехал в метро с Мятлевым и пытался представить себе, кто он такой, думал о Мятлеве так, будто он не знает, что это Мятлев, будто они еще не встретились объятием слов. В Сан-Франциско Фрак узнал, что мужчины Амстердама в девятнадцатом веке для разговоров, для выраженья желаний изобрели специальные жесты, прохаживались по улицам, выставив локоток — «пойдем вместе со мною», либо задевали друг друга плечом невзначай, или носили шейные платки красного цвета... Арнольд же объяснил ему, что в Америке они запихивают в задний карман джинсов платки: желтые, черные, розовые, означающие то, что они хотят в данный момент, поцелуй ли, любовь ли или неоцвеченный этими понятиями секс — так и с Мятлевым, больше всего им нравилось общенье без слов. Мятлев Фраку говорил, что он представляет свою жизнь в виде черно-белого фильма без звука, где он молча проходит, на широкоформатном экране видно только лицо. Мятлев как-то сказал Фраку, что, когда Фрак находился поблизости, Мятлев всегда это знал, чувствовал будто какие-то сгустки во Вселенной, чувствовал присутствие Фракового духа, чувствовал, будто огромные пепельные фиолетовые тени, как клубок шерсти, сгущались, подавая без платка и локотка знак: Фрак — рядом.

Фрак думал, что Мятлев, наверно, имеет свои представления о семье, об уюте, в Америке для всех этих вещей были готовы звучные книжки. «Как защитить себя от бонвивана, донжуана, барана»; «Как накопить денег на старость», «Как найти мужчину, вырастить дерево, выстроить жизнь». Фрак взял в библиотеке эту книжку про дерево. В первой главе обсуждалось, где можно встретить мужчину вашей мечты: не недооценивайте материнской любви. Ваша мама может работать в инженерном отделе с хорошеньким мальчиком: он приносит на работу аккуратные завтраки из яблок и свежей морковки. Все завернуто чисто в пакет. Чтобы помочь сыну вырастить достойное дерево, она устроит для вас двоих культпоход на балет. Во второй главе автор советовал, встретив потенциального мужа, определить его статус: не тысячу душ крепостных Петровн и Петрушек, а статус ослабленного одиноким бегом по загазованным дорожкам здоровья: наличие в крови вируса ВИЧ. При первой встрече не ложитесь в постель. Счастливый автор писал: «Если наши отношения с Мареком могли бы развиться в особенно-приятное-долгое-милое, вплоть до заведения мохнатых общих поводырей, когда мы вдвоем, уступчивая, услужливая, укромная семейная пара, вместе состарившись, ослепнем и заведем себе маршрутных собак, то я хотел бы предложить Мареку что-то диковинное, совершенно особое, чего он в нетерпении бы ждал до. Единственная вещь, которую я мог ему предложить, за исключением моего собрания кулинарных арий и поваренной оперной книги — это свою чистоту. Марек оценил то, что чувствовал я, и не стал настаивать на скороспелости секса».

Пытаясь познакомиться с незнакомцем, чтобы избежать нападения сзади, врасплох, встречайтесь на маевках, на профсоюзных собраньях, на памятных встречах бывших рецидивистов с будущими жертвами насилий, на собраниях любителей Билли и Барби. Выпейте кофе, пойдите в кино, прогуляйтесь по улице, самодельно декорированной бумажными фонарями. Узнайте вашего друга перед тем, как въехать в его дом и пользоваться его конфоркой. Узнайте, где близлежащий (дешевый) овощной склад: вы пойдете туда за морковкой и аккуратно запакуете ее для его завтрака. Он будет работать, а вы будете дома, счастливо его ожидая, готовить обед, протирать штаны, медь и хрусталь. Представьте возлюбленного вашим родителям. Разумеется, сначала дайте им знать, что вы предпочитаете партнеров такого же пола, как вы — никаких совершенно различий. Родителей может шокировать ваша кровать. Они могут подумать, что у вас нет денег на вторую, или будут представлять на протяжении всей торжественной встречи ристалища вашей воинственной страсти. Захлопните дверь в вашу спальню.

Третья глава называлась «Отцовство». Два счастливых отца, по договоренности с оговоренной матерью, присутствовали при рождении первенца, причем мать настояла на этом сама: «Ваш ребенок, вы и должны видеть его первый миг на земле». Один из мужчин перерезал пуповину, и на свет вышла маленькая Женевьева-дочурка, которая, будучи уже пяти лет от вершка до горшка, называет одного папу — папа Питер, а другого папу — дэдди Дэннис и играет с ними в снежки. Следующая глава была посвящена эмоциональным отношениям. «Обнимайте вашего любимого чаще, обнимайте его, когда он появляется на пороге, когда он переминается у порога и от него пахнет чужим вином, не обнимайте его, когда он пахнет вашим вином, но обретается на пороге чужом, не обнимайте его через порог — это плохая примета, обнимайтесь в аэропорту, на аэровокзале, в самолете и поезде. Обнимите его, когда он готовит окрошку, моет посуду или просто стоит у окна. Кроме объятий, существуют еще поцелуи. Поцелуйте его на пороге, поцелуйте его за порогом, подержите его за отзывчивую вместительную руку. После этого вернитесь опять к нашему пособию, так как мы приближаемся к последней главе. Похороны. «А с этого надо б начать, — сказал себе Фрак, — мы ведь с Мятлевым первый раз встретились в «Похоронной конторе».

По словам монахини Патрисии Мюрфи из госпиталя святого Винсента, потеря любимого очень часто трагична, разрушающа, безнадежна и может также угрожать жизни оставшегося в живых несчастного мужа. Существует высокая мортальность и морбидность, что значит высокая смертность и потрясение всей психики супруга, когда он теряет супругу. Особенно увеличивается горе, если супруг теряет супруга, с которым они прожили множество лет. И Патрисия Мюрфи заключает: люди умирают не только из-за сердечной недостаточности, они умирают от разбитых сердец.

19

Когда Мятлев после отъезда Фрака вовлекся в работу «Похоронной конторы», он перестал что-либо ощущать; жизнь его тела, как и жизнь его странной души, перестала быть ему близка. Он стал жить механически, механически бросил курить, механически улыбался женщинам, механически перестал подкрашивать седину, механически перестал отвечать на призывы мужчин. Его заполонил холод, и, хотя он по-прежнему жил в Ленинграде, он больше не хотел слышать названия станций и не хотел больше читать о ленинградском описании улиц, сами эти слова «Гостиный Двор», «Борей», «Литейный» его раздражали, он проводил больше времени перед зеркалом, перед телевизором, предпочитая отражения, а не настоящий светящийся мир.

Он помнил себя мальчиком, который всегда молчал, который был всегда застенчив до рыданий и судорог, до нервной болезни, и тот мальчик был полной противоположностью его нынешнему замкнуто-прохладному врагу, самому себе взрослому. Его письма к Фраку были мерой вынужденной, выморочной, так как не мог он выворачивать себя наизнанку, переступать свою обычную молчаливость и сдержанность. Даже дома, когда они жили с Фраком, он говорил мало, рассказывал «истории», но не мог говорить о своих чувствах. Когда же он всю свою любовь вымученно выложил на листы опечатанной разноцветными конвертами бумаги, находящимися в странном противоречии с его черно-белым молчанием, он почувствовал, что переступил через самого себя. Что его крик ворвался в пустоту подсчетом страданий. Мятлев знал, что Фраку казалось странно-надрывным то, что Мятлев иногда переходил какие-то границы, только Мятлеву самому, вероятно, известные, и вдруг разражался сентиментальной подотчетностью дней: «31 августа, в 12.03 дня, четыре секунды, стоял жаркий, превращающий Ленинград в колониальную Африку день. В сторону Васильевского острова летела стая птиц (никто не провожал их глазами), а группка студенток шла в «Пирожковую», и ты вышел, в своей голубой милицейской рубашке, придерживая сумку, повешенную через плечо, сзади на спине левой рукой, такой как бы непринужденной походкой, и увидел меня, стоявшего напротив, на уходящих вниз ступеньках другой кафетерии, с уходящим вниз сердцем, разбухшим от любви и жары, но поскольку ты стеснялся наших отношений перед Духарским и Лажевниковым, шедшими сейчас рядом с тобой, ты слегка приподнял свои брови, быстро кинув взгляд на меня и прошел в «Пирожковую» есть жирные пирожки, которые стоили тогда тридцать копеек, зная, что, как бы долго ты с ними ни говорил о лепете отпрысков семейных проблем и семантических лингвистических лептах, я буду ждать тебя и где-то часа через два (я ставлю на ноль свой хронометр) мы вместе поедем домой».

Мятлев упомянул даже в одном из своих писем причину, по которой он определил, что Фрак не женат: карман фраковской серой куртки зашит был косо, неровно (фраковской, разумеется, рукой) белыми нитками.

Фрак болезненно морщился, когда на Мятлева находила такая детальность, ибо у самого Фрака была поразительная способность, с этих белых ниток начав, вдруг увидеть сразу весь их с Мятлевым год, так сказать, весь клубок и как бы прожить это снова. Что было еще хуже — это то, что, узнав, как чувствовал другой человек, Фрак вдруг начинал лелеять желанье понять, вспомнить, так ли все это было, и он восстанавливал происшедшее, но не своей стороны, а со стороны Мятлева. Он видел себя, переходившего трамвайную линию, он видел устремившихся на Васильевский остров неопознанных птиц, он дополнял то, что видел Мятлев, тем, что помнил о себе он, и таким образом получал, так сказать, двухмерный свой образ.

20

Таким образом, Фрак сидел на чемоданах и ждал. Позвонил на досуге в гавайскую фирму, и там ему сказали, что он ошибся, неправильно перевел — Гавайев не будет. Но Фрак не был нимало этим расстроен, Гавайи для него значили мало. Он сидел на чемоданах и ждал. Он думал, думал все больше и больше о Мятлеве. И все чаще казалось, что он что-то пропустил, что-то потерял в своей жизни, уехав. И чем больше проходило времени — тем больше ему казалось, что он действительно, по-настоящему, истинно любит Мятлева. Фрак перечитывал мятлевские строки: «Уходило все плохое, исчезали из памяти все неприятные для обоих слова, сказанные за последнее время встреч, — я возвращался к началу. Я возвращался к красному троллейбусу номер три, я возвращался в то время, в ту сказку, в то ленинградское метро, которого в действительности не было, ибо поезда в России не ходят столь часто, и невозможно в пятимиллионной толпе кого-то увидеть, узнать, — я возвращался в то метро, которое, как и расписание своих поездов, мы с тобой придумали сами». Фрак думал о том, что хорошо бы кто-то написал бы книгу о Ленинграде, чтобы, читая о мостах, о булыжниках, шпилях, книжных прилавках, можно было бы представить все как есть. Иногда ему даже казалось, что он возвращается в детство. Там была правда, там была истина, там были истоки его, истинный он, ибо именно с Мятлевым, — и никогда, и ни с кем другим, он был самим собой, и ему было с Мятлевым и хорошо, и спокойно. Фрак понял, он понял наконец, что судьба — одна и она в человеке. Второй раз ему показалось, что это серьезно — второй раз, когда встретил Бетси, — но столько сил... Судьба — это был человек. Загадка. Пазл.

Он понял, что не может быть двух точек, дающих такой благодатный заряд (на всю жизнь). Нельзя идти все время от одной точки к другой, по намеченному уже выверенному и выеденному из пальца маршруту — то, что было тогда так с Мятлевым хорошо, давал человек. Человек Мятлев и человек Фрак, и в их взаимодействии рождалась Вселенная. Ибо направление, ибо жизнь задавал человек, один человек в одну жизнь. Да и сил бы у него не хватило начинать все сначала (с кем, с Бетси?). Он понял, понял, наконец, что

Мятлев — самое главное в его жизни, «человек», дорога, сотворчество, а не «дорога судьбы». Главное — любовь, а не тайные знания. Вот — загадка жизни, отнявшая у него «события» и «внутренние линии» и подарившая ему человека. Он думал теперь о Мятлеве каждый день, неустанно, начиная с утра — когда ехал в 38-м вверх по Geary, и болела голова — давление, вероятно, — по подделанной карточке, детали на которой, впрочем, каждый месяц менялись, — цвет, расположение букв, стоимость иногда... — любил рисовать и не было денег. Куда он стремился? Казалось, ехал куда-то на машине и встал на обочине отдохнуть. На остановках автобуса висел рекламный плакат: мистер Дженкинс. Он хотел мягкого, уступчивого, размягчающего Тангуэрэя и пил всегда один за себя, стоя, зазывно подымая бутыль. Ему, наверно, было скучно и холодно по ночам, вот и придумывал для себя разные тексты — что-то опять про бильярд, про коктейль, про Лулу, про судьбу, а дринки — приманка для миссис... В Сан-Франциско был вечер, в Санкт-Петербурге — раннее утро, и Фрак представлял себе, старался вообразить себе это в деталях, как Мятлев выходил из коммунальной квартиры, что в Московском районе, заходил в лифт, проезжал вниз одиннадцать этажей и заходил в метро на «Парке Победы», и если все было правильно, он цели все равно достигал. Мятлев садился на «Парке Победы» в последний вагон и выходил на следующей станции, «Электросила» — 1 минута 40 секунд проходил вперед по платформе и садился в соседний вагон, — выходил на «Московских Воротах» — 1 минута 45 секунд и опять садился в соседний вагон, постепенно продвигаясь вперед, ускоряя скорость своими шагами — «Московская» — «Фрунзенская» — 1.40; «Технологическая» — 1.30; «Сенная» — 1.50 — и в конце концов он был у первой двери второго вагона — «Невский проспект» — 1.25 переход на «Гостиный», удобная — ближайшая к эскалатору — лестнице — дверь... «Гостиный Двор» — «Василеостровская» — 3.50.

А на самом деле все было не так.

МАРШРУТ НАЧИНАЛСЯ НА «ФИНЛЯНДСКОМ ВОКЗАЛЕ».

На платформе Мятлев как бы невзначай появлялся, садился в серединный вагон и ехал до «Площади В.». Переходил на «Маяковскую» и садился в первый вагон, в первую дверь. Ему было неудобно ехать с «Финляндского вокзала», так как он жил по-прежнему на «Парке Победы» — он возмещал движением исчезновение Фрака. Он повторял их совместные прежние действия и тем утешался. Он привык к этой игре, он брал энергию из нее, и из прошлых теней — скучал по Д. Р., — нужно было внимание, участие в чем-то, участие в нем, — а расставшись с Фраком, он уже не мог быть один, — и готов был отдать все, — лишь бы не быть одному. Мятлев тоже пришел к той же самой идее. Он легко угадывал человека: жесты, позы, мимика — слишком много ему говорили. Он научился анализировать порядок слов в речи, легкое ударение слов, блеск глаз, движения рук, раздражение, радость, усталость, скорость, ритм, время, которое уходило на сотворение фразы (по промежуткам он мог просчитать, что сказано не было), — он стал владеть этой техникой в совершенстве: предвосхитить, предсказать, угадать. Ему раньше казалось, что он ошибается, что он видит то тайное, чего и обладатель не имеет, не знает — то тайное, чем он, Мятлев, исподвоха, поодаль, наобум, наделяет этого человека, и он удивлялся, как сентиментальный, не верящий в свои чудеса испытатель, когда это тайное почти всегда становилось явным, и, значит, он не ошибался. Его очень волновало то, что он мог проследить воплощение своих мыслей, своих догадок, тайной внутренней игры — в реальность, следить за развитием чувств внутри, находясь совершенно снаружи, в теле чужом и другом. Он мог извлечь из человека все. Он давал импульс на проявление, пробуждал то тайное, что тщательно скрывалось и что часто считалось постыдным. Он мог угадать то чувство, то желание, которого у человека еще не было, и спустя день, два, оно появлялось. Все эти два года он посылал Фраку письма в разных конвертах — голубых, белых, зеленых, — а лучше violett не найдешь — говорил Артем Юрьич, повторяя за Кандинским ganz violett — красных, коричневых, кремово-желтых — он сам знал — там были разные чувства, мысли, стремленья. Фрак ему не отвечал ни на одно. Но Мятлев верил, твердо, прочно верил в их связь. И по тому, какое письмо ему хотелось писать, он знал, чего Фраку от него хотелось. И вдруг, после сотого, двухсотого, письма Мятлев понял, что наступил перелом: воссоединение — долгий разрыв — и вот опять наметилась встреча. Мятлева давно мучила одна мысль: он хотел узнать Фрака. Он его узнал. Он знал о нем все. Он даже знал содержание писем, которые Фрак исправно, каждые два-три дня получал. 100 или 200? Все в разных конвертах. И казалось, достигнута цель: Фрак был свой и знакомый. Фрак, который очень хорошо знал и любил Мятлева, который знал о нем все. Но раньше Мятлев знал каждую мысль Фрака о самом себе, знал себя в нем... Но за два года образ Мятлева в Фраке — ведь он изменился? Фрак, свой и знакомый до самой сути обнаженного тела, Фрак, но с Мятлевым в душе, которого Мятлев не знал и не хотел вспоминать. За эти два года Мятлев, который всегда был рядом с Фраком и жил в нем, стал, вероятно, другим. Воспоминания могут изменять прошлое, изменять настолько, что изменяется и настоящее. Был ли смысл Мятлеву снова Фрака встречать? И Мятлев сделал простую, до умопомрачения, вещь: вычеркнул все, что было с ними — ведь останавливалось время... игра воображения, — ведь этого не было, ведь поезда (и письма) в Россию не ходят столь часто... Придумали сами. Это было не-Время, это был шифт, ничем не заполненный. Жизнь, движение шли, продолжались до определенной точки в пространстве, а дальше была пустота, пробег вхолостую, время, когда разогревали мотор (скольжение по асфальту), затем — опять начиналась наполненность, и начиналась она тогда, когда исчезал Фрак, и следовательно, исчезал и Фрак, существующий в Мятлеве, прекращались, как артерии, письма, пресекалась связь, пространство на куски распадалось, а затем схема — все эти игры с судьбой — выстраивалась снова, без существования Фрака. Фрак придуман был Мятлевым самим, и никем больше. Ибо если изымались письма, перечеркнуты встречи, — то что оставалось у Фрака? Его умственные теории было ничто без подтверждения их реальными событиями, ничто без существования Мятлева. О последствиях Мятлев не думал.

Начиналась новая жизнь — с изгибами, шероховатостями, своими мрачными тайнами. Готовились к ноябрю: у А. Ю. — Д. Р. (день рожденья). Таблички: здесь творил знаменитый писатель. Перевел свое произведение на три языка (French, German & English), а затем обратно на русский: пять разных рассказов, — а вот его книги, exlibris беса, вот здесь он молился, стул BEATI POSSIDENTES, на котором сидел, чужой портсигар с его монограммой, последняя сигарета Pall Mall, умер не докурив. В это время остановились часы, — ровесники Пушкина, — с боем и пронзительным страдающим воем — ведь останавливалось время... Текст экскурсии отпечатал знакомый моряк — на «Титанике» плавал, бедняга, — вот портрет, — а рукописи, увы, не сохранны. Осталась лишь биография, написанная за день до смерти. Исправленная в день погребенья: на могиле — грибы. Кто читал, умирали один за другим.. Известна некая повесть «Порыв»... Говорят, Лизавета... В частности, А. Ю. предсказал вероломную смерть З.Бурсиана... Религию менял трижды. Отец из хлыстов. По праздникам — казацкие (калмыцкие?) шаровары. Бурсак. Вот его балалайка... Стрелялся. И трижды был ранен. Слабое сердце. Бедный мельник, прекрасная дочь, мельничиха, король. Дочь может прясть золото из гнилых ниток. Король сажает в закрытую комнату. Сидит, плачет, смерть — завтра.

Входит гномик, на тонких ножках, забавный, с палкой железной. Я сделаю все для тебя, что ты мне дашь? Отдам тебе я с себя ожерелье. Наутро полны кладовые драгоценным металлом. Король жаден, не может встать. Вторая ночь. Входит гном. Заливается плачем девица. Что ты мне дашь? Кольцо с пальца. Давай. И полны кладовые драгоценным металлом. На третью ночь король сказал: в жены возьму, если золото спрядешь мне, вот тебе опять веретено, прялка. Плачет, сидит. Знакомый гном. Отдай мне дочурку. Какую? Никогда не имела детей. Ту, когда родится, ту ты отдашь. Царскую дочь мне в дочурки. Я не принцесса. Такой дочки не будет. Согласье. Наутро король объявляет дорогую женой и рождается дочка. Через год гномик приходит. Заливается плачем жена короля. Обещала мне дочку. Отдать не могу. Я хочу живого человечка, а не бездушных веществ твоего королевства. Не хочу малахита, не хочу плавленых свечек, не хочу канделябров и люстр. Но плачет. Хорошо, если угадаешь имя мое, будет дочка навеки твоею. Первый день: гонцы посланы на юг и на север; второй день: на север, на юг; третий день: рассылает гонцов в точки разные света. На первый день гном приходит: перечисляй имена: сначала простые: Джон, Джоан, Джэйн, Иван, Митрофан, Гнутий, Пафнутий, Шинелий, Артелий, Веселий, Кончалок, Оселок, Таварашин, Деревяшин, Карашин, Беделя, Менеля, Менелай, Агравай, Запевай, Улетай, Гнуси, Немуси, Кобылин, Качалин, потом с библейской окраской: Михаэль, принц настоящего (Prince of the Presence), Владыка четвертого неба, Очиститель мест и людей, ангел земли, покровитель восточного ветра, Анаэль, Рафаэль, властитель второго неба, хранитель дерева жизни в саду Эдема, властитель Юга, наставник Запада, чье имя значит «Б-г излечил», агнец науки, знания, извинения, молитвы, радости, света, Габриэль, покровитель северной вьюги, Кассиэль, Сашиэль, Самаэль, Сахаэль, Самиэль, Уриэль, дух, стоящий у ворот погибшего рая с огненным мечом, вдохновение тех, кто пишет и учит, покровитель Южного ветра, Нариэль, покровитель полуденных ветров, Зазель, 45, Араэль, ангел птиц, Хариэль, ангел прирученных животных, Ориэль, ангел судьбы, Мануэль, Паниэль, отгоняющий духов злобных, Рафаэль, присягающий трону, Софиэль, ангел овощей, спелых фруктов, Тариэль, ангел лета, Уриэль, огонь Бога, Яриэль, лунный свет, Захриэль, управляющий памятью, Заниэль, управляющий днем первым недели, Бархиэль, февральский владыка, мартовский Малхидиэль, апрельский Асмодель, майский Амбриэль, июньский Муриэль, августовский Хамалиэль, сентябрьский Уриэль, декабрьский Анаэль, ангел воздуха, с нами Б-г Эммануэль, сила Б-га Иезекиэль, сражающийся с Б-гом Израэль, Б-гу преданный Лемуэль, спрошенный Б-гом Самуэль, Замаэль, радостный ангел, Захиэль, ангел водных потоков, затем опять Джон, Авалон, Тарабон, Понемлон, Пафнутий и Гнутий, отвечает Агафон, Грамофон, Полифон, Парамон, Обадон, Обалдон... Отвечает гном: нет, не мое это имя, отвечает гномик заскорузлый: еще, не мое, гном в ответ: нет, привет, завтра увижу, продолжим и сколжим, продолжают назавтра: Обильон, Павильон, Гаргамон, Аграфон, Тутанхамон, Вавилон,

Недамон, нет, нет, нет, не мое это имя, и обессилев, говорит наконец: Рампельстилтскин. Злобный гном схватил себя за ногу и в земле утонул, топнув злобно от гнева, а затем в земле утонул.

Внутри нас — маленький гном с изуродованными руками и телом.* Его зовут — наш двойник. Он говорит так миниатюрно и тихо, как будто в наушниках, его голос — голос американского Трумана без вторичных признаков секса. Он говорит нам: «Я — гном». Он говорит нам: «Я враг твой». Жил однажды мельник. Дочь — виноградно-свежа. Круглая, крепкая, спелая. Умрет и никогда не увидит наш Бруклин. Плакала аквамариновыми слезами. Вошел и сказал: «Я твой маленький принц. На ярмарке уродств выставляли меня вместе с заспиртованным ухом, никто не называл меня Папа. Ты помолчи лучше, а сплети солому в золото, она сказала ему. Второй раз убогий гном пришел в ее покои. Я твой маленький принц. Я твой гном. Дочь — виноградно-свежа. Помолчи лучше, а сплети-ка солому. Рожден сын, женился король. Отвратительный как артишок, она же думала, что он красивый как перл. Грудью кормила. Я твой маленький гном. Меняла пеленки. Шептала разную чепуху ему на ухо. Теперь я отец, вскричал маленький гном. Он хотел только одно: животинку, которую назвать мог бы своею. Кто может винить его в том? Мельхиор. Вальтазар. Нет. Нет. Не мое. Нет. Сегодня я пеку хлеб. Сегодня варю свое пиво. Завтра сын королевы мой будет, мой! Никто не знает, что зовут меня Рампельстилтскин. Не зовут ли тебя Рампельстилтскин, спросила она. Да, сказал тебе это дьявол. И разорвал себя на куски. И положил две части на пол. Одна часть мягкая как тело женщины. Другая часть — кривой урод. Одна часть отец, другая часть — Доппельгангер. Любил Айседору Дункан. Увы, безнадежно. Невзаимно вначале. Потом — развивалось... На стене — шарф. Родилась в Сан-Франциско на улице Тэйлор и Пост. Любил вяленых раков и воблу. Основал научное общество по изучению рукописей Мертвого моря: Conference on Dead Sea Scrolls. Привидение, о котором говорят и боятся, — вероятно, он сам. Похож по внешности на Алданова, по стилю письма — на Газданова и всезнающ он, как змея в тропике Рака и Месопотамии. И такой же седой, и с седой головой. Не в бикини, а в черном плаще.

Таким образом, в ноябре происходило много событий, которые потом простерлись и на предрождественский праздничный хрустко-морозный декабрь. И пока Фрак сидел на чемоданах и ждал, Мятлев уже купил себе новую шубу.

Мятлев очень был занят в музее. В «Похоронной конторе». Пить перестал. И писать перестал. И Мятлев писать перестал.

Содержание

Литературно-художественное издание

ЛАУРЕАТЫ ЛИТЕРАТУРНЫХ ПРЕМИЙ

Меклина Маргарита Маратовна

ВМЕСТЕ СО ВСЕМИ

Ответственный редактор *О. Аминова*
Ведущий редактор *Ю. Качалкина*
Младший редактор *О. Крылова*
Художественный редактор *А. Сауков*
Технический редактор *Г. Романова*
Компьютерная верстка *Т. Кирпичева*
Корректор *О. Супрун*

Иллюстрация на переплете *Ф. Барбышева*

ООО «Издательство «Эксмо»
123308, Москва, ул. Зорге, д. 1. Тел. 8 (495) 411-68-86, 8 (495) 956-39-21.
Home page: **www.eksmo.ru**   E-mail: **info@eksmo.ru**

Өндіруші: «ЭКСМО» АҚБ Баспасы, 123308, Мәскеу, Ресей, Зорге көшесі, 1 үй.
Тел. 8 (495) 411-68-86, 8 (495) 956-39-21.
Home page: www.eksmo.ru   E-mail: info@eksmo.ru.
Тауар белгісі: «Эксмо»
Қазақстан Республикасында дистрибьютор және өнім бойынша
арыз-талаптарды қабылдаушының
өкілі «РДЦ-Алматы» ЖШС, Алматы қ., Домбровский көш., 3«а», литер Б, офис 1.
Тел.: 8 (727) 2 51 59 89,90,91,92, факс: 8 (727) 251 58 12 вн. 107; E-mail: RDC-Almaty@eksmo.kz
Өнімнің жарамдылық мерзімі шектелмеген.
Сертификация туралы ақпарат сайтта: www.eksmo.ru/certification

Сведения о подтверждении соответствия издания согласно
законодательству РФ о техническом регулировании
можно получить по адресу: http://eksmo.ru/certification/

Өндірген мемлекет: Ресей
Сертификация қарастырылмаған

Подписано в печать 17.01.2014. Формат 80×100^1/$_{32}$.
Гарнитура «Балтика». Печать офсетная. Усл. печ. л. 22,22.
Тираж 2000 экз. Заказ № 6960/14

Отпечатано в соответствии с предоставленными материалами
в ООО «ИПК Парето-Принт», 170546, Тверская область,
Промышленная зона Боровлево-1, комплекс №3А, www.pareto-print.ru

ISBN 978-5-699-70016-5

Оптовая торговля книгами «Эксмо»:
ООО «ТД «Эксмо». 142700, Московская обл., Ленинский р-н, г. Видное,
Белокаменное ш., д. 1, многоканальный тел. 411-50-74.
E-mail: **reception@eksmo-sale.ru**

По вопросам приобретения книг «Эксмо» зарубежными оптовыми
покупателями обращаться в отдел зарубежных продаж ТД «Эксмо»
E-mail: **international@eksmo-sale.ru**

International Sales: International wholesale customers should contact
Foreign Sales Department of Trading House «Eksmo» for their orders.
international@eksmo-sale.ru

По вопросам заказа книг корпоративным клиентам, в том числе в специальном
оформлении, обращаться по тел. +7 (495) 411-68-59, доб. 2261, 1257.
E-mail: **vipzakaz@eksmo.ru**

Оптовая торговля бумажно-беловыми
и канцелярскими товарами для школы и офиса «Канц-Эксмо»:
Компания «Канц-Эксмо»: 142702, Московская обл., Ленинский р-н, г. Видное-2,
Белокаменное ш., д. 1, а/я 5. Тел./факс +7 (495) 745-28-87 (многоканальный).
e-mail: **kanc@eksmo-sale.ru**, сайт: **www.kanc-eksmo.ru**

Полный ассортимент книг издательства «Эксмо» для оптовых покупателей:
В Санкт-Петербурге: ООО СЗКО, пр-т Обуховской Обороны, д. 84Е.
Тел. (812) 365-46-03/04.
В Нижнем Новгороде: ООО ТД «Эксмо НН», 603094, г. Нижний Новгород,
ул. Карпинского, д. 29, бизнес-парк «Грин Плаза». Тел. (831) 216-15-91 (92, 93, 94).
В Ростове-на-Дону: ООО «РДЦ-Ростов», пр. Стачки, 243А. Тел. (863) 220-19-34.
В Самаре: ООО «РДЦ-Самара», пр-т Кирова, д. 75/1, литера «Е». Тел. (846) 269-66-70.
В Екатеринбурге: ООО «РДЦ-Екатеринбург», ул. Прибалтийская, д. 24а.
Тел. +7 (343) 272-72-01/02/03/04/05/06/07/08.
В Новосибирске: ООО «РДЦ-Новосибирск», Комбинатский пер., д. 3.
Тел. +7 (383) 289-91-42. E-mail: **eksmo-nsk@yandex.ru**
В Киеве: ООО «РДЦ Эксмо-Украина», Московский пр-т, д. 9. Тел./факс: (044) 495-79-80/81.
В Донецке: ул. Артема, д. 160. Тел. +38 (032) 381-81-05.
В Харькове: ул. Гвардейцев Железнодорожников, д. 8. Тел. +38 (057) 724-11-56.
Во Львове: ТП ООО «Эксмо-Запад», ул. Бузкова, д. 2. Тел./факс (032) 245-00-19.
В Симферополе: ООО «Эксмо-Крым», ул. Киевская, д. 153.
Тел./факс (0652) 22-90-03, 54-32-99.
В Казахстане: ТОО «РДЦ-Алматы», ул. Домбровского, д. 3а.
Тел./факс (727) 251-59-90/91. **rdc-almaty@mail.ru**

Полный ассортимент продукции издательства «Эксмо»
можно приобрести в магазинах **«Новый книжный»** и **«Читай-город».**
Телефон единой справочной: 8 (800) 444-8-444. Звонок по России бесплатный.

Интернет-магазин ООО «Издательство «Эксмо»
www.fiction.eksmo.ru
Розничная продажа книг с доставкой по всему миру.
Тел.: +7 (495) 745-89-14. E-mail: **imarket@eksmo-sale.ru**